UM ANTROPÓLOGO
EM MARTE

OLIVER SACKS

UM ANTROPÓLOGO EM MARTE

Sete histórias paradoxais

Tradução
Bernardo Carvalho

10ª reimpressão

Copyright © 1995 by Oliver Sacks
Versões anteriores dos ensaios deste livro foram publicadas originalmente em *The New York Review of Books*: "O caso do pintor daltônico" e "O último hippie", e *The New Yorker*: "Um antropólogo em Marte", "A paisagem dos seus sonhos", "Prodígios", "Ver e não ver" e "Uma vida de cirurgião"
Proibida a venda em Portugal

Título original
An anthropologist on Mars: Seven paradoxical tales

Capa
Jeff Fisher

Preparação
Marcos Luiz Fernandes

Revisão
Renato Potenza Rodrigues
Vivian Miwa Matsushita

Índice remissivo
José Muniz Jr.

O tradutor agradece a atenção e os preciosos esclarecimentos do dr. Julius Weinberg

Dados Internacionais de Catalogação na Publicação (CIP)
(Câmara Brasileira do Livro, SP, Brasil)

Sacks, Oliver
 Um antropólogo em Marte : sete histórias paradoxais / Oliver Sacks ; tradução Bernardo Carvalho. — São Paulo : Companhia das Letras, 2006.

 Título original: An anthropologist on Mars : seven paradoxical tales.
 ISBN 978-85-359-0896-1

 1. Neurologia — Estudos de casos I. Título.

	CDD-616.809
06-6071	NLM-WL 100

Índice para catálogo sistemático:
1. Neurologia : Estudos de casos 616.809

Todos os direitos desta edição reservados à
EDITORA SCHWARCZ S.A.
Rua Bandeira Paulista, 702, cj. 32
04532-002 — São Paulo — SP
Telefone: (11) 3707-3500
www.companhiadasletras.com.br
www.blogdacompanhia.com.br

Para os sete cujas histórias são narradas aqui

O universo não é apenas mais excêntrico do que imaginamos, mas mais excêntrico do que podemos imaginar.
J. B. S. HALDANE

Não pergunte que doença a pessoa tem, mas que pessoa a doença tem.
(atribuído a) WILLIAM OSLER

SUMÁRIO

Agradecimentos *9*
Prefácio *12*

O caso do pintor daltônico *18*
O último hippie *51*
Uma vida de cirurgião *84*
Ver e não ver *113*
A paisagem dos seus sonhos *155*
Prodígios *190*
Um antropólogo em Marte *246*

Notas *296*
Bibliografia selecionada *325*
Referências bibliográficas *334*
Índice remissivo *345*
Sobre o autor *359*

AGRADECIMENTOS

Primeiro, sou profundamente grato aos meus "personagens": "Jonathan I.", "Greg F.", "Carl Bennett", "Virgil", Franco Magnani, Stephen Wiltshire e Temple Grandin. Para com eles, suas famílias, amigos, médicos e terapeutas tenho uma dívida infinita.

Dois colegas muito especiais, Bob Wasserman (co-autor da versão original de "O caso do pintor daltônico") e Ralph Siegel (meu colaborador em outros livros), formaram comigo uma espécie de junta nos casos de Jonathan I. e Virgil.

Devo a muitos amigos e colegas (mais do que posso enumerar!) informações, auxílio e estimulantes discussões. Com alguns, como Jerry Bruner e Gerald Edelman, houve um diálogo estreito e contínuo ao longo dos anos; com outros, apenas encontros e cartas ocasionais; todos, porém, me estimularam e inspiraram de diferentes maneiras. São eles: Ursula Bellugi, Peter Brook, Jerome Bruner, Elizabeth Chase, Patricia e Paul Churchland, Joanne Cohen, Pietro Corsi, Francis Crick, António e Hanna Damásio, Merlin Donald, Freeman Dyson, Gerald Edelman, Carol Feldman, Shane Fistell, Allen Furbeck, Frances Futterman, Elkhonon Goldberg, Stephen Jay Gould, Richard Gregory, Kevin Halligan, Lowell Handler, Mickey Hart, Jay Itzkowitz, Helen Jones, Eric Korn, Deborah Lai, Skip e Doris Lane, Sue Levi-Pearl, John MacGregor, John Marshall, Juan Martinez, Jonathan e Rachel Miller, Arnold Modell, Jonathan Mueller, Jock Murray, Knut Nordby, Michael Pearce, V. S. Ramachandran, Isabelle Rapin, Bob Rodman, Israel Rosenfield, Carmel Ross, Yolanda Rueda, David Sacks, Marcus Sacks, Dan Schachter, Murray Schane, Herb Schaumburg, Susan Schwartzenberg, Robert Scott, Richard Shaw, Leonard Shengold, Larry Squire, John Steele, Richard Stern, Deborah Tannen, Esther

Thelen, Connie Tomaino, Russel Warren, Ed Weinberger, Ren e Joasia Weschler, Andrew Wilkes, Jerry Young, Semir Zeki.

Muitos compartilharam comigo seu saber e especialidade no campo do autismo, incluindo, em primeiro lugar e principalmente, minha colega e grande amiga Isabelle Rapin, Doris Allen, Howard Bloom, Marlene Breitenbach, Uta Frith, Denise Fruchter, Beate Hermelin, Patricia Krantz, Lynn McClannahan, Clara e David Park, Jessy Park, Sally Ramsey, Ginger Richardson, Bernard Rimland, Ed e Riva Ritvo, Mira Rothenberg e Rosalie Winard. Em relação a Stephen Wiltshire, devo agradecer a Lorraine Cole, Chris Marris, e sobretudo Margaret e Andrew Hewson.

Sou grato a incontáveis correspondentes (inclusive o agora não identificado missivista que me enviou uma cópia de 1862 do *Observer* de Fayetteville), alguns deles citados nestas páginas. De fato, muitas dessas investigações tiveram início com cartas ou telefonemas inesperados, a começar pela carta do senhor I., que me foi enviada em março de 1986.

Há lugares — não menos que pessoas — que contribuíram para este livro, fornecendo abrigo, calma e estímulo. Em primeiro lugar, o Jardim Botânico de Nova York (especialmente a hoje desativada coleção de samambaias), meu lugar predileto para andar e refletir; o Lake Jefferson Hotel e seu lago; o Blue Mountain Center (e Harriet Barlow); o Instituto de Humanidades de Nova York, onde foram feitos alguns dos exames do senhor I.; a biblioteca de Albert Einstein College of Medicine, que me auxiliou na pista de várias fontes; e lagos, rios e piscinas por toda parte — já que faço a maioria das minhas reflexões dentro d'água.

A Fundação Guggenheim apoiou muito generosamente meu trabalho sobre "Uma vida de cirurgião", em 1989, com uma bolsa de pesquisa em neuroantropologia da síndrome de Tourette.

Primeiras versões de "O caso do pintor daltônico" e de "O último hippie" foram publicadas no *The New York Review of Books*, e as dos outros casos clínicos na *The New Yorker*. Tive o privilégio de trabalhar com Robert Silvers no *NYRB* e com John

Bennet na *The New Yorker* — e com as equipes de ambas as publicações. Muitos outros contribuíram na edição e publicação deste livro, incluindo Dan Frank e Claudine O'Hearn, da Knopf, Jacqui Graham, do Picador, Jim Silberman, Heather Schroeder, Susan Jensen e Suzanne Gluck. Por fim, alguém que conheceu todos os casos deste livro e ajudou a dar-lhe forma e impulso foi minha assistente, editora, colaboradora e amiga Kate Edgar.

Mas para voltar ao ponto de partida, todos os estudos clínicos, por maior que seja o empreendimento, por mais profunda que seja a investigação, devem retornar aos casos concretos, aos indivíduos que os inspiraram e sobre quem eles discorrem. Por isso, às sete pessoas que confiaram em mim, compartilharam suas vidas comigo, me entregaram em profundidade suas experiências — e, ao longo dos anos, se tornaram meus amigos —, eu dedico este livro.

PREFÁCIO

Estou escrevendo com a mão esquerda, embora seja completamente destro. Fui operado do ombro direito há um mês e atualmente não devo, não consigo usar o braço direito. Escrevo devagar, desajeitado — mas com maior facilidade e naturalidade conforme passam os dias. Estou me adaptando, aprendendo ao longo desse tempo — não apenas a escrever, mas a fazer uma dúzia de outras coisas com a mão esquerda; também me tornei muito hábil, capaz de apanhar coisas com os dedos dos pés para compensar o braço na tipóia. Fiquei sem firmeza por uns dias logo que o braço foi imobilizado, mas agora já ando de outra maneira, descobri um novo equilíbrio. Estou desenvolvendo novos padrões e hábitos... uma identidade diferente, pode-se dizer, pelo menos nesta esfera específica. Devem estar ocorrendo mudanças em alguns programas e circuitos do meu cérebro — alterando cargas sinápticas, conexões e sinais (embora nossos métodos de obtenção de imagens cerebrais ainda sejam muito precários para mostrá-las).

Apesar de algumas das minhas adaptações serem deliberadas, planejadas, e outras aprendidas por tentativa e erro (na primeira semana machuquei todos os dedos da mão esquerda), a maioria aconteceu por conta própria, inconscientemente, por intermédio de reprogramações e adaptações das quais nada sei (não mais do que sei, ou posso saber, por exemplo, sobre minha maneira normal de andar). No próximo mês, se tudo correr bem, posso começar a me readaptar uma vez mais, recuperar o uso integral (e "natural") do meu braço direito, reincorporá-lo a minha imagem corporal, à imagem de mim mesmo, para me tornar novamente um ser humano ágil e destro.

Mas a recuperação, nessas circunstâncias, não é de jeito nenhum automática, um processo simples de cicatrização — envolve todo um sistema de ajustes musculares e de postura, toda uma seqüência de novos procedimentos (e sua síntese), aprender, descobrir um novo caminho para o restabelecimento. Meu médico, um homem compreensivo que passou pela mesma cirurgia, me disse: "Existem normas *gerais*, restrições, recomendações. Mas o resto você vai ter que descobrir por si mesmo". Jay, meu fisioterapeuta, se expressou de forma semelhante: "A adaptação segue caminhos diferentes de pessoa para pessoa. O sistema nervoso cria seus próprios caminhos. Você é o neurologista — deve ver isso o tempo inteiro".

A imaginação da natureza, como Freeman Dyson costuma dizer, é mais rica que a nossa; ele discorre, admiravelmente, sobre essa riqueza nos mundos físico e biológico, a infinita diversidade de formas físicas e de vida. Para mim, como médico, a riqueza da natureza deve ser estudada no fenômeno da saúde e das doenças, nas infinitas formas de adaptação individual com que organismos humanos, as pessoas, se reconstroem diante dos desafios e vicissitudes da vida.

Nessa perspectiva, deficiências, distúrbios e doenças podem ter um papel paradoxal, revelando poderes latentes, desenvolvimentos, evoluções, formas de vida que talvez nunca fossem vistas, ou mesmo imaginadas, na ausência desses males. Nesse sentido, é o paradoxo da doença, seu potencial "criativo", que forma o tema central deste livro.

Assim como é possível ficar horrorizado com a devastação causada por doenças ou distúrbios de desenvolvimento, por vezes também podemos vê-los como criativos — já que, se por um lado destroem caminhos precisos, certas maneiras de executarmos coisas, podem, por outro, forçar o sistema nervoso a buscar caminhos e maneiras diferentes, forçá-lo a um inesperado crescimento e evolução. Esse outro lado do desenvolvimento ou da doença é o que vejo, potencialmente, em quase todo paciente; e é isso que me interessa especialmente descrever aqui.

Considerações semelhantes foram feitas por A. R. Luria, que, mais que qualquer outro neurologista do seu tempo, estudou a sobrevivência de longo prazo de pacientes com tumores cerebrais, lesões ou derrames e as maneiras, as adaptações que desenvolveram para sobreviver. Na juventude, ele também estudou crianças surdas e cegas (com seu mestre L. S. Vygotsky). Vygotsky salientou a integridade dessas crianças, mais que suas deficiências:

> Uma criança deficiente representa um tipo de desenvolvimento qualitativamente diferente e único. [...] Se uma criança cega ou surda atinge o mesmo nível de desenvolvimento de uma criança normal, *ela o faz de outra maneira, por outro percurso, por outros meios*; e, para o pedagogo, é particularmente importante estar ciente da singularidade desse caminho pelo qual ele deverá guiar a criança. Essa singularidade transforma o negativo da deficiência no positivo da compensação.

A ocorrência dessas adaptações radicais exigia, segundo Luria, uma nova visão do cérebro, não mais como programado e estático, mas como dinâmico e ativo, um sistema adaptável altamente eficiente, direcionado para a evolução e a mudança, adaptando-se incessantemente às necessidades do organismo — sobretudo a sua necessidade de construir um eu e um mundo coerentes, independentemente dos defeitos e males que podem acometer a função cerebral. Está claro que o cérebro é minuciosamente diferenciado: existem centenas de áreas minúsculas cruciais para cada aspecto da percepção e do comportamento (da percepção das cores e do movimento até, talvez, a orientação intelectual de um indivíduo). O milagre é a maneira como elas cooperam, como se integram, na criação de um eu.[1]

Esse sentido da notável maleabilidade do cérebro, sua capacidade para as mais impressionantes adaptações, para não falar nas circunstâncias especiais (e freqüentemente desesperadas) de acidentes neurológicos ou sensórios, acabou dominando minha percepção dos pacientes e de suas vidas. De tal forma, na realidade, que por vezes sou levado a pensar se não seria necessário redefinir os conceitos de "saúde" e "doença", para vê-los em termos da capacidade do organismo de criar uma nova organização e ordem, adequada a sua disposição especial e modificada e a suas necessidades, mais do que em termos de uma "norma" rigidamente definida.

A enfermidade implica uma contração da vida, mas tais contrações não precisam ocorrer. Ao que me parece, quase todos os meus pacientes, quaisquer que sejam os seus problemas, buscam a vida — e não apenas a despeito de suas condições, mas por causa delas e até mesmo com sua ajuda.

Estas são sete narrativas sobre a natureza e a alma humana, e sobre como elas colidem de formas inesperadas. As pessoas deste livro passaram por condições neurológicas tão diversas quanto a síndrome de Tourette, o autismo, a amnésia e o daltonismo total. Elas exemplificam essas condições, são "casos" no sentido médico tradicional — mas também são indivíduos únicos, cada um vivendo (e, em certo sentido, criando) seu próprio mundo.

Estas são histórias de sobrevivência em condições alteradas, por vezes radicalmente alteradas — sobrevivência possível graças a nossos maravilhosos (e às vezes perigosos) poderes de reconstrução e adaptação. Em livros anteriores, escrevi sobre a "preservação" do eu e (com menor freqüência) sobre a "perda" do eu, nos distúrbios neurológicos. Tendo a pensar que esses termos são demasiado simples — e que não há perda nem preservação da identidade em situações desse tipo, mas uma adaptação, e até uma transmutação, já que estamos tratando de cérebros e "realidades" radicalmente alterados.

Para o médico, o estudo da doença exige o estudo da identidade, os mundos interiores que os pacientes criam sob o impulso da doença. Mas a realidade dos pacientes, as formas como eles e seus cérebros constroem seus próprios mundos, não pode ser totalmente compreendida pela observação do comportamento, do exterior. Além da abordagem objetiva do cientista, do naturalista, também devemos empregar um ponto de vista intersubjetivo, mergulhando, como escreve Foucault, "no interior da consciência mórbida, [tentando] ver o mundo patológico com os olhos do próprio paciente". Ninguém escreveu melhor que G. K. Chesterton, pela boca de seu detetive espiritual, o padre Brown, sobre a natureza e a necessidade dessa empatia. Assim responde o padre Brown, quando questionado sobre seu método, seu segredo:

> A ciência é uma grande coisa quando está a nossa disposição; no seu verdadeiro sentido, é uma das palavras mais formidáveis do mundo. Mas o que pretendem esses homens, em nove entre dez casos, ao pronunciá-la hoje? Ao dizer que a detecção é uma ciência? Ao dizer que a criminologia é uma ciência? Pretendem colocar-se no exterior de um homem e estudá-lo como se fosse um inseto gigante, sob o que chamariam luz severa e imparcial — e que eu chamaria morta e desumanizada. Pretendem distanciar-se dele, como se ele fosse um remoto monstro pré-histórico, e fitar a forma de seu "crânio criminoso" como se fosse uma espécie de sinistra excrescência, como o chifre de um rinoceronte. Quando o cientista fala de um tipo, nunca está se referindo a si mesmo, mas a seu vizinho, provavelmente mais pobre. Não nego que a luz severa possa ser benéfica às vezes, embora, em certo sentido, ela seja o oposto da ciência. Longe de converter-se em conhecimento, ela é a supressão do que sabemos. É tratar um amigo como estranho e fazer com que algo familiar pareça remoto e misterioso. É como dizer que o homem carrega uma probóscide entre os olhos e que cai num estado de insensibilidade a cada 24 horas. Bem, o que você chama de "segredo" é exatamente o contrário. Não tento me colocar do lado de fora do homem. Tento me colocar no seu interior.

A exploração de identidades e mundos profundamente alterados não é algo que se possa fazer inteiramente num consultório. O neurologista francês François Lhermitte é especialmente sensível a isso e, em vez de observar seus pacientes apenas na clínica, insiste em visitá-los em casa, levá-los a restaurantes ou teatros, ou passear de carro com eles, compartilhar suas vidas ao máximo. (O mesmo acontece, ou costumava acontecer, com os clínicos gerais. Quando meu pai, por exemplo, começou a considerar, com relutância, a aposentadoria, aos noventa anos, nós lhe dissemos: "Pelo menos elimine as consultas a domicílio". E ele respondeu: "Não, vou mantê-las — em compensação, abro mão de todo o resto".)

Com isso em mente, tirei meu guarda-pó branco e desertei, em grande parte, dos hospitais onde passei os últimos 25 anos, para pesquisar a vida de meus pacientes no mundo real, sentindo-me em parte como um naturalista que examina formas raras de vida, em parte como um antropólogo, um neuroantropólogo, em trabalho de campo — mas sobretudo como um médico, chamado aqui e acolá para fazer visitas a domicílio, visitas às fronteiras distantes da experiência humana.

Estas são, portanto, histórias de metamorfoses possibilitadas pelo acaso neurológico, mas metamorfoses em estados alternativos do ser, outras formas de vida, não menos humanas pelo fato de serem tão diferentes.

Nova York, junho de 1994
O. W. S.

O CASO DO PINTOR DALTÔNICO

No início de março de 1986, recebi a seguinte carta:

Sou um artista consideravelmente bem-sucedido que acaba de passar dos 65 anos. No dia 2 de janeiro deste ano eu ia dirigindo meu carro quando levei uma trombada de um pequeno caminhão, do lado do passageiro. Durante a consulta no ambulatório de um hospital local, me disseram que eu tinha sofrido uma concussão. Durante o exame de vista, descobriram que eu não conseguia distinguir letras ou cores. As letras pareciam caracteres gregos. Minha visão era tal que tudo me parecia visto através da tela de um televisor em preto-e-branco. Depois de alguns dias, passei a distinguir as letras e fiquei com uma visão de águia — consigo ver uma minhoca se contorcendo a uma quadra de distância. A precisão do foco é inacreditável. MAS ESTOU COMPLETAMENTE DALTÔNICO. Procurei oftalmologistas que nada sabem sobre esse daltonismo. Procurei neurologistas — inutilmente. Mesmo sob hipnose, continuo sem conseguir distinguir as cores. Passei por todo tipo de exame. Todos os que você conseguir imaginar. Meu cachorro marrom é cinza-escuro. Suco de tomate é preto. TV em cores é uma mixórdia...

O pintor continuava, perguntando se eu já havia encontrado esse problema antes, se podia explicar o que estava acontecendo com ele — e se teria como ajudá-lo.

Aquela carta parecia extraordinária. Daltonismo, tal como se costuma entendê-lo, é algo congênito — uma dificuldade para distinguir vermelho e verde, ou outras cores, ou (o que é extremamente raro) incapacidade de enxergar todas as cores, decorrente de defeitos nos cones, as células fotossensíveis da retina. Mas certamente não era este o caso do meu missivista, Jonathan I. Ele havia enxergado normalmente a vida toda, nascera com o sistema completo de cones em suas retinas. *Tornara-se* daltônico depois de ter vivido 65 anos enxergando as cores normalmente — *totalmente* daltônico, "como se estivesse diante da tela de um televisor em preto-e-branco". O caráter repentino do acontecimento era incompatível com todas as lentas deteriorações que podem acometer as células cônicas da retina e sugeria, em vez disso, um acidente de ordem superior, em uma das partes do cérebro especializadas na percepção da cor.

O daltonismo total causado por lesão do cérebro, a chamada acromatopsia cerebral, embora descrito há mais de três séculos, continua sendo uma condição rara e significativa. Ela deixou os neurologistas intrigados porque, como todas as degenerações e destruições de funções cerebrais, pode revelar-nos os mecanismos da construção neuronial — aqui, especificamente, como o cérebro "vê" (ou faz) a cor. Duplamente intrigante é sua ocorrência num artista, um pintor para quem a cor tinha uma importância primordial, e que pode tanto descrever como pintar diretamente o que lhe aconteceu e assim transmitir a totalidade da estranheza, aflição e realidade de sua condição.

A cor não é um assunto trivial; por centenas de anos ela despertou uma curiosidade apaixonada nos maiores artistas, filósofos e cientistas naturalistas. O jovem Spinoza escreveu seu primeiro tratado sobre o arco-íris; a mais jubilosa descoberta do jovem Newton foi a composição da luz branca; o grande trabalho de Goethe sobre a cor, assim como o de Newton, teve início com um prisma; Schopenhauer, Young, Helmholtz e Maxwell, no século XIX, foram todos atormentados pelo problema da cor; e o último trabalho de Wittgenstein foi seu *Observações sobre a cor*. Ainda assim, a maioria de nós, na maior parte do tempo, despreza o grande mistério da cor. Por intermédio de um caso como o do sr. I. podemos traçar não apenas os mecanismos cerebrais subjacentes ou a fisiologia da cor, mas sua fenomenologia e a profundidade de sua repercussão e sentido para o indivíduo.

Ao receber a carta do sr. I., entrei em contato com meu colega e grande amigo Robert Wasserman, um oftalmologista, sentindo que precisávamos pesquisar juntos a complexa situação do paciente e, se pudéssemos, ajudá-lo. Sua primeira consulta conosco foi em abril de 1986. Era um homem alto, magro, com um rosto esperto e inteligente. Embora obviamente deprimido por seu estado, logo se animou e começou a falar-nos com vivacidade e humor. Enquanto falava, fumava sem parar; seus dedos, inquietos, estavam manchados de nicotina. Descreveu-nos uma vida muito ativa e produtiva como artista, desde sua juventude com Geórgia O'Keeffe no Novo México, passando pela pintura de cenários em Hollywood nos anos 40, até seu trabalho como expressionista abstrato em Nova York nos anos 50 e como diretor de arte e artista de publicidade.

Ficamos sabendo que seu acidente fora acompanhado de uma amnésia passageira. Evidentemente, fora capaz de dar à polícia uma clara descrição de si mesmo e do acidente no momento em que este ocorreu, no final da tarde de 2 de janeiro, mas depois decidiu ir para casa, devido a uma dor de cabeça insistente e progressiva. Reclamou com a mulher da dor de cabeça e de estar se sentindo confuso, mas não mencionou o acidente. Caiu então num longo sono, quase letárgico. Só na manhã seguinte, ao ver a lateral amassada do carro, a mulher lhe perguntara o que havia ocorrido. Ao não receber uma resposta clara ("Não sei. Talvez alguém tenha entrado nele de marcha a ré"), deu-se conta de que algo sério devia ter acontecido.

O sr. I. pegou então o carro e foi até seu ateliê, onde encontrou, sobre a mesa, uma cópia do boletim de ocorrência do acidente. Sofrera um acidente, mas, por alguma estranha razão, não se lembrava de nada. Talvez o boletim de ocorrência despertasse sua memória. Contudo, ao tomá-lo nas mãos, ficou sem saber o que fazer com ele. Via caracteres de diferentes tamanhos e tipos, todos em foco, mas que lhe pareciam "grego" ou "hebraico".[1] Uma lente de aumento não foi de nenhum auxílio; simplesmente ampliou o "grego" e o "hebraico". (Essa alexia, ou incapacidade de ler, durou cinco dias, depois desapareceu.)

Convencido de que devia ter tido um derrame ou alguma espécie de lesão cerebral em decorrência do acidente, Jonathan I. telefonou para seu médico, que tomou providências para que ele fosse testado num hospital local. Nessa ocasião, embora se detectassem dificuldades na distinção das cores, em acréscimo a sua impossibilidade de ler, ele não teve uma percepção subjetiva de alteração das cores: isso só ocorreria no dia seguinte.

Nesse dia, ele decidira voltar ao trabalho. Parecia-lhe estar dirigindo dentro de um nevoeiro, embora soubesse que a manhã estava clara e ensolarada. Tudo parecia nebuloso, desbotado, cinzento, indistinto. Perto de seu ateliê, foi parado pela polícia: avançara dois sinais vermelhos. Tinha percebido? Não, disse ele, ignorava ter avançado todo e qualquer semáforo. Pediram que descesse do carro. Constatando que estava sóbrio, mas aparentemente confuso e indisposto, deram-lhe uma multa e aconselharam-no a procurar um médico.

O sr. I. chegara a seu ateliê aliviado, achando que o terrível nevoeiro acabaria se dissipando e tudo voltaria a ficar nítido. Porém, assim que entrou, encontrou todo o ateliê, cujas paredes estavam cobertas de pinturas coloridas e luminosas, totalmente cinza e esvaziado de cor. Suas telas, as pinturas coloridas e abstratas pelas quais era conhecido, agora eram cinza ou em preto-e-branco. Suas pinturas — antes ricas em associações, sentimentos e significados — agora lhe pareciam estranhas e sem sentido. Nesse instante, esmagou-o a magnitude de sua perda. Ele fora pintor a vida inteira; agora até mesmo sua arte perdera o sentido e ele já não sabia imaginar como ir em frente.

As semanas seguintes foram muito difíceis. "Você pode achar", disse o sr. I., "que perder a visão das cores não é nenhuma coisa do outro mundo. Foi o que me disseram alguns amigos; às vezes minha mulher também pensava assim, mas para mim, pelo menos, era terrível, repugnante." Ele *conhecia* as cores de tudo com uma exatidão extraordinária (podia dar não apenas os nomes, mas os números das cores listadas na paleta de variações da Pantone, que havia usado durante anos). Podia identificar incontinenti o verde da mesa de bilhar de Van Gogh. *Conhecia* todas as cores de seus quadros prediletos, mas não podia mais vê-las, nem quando olhava de fato, nem através de seu "olho mental". Talvez as conhecesse agora apenas pela memória verbal.

Não apenas as cores haviam desaparecido, mas o que ele via tinha uma aparência desagradável, "suja", os brancos reluzindo, embora descorados e impuros, os pretos cavernosos — tudo errado, desnaturado e manchado.[2]

O sr. I. mal podia suportar a nova aparência das pessoas ("como estátuas cinzentas animadas"), tanto quanto não suportava sua própria aparência no espelho: passou a evitar encontros sociais e a achar impossível uma relação sexual. Via a carne dos outros, de sua mulher e a sua própria, como se fosse de um cinza repulsivo; "cor-de-carne" passou a ser "cor-de-rato" para ele. E isso continuava ocorrendo mesmo quando fechava os olhos, já que sua nítida imaginação visual tinha sido preservada, só que agora igualmente sem cores.

A "incorreção" de tudo era perturbadora, repugnante até, e se aplicava a cada circunstância do dia-a-dia. Os alimentos pareciam-lhe repulsivos devido a seu aspecto cinzento, morto, e ele tinha que fechar os olhos para comer. O que não adiantava muito, uma vez que a imagem mental de um tomate continuava sendo tão negra quanto sua aparência. Assim, incapaz de retificar até mesmo a imagem interior, a idéia, de vários alimentos, ele foi se voltando progressivamente para comidas pretas e brancas — azeitonas pretas e arroz branco, café preto e iogurte, que pelo menos pareciam relativamente normais ao lado da maioria dos alimentos, em geral coloridos, que agora tinham um terrível aspecto anormal. Seu próprio cachorro marrom lhe parecia tão estranho que chegou a considerar a aquisição de um dálmata.

Esbarrou em dificuldades e aflições de todo tipo, da confusão entre o vermelho e o verde dos sinais de trânsito (que agora só conseguia distinguir pela posição das luzes) à incapacidade de escolher suas roupas (sua mulher tinha que separá-las para ele, e essa dependência foi-lhe difícil de suportar — mais tarde, cada item seria classificado em suas gavetas e armários: meias cinza aqui, amarelas ali, gravatas com etiquetas, paletós e ternos separados por categoria, para prevenir incongruências gritantes e confusões). Práticas e posições fixas e ritualísticas tiveram de ser adotadas à mesa; caso contrário, confundiria a mostarda com maionese ou, se conseguisse superar sua repulsa pela matéria escura, o ketchup com a geléia.[3]

Com o passar dos meses, sentiu falta sobretudo das cores vivas da primavera — sempre amara as flores e agora só conseguia reconhecê-las pela forma ou pelo cheiro. As penas dos gaios azuis já não brilhavam; o azul, curiosamente, tornara-se cinza pálido. Quando olhava para as nuvens no céu, já não conseguia ver sua brancura, ou sua tonalidade gelo, pois elas mal se distinguiam do azul, que percebia como desbotado, cinza pálido. Também era impossível separar as pimentas vermelhas das verdes, pois ambas pareciam pretas. Amarelos e azuis eram, para ele, quase brancos.[4]

Além disso, o sr. I. parecia sofrer de um excessivo contraste de tonalidade, com a perda das gradações sutis, especialmente sob a luz natural direta ou sob luz artificial; aqui, ele fez uma comparação com os efeitos da iluminação de sódio, que elimina ao mesmo tempo as sutilezas de cor e de tons, e com certos filmes em preto-e-branco — "como o Tri-X puxado" — que produzem um efeito duro e contrastado. Por vezes, os objetos se destacavam com uma nitidez e um contraste desregrados, como silhuetas. Mas se o contraste fosse normal, ou baixo, podiam sumir completamente da visão.

Assim, embora seu cachorro marrom pudesse ter a silhueta nitidamente destacada quando colocado contra o fundo de uma estrada clara, desaparecia da visão ao passar por um mato manchado e cheio de tufos. A imagem das pessoas podia ser visível e reconhecível a quase um quilômetro de distância (como havia dito na carta e muitas vezes depois, sua visão tornara-se mais nítida, "como a de uma águia"), mas freqüentemente os rostos permaneciam inidentificáveis até chegarem bem perto. Parecia mais uma questão de perda do contraste de cor e tonalidade que de deficiência de reconhecimento, de agnosia. Um dos maiores problemas acontecia quando ele dirigia, já que tinha tendência a tomar sombras por fendas e buracos na estrada, freando e desviando bruscamente para evitá-los.

Era-lhe particularmente difícil assistir à TV em cores: imagens sempre desagradáveis e, às vezes, ininteligíveis. Achava mais fácil lidar com a TV em preto-e-branco; sentia que sua percepção das imagens em preto-e-branco era relativamente normal, ao passo que algo estranho e intolerável ocorria sempre que se colocava diante de imagens coloridas (quando lhe perguntamos por que simplesmente não tirava a cor, respondeu que achava que as gradações de tonalidade da TV em cores "descolorida" pareciam diferentes, menos "normais" que as de um "puro" televisor em preto-e-branco). Mas, como ele diz agora, em contraposição a sua primeira carta, seu mundo não era exatamente como um filme ou uma televisão em preto-e-branco — teria sido muito mais fácil viver se assim o fosse. (Às vezes, ele desejava poder usar óculos que fossem televisores em miniatura.)

Finalmente, desistindo de conseguir transmitir a aparência de seu mundo e diante da inutilidade das analogias com as habituais imagens em preto-e-branco, semanas mais tarde ele criara uma sala inteiramente cinza, um universo cinzento em seu ateliê, onde mesas, cadeiras e um elaborado jantar pronto para ser servido foram todos pintados em diversos tons de cinza. O efeito, em três dimensões e numa escala de tonalidades diferentes do "preto-e-branco" ao qual estamos acostumados, era de fato macabro e totalmente distinto do de uma fotografia em preto-e-branco. Como notou o sr. I., aceitamos filmes e fotografias em preto-e-branco porque são *representações* do mundo — imagens que podemos olhar e deixar de olhar quando bem entendemos. Mas, para ele, o preto-e-branco era uma *realidade* sólida e tridimensional, 360 graus a sua volta, 24 horas por dia. Ele achava que a única forma de expressá-la era criando uma sala completamente cinza onde os outros pudessem ter a mesma experiência — mas, é claro, ele assinalava, o próprio observador teria que estar pintado de cinza para tornar-se parte desse mundo e não apenas observá-lo. Mais que isso: o observador teria que perder, como ele, o conhecimento neuronial das cores. Era, ele dizia, como viver num mundo "moldado em chumbo".

Mais adiante ele passou a dizer que nem "cinza", nem "chumbo" podiam transmitir realmente o aspecto de seu mundo. Não era "cinza" o que enxergava, esclarecia, mas qualidades perceptivas para as quais a experiência comum, a linguagem comum, não tinha equivalentes.

O sr. I. não suportava mais ir a museus e galerias ou ver reproduções coloridas de seus quadros favoritos. Não apenas porque estavam privados de cor, mas por parecerem intoleravelmente *incorretos*, com tons de cinza desbotados ou "desnaturados" (fotografias em preto-e-branco, por outro lado, eram bem mais toleráveis). Isso era especialmente aflitivo quando conhecia os artistas e a adulteração perceptiva do trabalho interferia com o sentido de suas identidades — o mesmo que agora sentia estar acontecendo consigo mesmo.

Certa vez, ficou deprimido com um arco-íris, que viu apenas como um semicírculo sem cor no céu. Chegou a considerar suas ocasionais enxaquecas "insípidas" — anteriormente elas provocavam alucinações geométricas de cores brilhantes; agora, porém, até elas estavam destituídas de cor. Às vezes ele tentava evocar as cores pressionando os globos oculares, mas às faíscas e formas resultantes faltava igualmente a cor. Antes, seus sonhos com freqüência eram em cores vivas, sobretudo quando sonhava com paisagens e pinturas; agora eram desbotados e pálidos, ou violentos e contrastados, desprovidos tanto de cor como de gradações sutis de tonalidade.

A música, curiosamente, também lhe parecia prejudicada, porque antes desfrutara de uma sinestesia extremamente intensa, de forma que diferentes tons se traduziam de imediato em cores, fazendo com que experimentasse toda música ao mesmo tempo como um rico tumulto de cores interiores. Com a perda de sua capacidade de produzi-las, perdera também essa experiência — seu "órgão-de-cor" interno fora desativado e agora ele ouvia música sem qualquer acompanhamento visual; com a perda de sua contraparte cromática essencial, a música estava agora radicalmente empobrecida.[5]

Ele tinha certo prazer em observar desenhos; em seus anos de juventude fora um exímio desenhista. Não poderia voltar a desenhar? Demorou a ter essa idéia, o que só aconteceu depois de ela ser repetidamente sugerida pelos outros. Seu primeiro impulso era pintar em cores. Insistia que ainda "sabia" que cores usar, embora não pudesse mais vê-las. Decidiu, como um primeiro exercício, pintar flores, tirando da paleta os matizes que pareciam "corretos em tonalidade". Mas os quadros eram incompreensíveis, uma mistura confusa de cores para os olhos normais. Somente quando um de seus amigos artistas fotografou as pinturas em preto-e-branco com uma Polaroid é que elas passaram a fazer sentido. Os contornos eram exatos, mas as cores todas incorretas. "Ninguém vai comprar seus quadros", disse-lhe um de seus amigos, "a não ser pessoas tão daltônicas quanto você."

"Pare de insistir", disse outro. "Você *não pode* mais usar cor." Com relutância, o sr. I. permitiu que todas as suas telas coloridas fossem afastadas. É apenas temporário, ele pensava. Em breve, retomo a cor.

Essas primeiras semanas foram uma época de agitação, até de desespero; ele alimentava a esperança constante de que uma bela manhã ia acordar e deparar com o mundo em cores milagrosamente restaurado. Esse era um tema constante em seus sonhos naquele tempo, mas o desejo nunca se realizava, nem nos sonhos. Sonhava que estava *prestes* a ver em cores, mas acordava e via que nada tinha mudado. Temia com freqüência que o que quer que lhe tivesse acontecido voltasse a ocorrer, só que dessa vez tirando-lhe a totalidade da visão. Pensava que provavelmente sofrera um derrame, conseqüência (ou talvez causa) do acidente de carro, e temia que pudesse sofrer outro a qualquer momento. Para completar esse temor médico, havia uma confusão e um medo ainda mais profundos, algo que ele mal conseguia articular, e fora isso que atingira um ponto crítico no mês em que tentou pintar com cores, o mês em que insistiu ainda "conhecer" as cores. Deu-se conta gradualmente, nesse período, de que não era apenas a imaginação e a percepção da cor que tinham se perdido, mas algo mais profundo e mais difícil de definir. Sabia tudo sobre a cor, exterior e intelectualmente, mas havia perdido sua lembrança, o conhecimento interior, que havia sido parte do seu próprio ser. Passara a vida trabalhando com as cores, mas agora isso era apenas um fato histórico e não algo a que tivesse acesso ou que pudesse sentir diretamente. Era como se seu passado, seu passado cromático, tivesse sido roubado, como se o conhecimento que seu cérebro tinha das cores tivesse sido totalmente extirpado sem deixar nenhum traço, nenhum vestígio interno de sua existência.[6]

No início de fevereiro, parte de sua agitação foi passando; começara a aceitar, não apenas intelectualmente, mas também num nível mais profundo, que de fato tinha ficado completamente daltônico e que talvez o permanecesse. Seu desamparo inicial passou a dar lugar a um sentimento de determinação — pintaria em preto-e-branco, se não pudesse fazê-lo em cores; tentaria viver num mundo em preto-e-branco da melhor maneira possível. Essa resolução foi reforçada por uma experiência singular, vivida cerca de cinco semanas após o acidente, certa manhã, quando ia em seu carro para o ateliê. Viu o nascer do sol sobre a estrada, os raios vermelhos todos transformados em preto: "O sol nasceu como uma bomba, como uma enorme explosão nuclear", diria mais tarde. "Alguém já viu um amanhecer como este antes?"

Inspirado pelo nascer do sol, voltou a pintar — na verdade uma tela em preto-e-branco que chamou *Aurora nuclear*, passando em seguida ao abstracionismo, que preferia, só que agora unicamente em preto-e-branco. O temor da cegueira continuava a atormentá-lo, porém, criativamente transmutado, deu forma às primeiras pinturas "de verdade" que realizou após suas experiências com cor. Agora sentia que podia pintar em preto-e-branco e muito bem. Seu único consolo era trabalhar no ateliê, e trabalhava quinze, até dezoito horas por dia. Isso significava para ele uma espécie de sobrevivência artística: "Senti que, se não pudesse continuar pintando", diria ele mais tarde, "também não ia querer continuar vivendo".

Suas primeiras pinturas em preto-e-branco, realizadas em fevereiro e março, produziam uma sensação de forças violentas — raiva, medo, desespero, excitação —, só que mantidas sob controle, atestando os poderes do talento artístico que podia revelar, e ainda assim conter, tal intensidade de sentimento. Nesses dois meses, produzira dúzias de quadros, marcados por um estilo singular, uma característica que nunca mostrara antes. Em muitas dessas pinturas havia uma superfície caleidoscópica, extraordinariamente fragmentada, com formas abstratas que sugeriam rostos — torcidos, encobertos, entristecidos, encolerizados — e partes desmembradas de corpos, facetadas, emolduradas e encaixotadas. Comparados com o trabalho anterior, esses quadros tinham uma complexidade labiríntica e uma qualidade obsessiva e assombrada — pareciam exibir, numa forma simbólica, o estado em que ele se encontrava.

A partir de maio — era fascinante observá-lo —, ele passou dessas pinturas poderosas, porém aterrorizantes e estranhas, para temas, temas vivos, que não tinha abordado nos últimos trinta anos, retomando pinturas figurativas de bailarinas e cavalos de corrida. Essas pinturas, embora ainda em preto-e-branco, estavam repletas de movimento, vitalidade e sensualidade, e acompanhavam uma mudança em sua vida pessoal — uma diminuição de sua retração e o início de uma renovada atividade social e sexual, uma redução de seus medos e depressão e um retorno à vida.

Também nessa época ele se voltou para a escultura, o que jamais fizera antes. Parecia estar examinando todas as modalidades visuais que ainda lhe restavam — forma, contorno, movimento, profundidade —, explorando-as com intensidade reforçada. Também começou a pintar retratos, embora achasse que não podia trabalhar com modelo vivo, mas somente a partir de fotografias em preto-e-branco, encorajado por seu conhecimento e percepção de cada tema. A vida só era tolerável no ateliê, já que ali podia reconceber o mundo com formas cheias de força e rigor. Mas do lado de fora, na vida real, achava-o estranho, vazio, morto e cinzento.

Essa foi a história que Bob Wasserman e eu ouvimos do sr. I. — a história de um colapso abrupto e completo da visão das cores e de seus esforços para viver num mundo em preto-e-branco. Nunca antes eu ouvira uma história como esta, ou encontrara alguém com daltonismo total, e não fazia a menor idéia do que acontecera com ele — nem se sua condição podia ser revertida ou remediada.

O primeiro passo era definir suas deficiências por intermédio de vários exames, alguns informais, usando objetos ou imagens do dia-a-dia, o que estivesse disponível. Por exemplo, primeiro perguntamos ao sr. I. sobre uma prateleira de cadernos — azuis, vermelhos e pretos — próxima à minha mesa. Ele falou imediatamente dos azuis (um azul médio e vivo aos olhos normais): "São azuis-claros". Os vermelhos e pretos eram indistinguíveis — ambos, para ele, eram de um "preto mortiço".

Quando lhe demos um grande emaranhado de fios contendo 33 cores e pedimos que os separasse, respondeu que não podia separá-los por cor, mas somente por uma escala de gradações de tons de cinza. Separou os fios, rapidamente e com facilidade, em quatro estranhas pilhas, cromaticamente misturadas, que classificou como de 0% a 25%, de 25% a 50%, de 50% a 75% e de 75% a 100% numa escala de tons de cinza (visto que nada lhe parecia puramente branco, e mesmo o fio branco lhe parecia ligeiramente "encardido" ou "sujo").

Não tínhamos como confirmar a exatidão dessa classificação, porque nossa visão das cores interferia na capacidade de visualizarmos uma escala de cinza, assim como espectadores com visão normal foram incapazes de perceber o sentido de tons de suas pinturas de flores confusamente policromáticas. Mas uma fotografia e uma câmera de vídeo, ambas em preto-e-branco, confirmaram que o sr. I. de fato tinha separado com exatidão os fios coloridos numa escala de cinza que basicamente coincidia com a leitura mecânica. Havia, talvez, um caráter um tanto tosco em suas categorias, mas que coincidia com o sentido de contraste agudo, da falta de gradações de tonalidade, de que ele havia reclamado. De fato, quando colocado diante da escala de tons de cinza de um artista com talvez uma dúzia de gradações entre o preto e o branco, o sr. I. conseguia distinguir somente três ou quatro categorias de tonalidade.[7]

Também lhe mostramos as clássicas pranchas com pontos coloridos de Ishihara, nas quais configurações de numerais em cores sutilmente diferenciadas podem aparecer claramente para os que têm a visão normal, mas não para aqueles com vários tipos de daltonismo. O sr. I. era incapaz de enxergar qualquer uma dessas figuras (embora fosse capaz de ver certas pranchas visíveis para os daltônicos, mas não para quem tem visão normal, e que foram assim concebidas para detectar casos de falso daltonismo ou daltonismo histérico).[8]

Tínhamos por acaso um cartão-postal que poderia ter sido concebido para exames de acromatopsia — o cartão mostrava uma cena de litoral com pescadores num quebra-mar, silhuetados contra o céu vermelho-escuro do pôr-do-sol. O sr. I. não conseguia enxergar os pescadores e o quebra-mar, vendo apenas a esfera semi-submersa do poente.

Embora esses problemas tivessem surgido quando lhe foram mostradas imagens coloridas, o sr. I. não tinha dificuldade para descrever com exatidão fotografias ou reproduções em preto-e-branco; não tinha dificuldade para reconhecer formas. Seu repertório de imagens e a memória de objetos e fotos que lhe haviam sido mostrados eram de fato excepcionalmente nítidos e exatos, ainda que sempre desprovidos de cor. Assim, após receber uma clássica imagem utilizada em exames onde se via um barco colorido, ele olhou para ela fixamente, desviou o olhar e a reproduziu rapidamente em preto-e-branco. Quando questionado sobre as cores de objetos familiares, não mostrava dificuldade em associá-las ou nomeá-las. (Pacientes com anomia de cor, por exemplo, podem agrupar cores sem problemas, mas perderam os *nomes* delas e podem afirmar, vacilantes, que uma banana é "azul". Um paciente com agnosia de cor, em compensação, também pode agrupar as cores, mas não revelará surpresa se *receber* uma banana azul. O sr. I., no entanto, não tinha nenhum desses problemas.)[9] Também não tinha (agora) dificuldade para ler. Os testes já realizados, e um exame neurológico completo, confirmaram assim sua total acromatopsia.

Podíamos dizer-lhe àquela altura que seu problema era real — que sofria de uma acromatopsia de verdade, e não de histeria. Achamos que ele recebeu o resultado com sentimentos contraditórios: tinha esperado, em parte, que fosse simplesmente histeria e, portanto, potencialmente reversível. Mas a noção de algo psicológico também o angustiava e fazia com que sentisse que seu problema era "irreal" (é verdade que vários médicos deram a entender isso). Nossos exames, em certo sentido, legitimaram sua condição, mas aprofundaram seu temor de uma lesão cerebral e quanto ao prognóstico de recuperação.

Visto que ele parecia ter uma acromatopsia de origem cerebral, não podíamos ajudá-lo cogitando até que ponto isso se devia a sua vida de fumante inveterado; a nicotina pode causar um obscurecimento da visão (uma ambliopia) e por vezes uma acromatopsia — mas isso é devido sobretudo a seus efeitos nas células da retina. Aqui o problema principal era claramente cerebral: o sr. I. podia ter ficado com pequenas áreas cerebrais lesadas em conseqüência do choque; podia ter sofrido um pequeno derrame após o acidente ou mesmo provocando-o.

A história de nosso conhecimento sobre a capacidade do cérebro de representar as cores seguiu um caminho complexo e tortuoso. Newton, na sua famosa experiência com o prisma, em 1666, mostrou que a luz branca era um compósito — podia ser decomposta em todas as cores do espectro e recomposta com elas. Os raios mais inclinados ("os mais refratários") eram vistos como violeta e os menos refratários como vermelhos, com o resto do espectro entre eles. As cores dos objetos, concluiu Newton, eram determinadas pela "abundância" com que refletiam certos raios aos olhos. Em 1802, sentindo não haver a necessidade de uma infinidade de diferentes receptores no olho, cada um sintonizado num diferente comprimento de onda (os artistas, a despeito de tudo, podiam criar praticamente qualquer cor que desejassem usando uma paleta bastante limitada), Thomas Young postulou que três tipos de receptores seriam suficientes.[10] A brilhante idéia de Young, lançada despretensiosamente durante uma palestra, foi esquecida, ou deixada de lado, por cinqüenta anos, até Hermann von Helmholtz, durante sua própria investigação sobre a visão, ressuscitá-la, dando-lhe nova precisão, tanto que hoje falamos da hipótese de Young-Helmholtz. Para Helmholtz, assim como para Young, a cor era uma expressão direta de comprimentos das ondas de luz absorvidas por cada receptor, restando ao sistema nervoso apenas traduzir um para o outro: "A luz vermelha estimula fortemente as fibras sensíveis ao vermelho e fracamente as outras duas, dando a *sensação* de vermelho".[11]

Em 1884, Hermann Wilbrand, examinando seus pacientes na clínica neurológica atingidos por diversos tipos de lesões visuais — em alguns predominava a perda do campo visual, em outros a perda da percepção da cor e em outros ainda a perda da percepção da forma —, sugeriu que devia haver centros visuais distintos no córtex visual primário para "impressões de luz", "impressões de cor" e "impressões de forma", embora não pudesse apresentar provas anatômicas disso. O fato de que a acromatopsia (e mesmo a hemiacromatopsia) pudesse realmente surgir da lesão de partes específicas do cérebro foi confirmado pela primeira vez, quatro anos mais tarde, por um oftalmologista suíço, Louis Verrey. Ele descreveu o caso de uma mulher de sessenta anos que, em conseqüência de um derrame que atingiu o lobo occipital de seu hemisfério esquerdo, passou a ver tudo na metade direita do seu campo visual em tons de cinza (a metade esquerda permaneceu normalmente colorida). A oportunidade de examinar o cérebro da paciente após sua morte mostrou que havia lesões limitadas a uma pequena porção (a circunvolução fusiforme e lingual) do córtex visual — era ali, concluiu Verrey, que "o centro para o sentido cromático seria encontrado". Que tal centro pudesse existir, que uma parte do córtex pudesse ser especializada na percepção ou representação da cor, foi imediatamente contestado e continuou sendo por quase um século. As bases dessa disputa são bastante profundas, tanto quanto a própria filosofia da neurologia.

Locke, no século XVII, defendeu uma filosofia "sensacionista" (paralela ao fisicalismo de Newton): nossos sentidos são instrumentos de medição, registrando para nós o mundo externo em termos de sensação. Ouvir, ver, qualquer sensação era para ele totalmente passiva e receptiva. Os neurologistas do final do século XIX adotaram prontamente essa filosofia e adaptaram-na a uma anatomia especulativa do cérebro. A percepção visual era equiparada a "dados sensoriais" ou "impressões" transmitidos da retina à área visual primária do cérebro numa correspondência exata, ponto a ponto — e ali experimentados, subjetivamente, como uma imagem do mundo visual. Presumiam que a cor fosse uma parte integral dessa imagem. Pensavam que não houvesse lugar, anatomicamente, para um centro distinto de cor — nem, decerto, conceitualmente, para a própria idéia de que houvesse um. Assim, quando Verrey publicou suas descobertas, em 1888, eles brandiram a doutrina consagrada. As observações de Verrey foram questionadas, seus testes criticados, seus exames vistos como falhos — mas a verdadeira objeção por trás de todas essas era de caráter doutrinário.

Se não havia um centro distinto de cor, concluíam eles, também não podia haver acromatopsia isolada; assim, o caso de Verrey e dois outros semelhantes na década de 1890 foram repudiados pela consciência neurológica — e a acromatopsia cerebral, como assunto, praticamente desapareceu durante os 75 anos seguintes.[12] Não houve outro caso de estudo até 1974.[13]

O próprio sr. I. tinha uma curiosidade intensa sobre o que

se passava com seu cérebro. Embora vivesse agora integralmente num mundo de luzes e sombras, ficava muito impressionado com o modo como elas se alteravam sob diferentes iluminações; objetos vermelhos, por exemplo, que normalmente lhe pareciam pretos, tornavam-se mais claros sob os raios longos do sol no fim da tarde, o que lhe permitia deduzir o vermelho. Esse fenômeno ficava muito evidente quando a qualidade da iluminação mudava de chofre, como, por exemplo, quando acendiam uma luz fluorescente, o que podia causar uma imediata mudança na luminosidade dos objetos da sala. O sr. I. comentou que se sentia num mundo inconstante, um mundo onde luzes e sombras flutuavam conforme o comprimento de ondas da iluminação, em drástico contraste com a relativa estabilidade e constância do mundo em cores que conhecera antes.[14]

É claro que tudo isso é muito difícil de ser explicado em termos da teoria clássica da cor — a noção de Newton de que há uma relação invariante entre comprimento de onda e cor, uma transmissão célula a célula da informação do comprimento de onda da retina do cérebro e uma conversão direta dessa informação em cor. Um processo tão simples — uma analogia neurológica da decomposição e recomposição da luz pelo prisma — dificilmente poderia dar conta da complexidade da percepção da cor na vida real.

Essa incompatibilidade entre teoria clássica da cor e realidade impressionou Goethe no final do século XVIII. Com uma forte consciência da realidade do fenômeno das sombras coloridas e da persistência retiniana das cores, dos efeitos de contigüidade e iluminação na aparência das cores, das ilusões com cores e outras ilusões visuais, ele sentiu que estas deveriam ser a base para uma teoria da cor e declarou seu credo: "A ilusão de óptica é a verdade óptica!". Goethe estava preocupado sobretudo com a maneira como na realidade vemos as cores e a luz, as formas como *criamos* mundos, e as ilusões, em cores. Sentia que isso não era explicável pela física de Newton, mas somente por regras ainda desconhecidas do cérebro. O que estava dizendo na realidade era: "A ilusão visual é uma verdade neurológica".

* * *

A teoria da cor de Goethe, sua *Farbenlehre* (que ele igualava à totalidade de sua obra poética), era, no geral, refutada por todos os seus contemporâneos e permaneceu numa espécie de limbo desde então, vista como o capricho, a pseudociência de um grande poeta. Mas a própria ciência não estava cega para as "anomalias" que Goethe considerou centrais e é fato que Helmholtz deu admiráveis palestras sobre Goethe e sua ciência em várias ocasiões, a última delas em 1892. Helmholtz tinha plena consciência da "constância da cor" — a maneira como as cores dos objetos são preservadas, de forma que possamos categorizá-los e sempre saber para o que estamos olhando, a despeito de grandes flutuações no comprimento de onda da luz que os ilumina. Os comprimentos de onda reais refletidos por uma maçã, por exemplo, variam consideravelmente conforme a iluminação, e nós a vemos, todavia, invariavelmente vermelha. Isso não podia ser, é claro, uma mera tradução do comprimento de onda em cor. Devia haver uma maneira, segundo Helmholtz, de "descontar a fonte de luz" — "uma inferência inconsciente" ou "um ato de discernimento" (embora ele não tivesse se aventurado a sugerir onde tal discernimento podia ocorrer). Para ele, a constância da cor era um exemplo especial da maneira como alcançamos a constância da percepção em geral, como criamos um mundo perceptivelmente estável a partir de um fluxo sensório caótico — um mundo que não seria possível se nossas percepções fossem meros reflexos passivos dos dados imprevisíveis e inconstantes que atingem nossos receptores.

O grande contemporâneo de Helmholtz, Clerk Maxwell, também se sentiu fascinado pelo mistério da visão da cor desde seus dias de estudante. Formalizou as noções de cores primárias e de mistura de cores com a invenção de um pião (cujas cores se fundiam quando era girado, produzindo uma sensação de cinza) e de uma representação gráfica de três eixos, um triângulo de cores, que mostrava como qualquer cor pode ser criada por diferentes misturas das três cores primárias. Essas demonstrações apenas preparavam o caminho para a mais espetacular delas, em 1861: de que a fotografia em cores era possível, a despeito do fato de as emulsões fotográficas serem em preto-e-branco. Chegou a isso fotografando três vezes um aro colorido, com filtros vermelhos, verde e violeta. Tendo obtido três imagens de "cores separadas", como as chamava, juntou-as em seguida, superpondo uma sobre a outra numa tela e projetando cada imagem com o filtro correspondente (a imagem tirada com filtro vermelho era projetada com luz vermelha e assim por diante). De repente, o aro eclodiu em todas as suas cores. Maxwell se perguntou se era assim que as cores eram percebidas pelo cérebro, pela adição de imagens de cor separada ou seus correlatos neuroniais, como nas demonstrações de sua lanterna mágica.[15]

O próprio Maxwell estava argutamente ciente dos reveses desse processo aditivo: a fotografia em cores não tinha como "descontar a fonte de luz" e suas cores se modificavam desamparadamente com os comprimentos cambiantes de ondas de luz.

Em 1957, mais de noventa anos depois da célebre demonstração de Maxwell, Edwin Land — não apenas o inventor da câmera instantânea Land e da Polaroid, mas um brilhante experimentador e teórico — forneceu uma demonstração fotográfica ainda mais surpreendente da percepção da cor. Ao contrário de Maxwell, fez apenas duas imagens em preto-e-branco (usando uma câmera de foco dividido, de forma que pudessem ser tiradas ao mesmo tempo, do mesmo ponto de vista, pela mesma lente) e as sobrepôs numa tela com um projetor de lente dupla. Usou dois filtros para fazer as imagens: um deixando passar comprimentos de onda mais longos (um filtro vermelho), outro deixando passar comprimentos mais curtos (um filtro verde). A primeira imagem foi então projetada com filtro vermelho e a segunda com luz branca comum, sem filtros. Esperava-se que isso produzisse uma imagem num tom geral rosa desbotado, mas em vez disso algo "impossível" aconteceu. A fotografia de uma moça surgiu instantaneamente em todas as sua cores — "cabelos louros, olhos azul-claros, casaco vermelho, gola azul esverdeado e impressionantes tons naturais de pele", como Land descreveria mais tarde. De onde vinham essas cores, como foram obtidas? Elas não pareciam estar "nas" fotografias ou nas fontes de luz. Essas experiências, avassaladoras em sua simplicidade e impacto, eram "ilusões" de cor no sentido de Goethe, mas ilusões que demonstravam uma verdade neurológica — que as cores não estão "lá" no mundo, nem são (como sustentava a teoria clássica) um correlato automático do comprimento de onda, mas são *construídas pelo cérebro*.

Essas experiências permaneceram, de início, como anomalias, sem conceitos, em suspenso; eram inexplicáveis pelas teorias existentes, mas não chegavam a apontar claramente uma nova teoria. Parecia possível, além disso, que o conhecimento que o espectador tinha das cores apropriadas influenciasse sua percepção de tal cena. Land decidiu, portanto, substituir imagens familiares do inundo natural por cartazes inteiramente abstratos e multicoloridos, formados por sinais geométricos de papel colorido, de maneira que a expectativa não pudesse fornecer nenhuma pista sobre as cores que deviam ser vistas. Esses dispositivos abstratos lembravam vagamente algumas das pinturas de Piet Mondrian e por isso Land os nomeou "Mondrians de cor". Usando os Mondrians, iluminados por três projetores, com filtros de ondas longas (vermelho), médias (verde) e curtas (azul), Land foi capaz de provar que, se uma superfície fazia parte de uma cena complexa e multicolorida, não havia relação simples entre o comprimento de onda de luz refletida a partir da superfície e a cor percebida.

Se, além disso, um único sinal de cor (por exemplo, um normalmente visto como verde) fosse isolado das cores circundantes, apareceria apenas como branco ou cinza pálido, independentemente do raio de luz utilizado. Assim, Land mostrou que o sinal verde não podia ser visto como inerentemente verde, mas *recebia*, em parte, seu verde da relação com as áreas circundantes do Mondrian.

Enquanto para Newton, para a teoria clássica, a cor era algo local e absoluto, dado pelo comprimento de onda refletido a partir de cada ponto, Land mostrava que a determinação da cor não era local nem absoluta, mas dependia do exame de toda uma cena e da comparação entre a composição do comprimento de onda da luz refletida a partir de cada ponto e da luz refletida do entorno. Tinha que haver uma relação contínua, uma comparação de cada parte do campo visual com sua própria circunvizinhança, para se chegar à síntese global — o "ato de discernimento" de Helmholtz. Land achava que essa computação ou correlação seguia regras fixas e formais; e era capaz de prognosticar quais cores seriam percebidas por um observador sob diferentes condições. Inventou um "cubo de cor" para isso, um algoritmo, na verdade um modelo da comparação feita pelo cérebro entre as luminosidades, em diferentes comprimentos de onda, de todas as partes de uma superfície complexa e multicolorida. Enquanto a teoria da cor de Maxwell e seu triângulo de cor estavam baseados no conceito de adição, o modelo de Land era agora comparativo. Ele sugeria que havia, na realidade, duas comparações: primeiro, a da refletância de todas as superfícies em uma cena dentro de certo grupo de comprimentos de onda, ou uma faixa de ondas (nas palavras de Land, um "registro de luminosidade" daquela faixa de ondas); e, segundo, a comparação dos três registros de luminosidade das três faixas de onda (correspondendo, *grosso modo*, aos comprimentos de onda vermelho, verde e azul). Essa segunda comparação produziria a cor. O próprio Land se esforçou em evitar a especificação de locais precisos do cérebro para essas operações e tomou o cuidado de chamar sua teoria da visão da cor de teoria Retinex, dando a entender que podia haver uma multiplicidade de locais de interação entre a retina e o córtex.

Se Land abordava o problema de como vemos as cores num nível psicológico, pedindo a indivíduos que relatassem suas percepções de mosaicos complexos e multicoloridos em iluminações cambiantes, Semir Zeki, trabalhando em Londres, abordava o problema num nível fisiológico, inserindo microeletrodos no córtex visual de macacos anestesiados para medir os potenciais neuroniais produzidos por estímulos coloridos. No início dos anos 70, ele pôde fazer uma descoberta crucial: delinear uma pequena área de células de cada lado do cérebro, no córtex préestriado dos macacos (áreas a que se referia como V_4), que parecia especializada em responder à cor (Zeki as chamou de "células codificadoras de cor").[16] Assim, noventa anos após Wilbrand e Verrey terem postulado um centro específico para a cor no cérebro, Zeki era finalmente capaz de provar que tal centro existia.

Cinqüenta anos antes, o eminente neurologista Gordon Holmes, analisando duzentos casos de problemas visuais causados por ferimentos no córtex visual em conseqüência de tiros, não encontrara um único caso de acromatopsia. Isso o levara a refutar que uma acromatopsia cerebral isolada *pudesse* ocorrer. A veemência dessa negação, vinda de tão grande autoridade, teve um papel importante no solapamento de todo interesse clínico sobre o assunto.[17] A brilhante e irrefutável demonstração de Zeki surpreendeu o mundo neurológico, despertando de novo a atenção para um assunto que havia sido rejeitado por muitos anos. Na esteira de seu artigo de 1973, novos casos de acromatopsia humana voltaram a aparecer na literatura médica, já então podendo ser examinados com novas técnicas de visualização do cérebro (tomografia, ressonância magnética, tomografia de emissão de pósitrons, SQUID etc.) não disponíveis para neurologistas do passado. Agora, pela primeira vez, era possível visualizar, na vida, quais áreas do cérebro podiam ser necessárias para a percepção humana da cor. Embora muitos dos casos descritos também apresentassem outros problemas (cortes no campo visual, agnosia visual, alexia etc.), as lesões cruciais pareciam estar no córtex associativo medial, em áreas homólogas às V_4 no macaco.[18] Foi demonstrado nos anos 60 que havia células no córtex visual primário dos macacos (na área denominada V_1) que respondiam especificamente ao comprimento de onda, mas não à cor; no início dos anos 70, Zeki vinha demonstrar que havia outras células nas áreas V_4 que respondiam à cor, mas não ao comprimento de onda (essas células V_4, entretanto, recebiam impulsos das células V_1, convergindo por meio de uma estrutura intermediária, V_2). Assim, cada célula V_4 recebia informação sobre uma vasta porção do campo visual. Tudo indicava que os dois estágios postulados por Land em sua teoria podiam ter agora uma base anatômica e fisiológica: registros de luminosidade para cada comprimento de onda podiam ser extraídos pelas células sensíveis ao comprimento de onda V_1; mas somente nas células codificadoras de cor V_4 eram comparados ou correlatados para produzir a cor. Cada uma delas, na verdade, parecia agir como um correlator landiano, ou um "juiz" helmholtziano.

A visão das cores, ao que tudo indica — como os outros processos da visão primitiva: movimento, profundidade e percepção da forma —, não exigia um conhecimento prévio, não era determinada por aprendizado ou experiência, mas era, como dizem os neurologistas, um processo de "baixo para cima" ["*bottom-up*"]. A cor podia de fato ser produzida, experimentalmente, por estímulo magnético da V_4, causando a "visão" de anéis e halos coloridos — os chamados cromatofenos.[19] Mas a visão colorida, na vida real, é parte integrante de nossa experiência total, está ligada a nossas categorizações e valores, torna-se para cada um de nós uma parte de nossa vida e nosso mundo, uma parte de nós. A V_4 pode ser um gerador definitivo de cor, mas que envia sinais e se comunica com uma centena de outros sistemas da mente/cérebro; e talvez também possa ser regulado por eles. É em níveis mais elevados que a integração acontece, que a cor se funde com a memória, com expectativas, associações e desejos de criar um mundo com repercussão e sentido para cada um de nós.[20]

O sr. I. não apenas apresentava um caso mais propriamente "puro" de acromatopsia cerebral (praticamente não contaminada por deficiências adicionais na percepção da forma, movimento ou profundidade), mas era também uma testemunha especializada e muito inteligente, com a habilidade de desenhar e relatar o que via. De fato, quando o encontramos pela primeira vez e ele descreveu como objetos e superfícies "flutuavam" em diversas iluminações, estava, por assim dizer, descrevendo o mundo em comprimentos de onda, não em cores. A experiência era tão diferente de tudo o que tinha experimentado, tão estranha, tão anômala, que ele não podia traçar paralelos, metáforas, retratos ou palavras para representá-la.

Quando telefonei para o professor Zeki para contar-lhe deste paciente excepcional, ele ficou muito intrigado e curioso, particularmente em como o sr. I. se sairia no teste de Mondrian, o mesmo que ele e Land haviam usado com pessoas de visão normal e animais. Decidiu vir de imediato a Nova York e juntar-se a nós — Bob Wasserman, meu colega oftalmologista, Ralph Siegel, um neurofisiologista, e eu — num amplo exame de Jonathan I. Nenhum paciente com acromatopsia foi jamais examinado dessa maneira antes.

Usamos um Mondrian de grande complexidade e luminosidade, iluminado seja por uma luz branca, seja utilizando filtros de espectro estreito, de forma a só permitir a passagem de comprimentos de onda longos (vermelho), intermediários (verde) ou curtos (azul). A intensidade do facho de luz era a mesma em todos os casos.

O sr. I. podia distinguir a maior parte das formas geométricas, embora apenas como diferentes tons de cinza, colocando-as imediatamente numa escala de cinza que ia de 1 a 4, já que não conseguia distinguir alguns limites entre as cores (por exemplo, entre o vermelho e o verde, que apareciam para ele, sob a luz branca, ambos como preto). Com uma rápida mudança de filtros, feita ao acaso, a avaliação de todas as formas pela escala de tons de cinza mudava dramaticamente — certos matizes antes indistinguíveis agora se tornavam muito diferentes — e todos os tons (à exceção do verdadeiro preto) mudavam, seja de uma forma flagrante ou sutil, com o comprimento da fonte de luz (assim, uma área verde seria vista por ele como branca num meio onde o comprimento de onda fosse intermediário, mas como preta sob a luz branca ou de comprimento de onda longo).

Todas as respostas do sr. I. eram consistentes e imediatas (teria sido muito difícil, se não impossível, para uma pessoa com visão normal fazer essas estimativas imediatas e invariavelmente "corretas", mesmo com uma perfeita memória e um profundo conhecimento da mais recente teoria da cor). Estava claro que o sr. I. *podia* discriminar comprimentos de onda, mas não passar daí a traduzi-los em cor; não podia produzir a construção cerebral ou mental da cor.

Essa descoberta não apenas esclareceu a natureza do problema, mas também serviu para localizá-lo com precisão. O córtex visual primário do sr. I. estava essencialmente intato e era o córtex secundário (especificamente as áreas V_4, ou suas conexões) que arcava virtualmente com o impacto da lesão. Essas áreas são muito pequenas, mesmo no homem; não obstante, toda a nossa percepção da cor, nossa capacidade de imaginá-la ou relembrá-la, todo o nosso sentido de viver num mundo em cores dependem crucialmente de sua integridade. Um azar tinha devastado no cérebro do sr. I. essas áreas do tamanho de um grão de feijão — e, com isso, toda a sua vida e seu mundo mudaram.

O exame de Mondrian mostrou que essas áreas haviam sido afetadas; queríamos saber agora se podíamos vê-las, com o escaneamento do cérebro. Mas sua tomografia e a ressonância magnética estavam completamente normais. Talvez porque as técnicas de esquadrinhamento à época tivessem uma resolução inadequada para visualizar o que podia ser apenas uma lesão oculta na V_4; talvez o dano fosse apenas metabólico, não estrutural; ou a lesão principal não se encontrasse na V_4, mas em estruturas (as chamadas "manchas" na V_1 ou "listas" na V_2) conduzindo a ela.[21]

Foi ressaltado — tanto por Zeki como por Francis Crick — que essas pequenas estruturas, as manchas e listas, são de uma intensa atividade metabólica e podem ser, com rara freqüência, vulneráveis até mesmo a reduções temporárias de oxigênio. Crick, em particular (com quem discuti o caso nos mínimos detalhes), se perguntava se o sr. I. não teria sofrido um envenenamento por monóxido de carbono, conhecido por causar mudanças na visão das cores devido a seus efeitos na oxigenação do sangue para as áreas de cor. O sr. I. podia ter sido exposto ao monóxido de carbono através de um escapamento dentro do carro, Crick especulava — talvez devido ao acidente, possivelmente até causando-o.[22]

Mas tudo isso era, em certo sentido, acadêmico. Três meses depois, a acromatopsia do sr. I. continuava absoluta e ele sofria também de constantes diminuições da visão de contraste.[23] Não podíamos dizer se esses problemas acabariam desaparecendo — certos casos de acromatopsia cerebral adquirida melhoram com o tempo, mas outros não. Ainda não sabíamos o que havia causado a lesão no cérebro do sr. I., se era uma toxina como o monóxido de carbono, ou o impacto do acidente de carro, ou a conseqüência de uma diminuição do fluxo de sangue para as áreas visuais do cérebro. Era possível que, se tivesse sido causada por um derrame, outros viessem a ocorrer. O prognóstico tinha que permanecer incerto, embora a situação do paciente parecesse estável.

Podíamos, porém, dar uma pequena ajuda prática. O sr. I. enxergou com coerência os contornos dos sinais do Mondrian, tanto mais claramente quando eram iluminados por uma luz com comprimento de onda intermediário e o dr. Zeki aconselhou, por conseguinte, que lhe déssemos óculos de sol verdes, que transmitissem apenas esse feixe de ondas no qual ele enxergava melhor. Os óculos foram feitos especialmente e o sr. I. passou a usá-los, sobretudo sob o sol forte. Ficou encantado com os novos óculos, porque, embora não contribuíssem em nada para restaurar sua visão das cores, pareciam acentuar sensivelmente sua visão de contraste e sua percepção de forma e contornos. Podia até mesmo voltar a ver televisão em cores com a mulher (os óculos verde-escuros, de fato, tornavam monocromático o televisor colorido), embora continuasse preferindo seu velho televisor em preto-e-branco quando estava sozinho.

A sensação de perda que se sucedeu a seu acidente era esmagadora para Jonathan I., como deve ser para qualquer um que perde a cor, um sentido que se entrelaça em nossa experiência visual e é tão importante para a imaginação e a memória, nosso conhecimento do mundo, nossa cultura e arte. Essa sensação de perda, em relação ao mundo natural, foi notada em todos os casos. Para o médico do século XIX que caiu do cavalo, as flores "perderam a maior parte de sua beleza", e ao entrar em seu jardim, abruptamente privado de cor, o que sentiu foi um grande choque. Essa sensação de perda e choque foi redobrada para o sr. I., já que sentia ter perdido não apenas a beleza do mundo natural e do mundo das pessoas e dos inumeráveis objetos cujas cores fazem parte do dia-a-dia, mas também o mundo da arte — o mundo que, por cinqüenta anos ou mais, absorvera seus talentos e sensibilidades profundamente visuais e cromáticos. As primeiras semanas de sua acromatopsia foram, assim, semanas de uma depressão quase suicida.[24]

Além dessa sensação de perda, no começo Jonathan I. achava abominável e anormal o seu mundo visual modificado. É essa também a experiência da maioria das pessoas em sua posição: o médico contundido após ser jogado do cavalo julgou sua visão "pervertida", uma das pacientes de Damásio achava seu mundo cinza "sujo". Por que, nós nos perguntávamos, todos os pacientes com acromatopsia cerebral se exprimem nesses termos — por que a experiência deles deve parecer tão anormal? O sr. I. estava vendo com seus cones, com as células da V_1 sensíveis ao comprimento de onda, mas era incapaz de utilizar uma ordem superior, o mecanismo de produção de cor da V_4. Para nós, o produto da V_1 é inimaginável, por nunca ser experimentado como tal e ser imediatamente desviado para um nível superior, onde passa por um processo adicional para permitir a percepção da cor. Assim, o produto bruto da V_1 nunca aparece de forma consciente para nós. Mas aparecia para o sr. I.: sua lesão cerebral o colocou a par — na verdade o prendeu no interior — de um estranho estado intermediário, o mundo sinistro da V_1, um mundo de sensações anômalas e, por assim dizer, pré-cromáticas, que não podia ser categorizado nem como colorido, *nem como sem cor*.[25]

O sr. I., com sua apurada sensibilidade visual e estética, achava essas mudanças particularmente intoleráveis. Conhecemos muito pouco sobre o que determina a emoção e o encanto estético em relação à cor, na verdade em relação à visão geral — este é um assunto de gosto e experiência individuais.[26]

A percepção da cor havia sido uma parte essencial não só do sentido visual do sr. I., mas de seu sentido estético, sua sensibilidade, sua identidade criativa, uma parte essencial de como construía seu mundo — e agora a cor havia desaparecido, não apenas da percepção, mas também da imaginação e da memória. Os ecos dessa condição foram muito profundos. De início, ficou intensa e furiosamente consciente do que perdera (ainda que "consciente", por assim dizer, à maneira de um amnésico). Podia olhar fixamente para uma laranja, enfurecido, tentando forçá-la a recobrar sua cor verdadeira. Passaria horas diante de seu gramado (para ele) cinza-escuro, tentando vê-lo, imaginá-lo, lembrar-se dele como verde. Viu-se num mundo não apenas empobrecido, mas alienado e incoerente, quase um mundo de pesadelo. Foi o que expressou logo após a lesão, melhor do que podia fazer em palavras, em algumas de suas primeiras e desesperadas pinturas.

Mas aí, com a aurora "apocalíptica", e a pintura que fez dela, surgiu o primeiro sinal de mudança, um impulso de reconstruir o mundo, de reconstruir sua sensibilidade e identidade. Parte disso era consciente e deliberado: reeducar seus olhos (e mãos) para funcionar, como fizera em seus primeiros tempos de artista. Mas boa parte se passou abaixo desse nível, num nível de processamento neuronial não diretamente acessível à consciência ou ao controle. Nesse sentido, começou a ser redefinido pelo que lhe acontecera — redefinido fisiológica, psicológica e esteticamente —, e com isso veio uma transformação dos valores, de forma que a completa estranheza e a alienação do mundo de sua V_1, que de início tinha uma qualidade de horror e pesadelo, adquiriram, para ele, um estranho fascínio e beleza.

Imediatamente após seu acidente e por um ano ou mais a partir daí, Jonathan I. insistia que continuava "conhecendo" as cores, sabia o que era certo, o que era apropriado, o que era belo, mesmo se não mais as pudesse visualizar em sua mente.

Mas, em seguida, tornou-se de certa forma menos seguro, como se agora, sem o apoio da experiência ou da imagem real, suas associações de cor tivessem começado a sumir. Talvez esse esquecimento — ao mesmo tempo fisiológico e psicológico, estratégico e estrutural — tenha que ocorrer, até certo ponto, mais cedo ou mais tarde, com qualquer um que não seja mais capaz de experimentar ou imaginar, ou produzir de alguma maneira, um modo particular de percepção. (Também não é necessário que a lesão principal seja cortical; o mesmo pode ocorrer, depois de meses ou anos, até com aqueles cuja cegueira é periférica ou da retina.)[27]

Houve uma redução da preocupação com o que ele havia perdido, na verdade com toda a história da cor, que de início tanto o havia obcecado. De fato, falava em ter se "divorciado" da cor. Continuava podendo falar fluentemente sobre ela, mas parecia haver certo vazio em suas palavras, como se a estivesse tirando de um conhecimento passado e não mais a *compreendesse*.

Nordby escreve: "Embora eu tenha adquirido um completo conhecimento teórico da física das cores e da fisiologia dos mecanismos receptores da cor, nada disso pode me ajudar a compreender a verdadeira natureza das cores".[28]

O que era verdadeiro para Nordby agora também o era para Jonathan I. De certa forma, começou a se parecer com uma pessoa com daltonismo congênito, apesar de ter vivido num mundo colorido durante os primeiros 65 anos de sua existência.

Assim que esqueceu e deu as costas para a cor e para a orientação, hábitos e estratégias cromáticos de sua vida prévia, o sr. I., no segundo ano após a lesão, percebeu que via melhor sob luz baixa ou no crepúsculo e não no fulgor total do dia. A luz muito forte costumava ofuscá-lo, cegando-o temporariamente — outro sinal da avaria de seu sistema visual —, mas achava a noite e a vida noturna peculiarmente adequadas, pois pareciam ter sido "desenhadas", como disse certa vez, "em termos de preto-e-branco".

Foi tornando-se um "noctívago", em suas próprias palavras, e passou a explorar outras cidades, outros lugares, mas somente à noite. Podia dirigir, ao acaso, para Boston ou Baltimore, ou para pequenas cidades e vilarejos, chegando com o anoitecer e vagando pelas ruas por metade da noite, eventualmente se dirigindo a um transeunte, ou entrando em pequenos restaurantes: "Tudo nos restaurantes é diferente à noite, pelo menos se ele tiver janelas. A escuridão entra no lugar e nenhuma iluminação pode modificá-la. São transformados em lugares noturnos. Adoro a noite", dizia o sr. I. "Vou me tornando aos poucos um noctívago. É um mundo diferente: há muito espaço — você não fica encurralado nas ruas, pelas pessoas... É um mundo completamente novo."

Quando não estava viajando, o sr. I. se levantava cada vez mais cedo, para trabalhar à noite, saborear a noite. Sentia que no mundo noturno (como o chamava) era igual, ou superior, às pessoas "normais": "Sinto-me melhor porque sei então que não sou uma aberração... e desenvolvi uma aguda visão noturna, é assombroso o que vejo — posso ler placas de carro, à noite, a uma distância de quatro quadras. Você não poderia vê-las a uma quadra de distância".[29]

A dúvida era se sua visão noturna podia ter, com o tempo, intensificado sua função para compensar a lesão em seu sistema de cor — podia ter havido, nesse estágio, também uma intensificação da sensibilidade para o movimento, talvez para a profundidade também, em possível correlação com uma maior dependência e uso do intato sistema M.[30]

O mais interessante de tudo é que o sentimento de uma perda profunda e de desprazer e anormalidade, tão severo nos primeiros meses subseqüentes à lesão em sua cabeça, parecia desaparecer, ou mesmo retroceder. Embora o sr. I. não negasse sua perda e continuasse a lamentá-la em certo nível, passou a sentir que sua visão se tornara "altamente refinada", "privilegiada", que via um mundo de formas puras, desatravancado das cores. Texturas e padrões sutis, normalmente encobertos para o resto de nós por estarem embutidos nas cores, se destacavam para ele.[31] Sentia ter recebido "um mundo completamente novo", ao qual nós, distraídos pela cor, éramos insensíveis. Não pensava mais em cor, suspirava por ela ou se afligia com sua perda. Quase passou a ver sua acromatopsia como um estranho presente, que lhe introduziu num novo estado de ser e de sensibilidade. Nisso sua transformação foi extremamente semelhante à de John Hull, que, após dois ou três anos vivendo a cegueira como uma aflição e uma maldição, passou a vê-la como uma "dádiva obscura e paradoxal", "uma condição humana concentrada... uma das ordens do ser humano".

Certa vez, cerca de três anos após o acidente, uma intrigante sugestão foi feita (por Israel Rosenfield): que o sr. I. tentasse reaver sua visão da cor. Uma vez que o mecanismo para comparar comprimentos de onda estava intato e apenas a V_4 (ou seu equivalente) tinha sido lesada, Rosenfield acreditava ser possível, pelo menos em teoria, "reeducar" outra parte do cérebro para executar os requisitos das correlações landianas e assim alcançar alguma restauração da visão da cor. O impressionante foi a reação do sr. I. a essa idéia. Nos primeiros meses após a lesão, ele disse, teria aceitado tal sugestão, feito qualquer coisa para se "curar". Mas agora que concebia o mundo em outros termos e novamente o julgava coerente e completo, achou a idéia ininteligível e repulsiva. Agora que a cor tinha perdido suas associações anteriores, seu sentido, não podia mais imaginar com que pareceria sua restauração. Sua reintrodução seria brutalmente confusa, ele pensava, e podia lhe impingir um tumulto de sensações irrelevantes, perturbando a agora restabelecida ordem visual do seu mundo. Estivera por certo tempo numa espécie de limbo; agora tinha se acomodado — neurológica e psicologicamente — ao mundo da acromatopsia.

Quanto a sua pintura, após um ano ou mais de experimentação e incerteza, o sr. I. entrou numa fase mais enérgica e produtiva, tão enérgica e produtiva quanto qualquer outra em sua longa carreira artística. Suas pinturas em preto-e-branco são altamente bem-sucedidas e as pessoas comentam sua renovação criativa, a notável "fase" preto-e-branco em que entrou. Poucos sabem que sua última fase é tudo menos uma expressão de seu desenvolvimento artístico; que é resultado de uma perda calamitosa.

* * *

Embora tenha sido possível definir a principal lesão no cérebro do sr. I. — a eliminação de uma parte essencial do seu sistema de construção da cor —, continuamos em completa ignorância quanto às mudanças "superiores" do funcionamento cerebral que devem ter ocorrido no seu curso. Jonathan I. não perdeu apenas sua percepção da cor, mas sua imagem e mesmo seus sonhos em cores. Por fim, parecia estar perdendo também sua memória da cor, de forma que ela deixou de ser parte de seu conhecimento mental, de sua mente.

Assim, conforme passava o tempo sem a visão da cor, ele passou a assemelhar-se a uma pessoa com amnésia da cor — ou, na realidade, alguém que nunca a tivesse conhecido. Mas, ao mesmo tempo, ocorria uma revisão, de maneira que, enquanto seu mundo colorido anterior e mesmo sua memória desse mundo desfaleciam e morriam dentro dele, nascia outro completamente novo em visão, imaginação e sensibilidade.[32]

Não há dúvida sobre a realidade dessas mudanças — embora talvez ela tenha exigido um paciente talentoso e articulado como Jonathan I. para revelá-las com tal clareza. A neurociência, a esta altura, nada pode dizer sobre a base cerebral para essas mudanças "superiores". A investigação fisiológica da cor, até agora, chegou aos sistemas de cor da visão primitiva, as correlações landianas que ocorrem na V_1 e V_4. Mas a V_4 não é um ponto terminal, apenas uma estação intermediária, projetando a seu tempo para níveis cada vez mais elevados — atingindo finalmente o hipocampo, tão essencial para o armazenamento das memórias, os centros emocionais da amígdala e do sistema límbicos e muitas outras partes do córtex. O término do fluxo de informação entre a V_4 e os sistemas de memória do hipocampo e do córtex pré-frontal, por exemplo, pode explicar em parte o "esquecimento" que o sr. I. teve das cores. Não dispomos no momento dos instrumentos necessários para mapear as conseqüências neuroniais mais sutis e superiores dessa perda sensorial, mas uma história como a de Jonathan I. mostra que é crucial fazê-lo.

Os trabalhos da última década mostraram a maleabilidade do córtex cerebral e a que ponto a maneira como o cérebro "mapeia" a imagem corporal, por exemplo, pode ser drasticamente reorganizada e revisada, não apenas em conseqüência de lesões e imobilizações, mas do uso especial ou desuso de partes individuais. Sabemos, por exemplo, que o uso constante de um dedo ao se ler em braile leva a uma enorme hipertrofia da representação desse dedo no córtex. E que, com a surdez precoce e o uso da linguagem dos signos, podem ocorrer drásticos remapeamentos do cérebro, com grandes áreas do córtex auditivo sendo relocadas para o processamento visual. Algo semelhante, ao que parece, se dava com o sr. I.: se sistemas inteiros de representação, de sentido, foram extintos em seu interior, também foram criados novos sistemas inteiros.

Em relação à questão definitiva — a questão de *qualia*: por que uma sensação particular pode ser percebida como vermelha —, o caso de Jonathan I. talvez não possa nos ajudar em nada. Após descrever "o celebrado fenômeno das cores", Newton evitou qualquer especulação sobre a sensação, não se arriscando a nenhuma hipótese sobre os "modos ou ação pelos quais a luz produz em nossa mente os fantasmas das cores". Três séculos depois, continuamos sem hipóteses e talvez tais questões não possam nunca ser respondidas.

O ÚLTIMO HIPPIE

> *Such a long, long time to be gone...*
> *and a short time to be there*
> [Tanto tempo longe...
> e tão pouco para estar lá]
> Robert Hunter, "Box of rain"

GREG F. CRESCEU nos anos 50 numa casa confortável em Queens, um garoto talentoso e atraente que parecia destinado, como o pai, a uma carreira profissional — talvez como letrista de músicas, para o que mostrava um talento precoce. Mas tornou-se agitado, começou a questionar tudo, parecia um adolescente do final dos anos 60; passou a odiar a vida convencional de seus pais e vizinhos, e o governo cínico e belicoso do país. Precisava se rebelar, mas também encontrar um ideal e um guia, um líder, cristalizado no Verão do Amor, em 1967. Podia ir ao Village para ouvir Allen Ginsberg declamar a noite inteira; adorava rock, em especial acid rock, e, sobretudo, o Grateful Dead.

Passou progressivamente a discordar dos pais e professores; era truculento com os primeiros, reservado com os segundos. Em 1968, quando Timothy Leary exortava a juventude americana a "se ligar, experimentar todas e cair fora", Greg deixou o cabelo crescer e abandonou a escola, onde tinha sido um bom aluno; saiu de casa e foi morar no Village, onde experimentou ácido e juntou-se à cultura da droga do East Village — em busca, como outros de sua geração, da utopia, da liberdade interior e de uma "consciência superior".

Mas "experimentar todas" não satisfez Greg, que continuava com a necessidade de uma doutrina e um tipo de vida mais codificados. Em 1969, foi atraído, assim como tantos jovens consumidores de ácido, para o Swami Bhaktivedanta e sua Sociedade Internacional para a Consciência em Krishna, na Segunda Avenida. E, sob sua influência, Greg, como tantos outros adeptos do LSD, largou o ácido, encontrando na exaltação religiosa um substituto para as viagens. ("O único remédio radical para a dipsomania", disse William James certa vez, "é a religiomania.") A filosofia, o companheirismo, os cânticos, os rituais, a figura austera e carismática do próprio *swami* foram como uma revelação para Greg, e ele se tornou, quase imediatamente, um devoto e prosélito apaixonado.[1] Agora havia um centro, um foco, em sua vida. Naquelas primeiras semanas exaltadas de sua conversão, ele vagou pelo East Village, enrolado em vestes alaranjadas, cantando os mantras de Hare Krishna, e no começo dos anos 70 mudou-se para o templo principal, no Brooklyn. Seus pais desaprovaram de início, depois condescenderam. "Talvez isso o ajude", dizia o pai, filosoficamente. "Talvez — quem sabe? — seja este o seu caminho."

O primeiro ano de Greg no templo correu bem; ele era obediente, cândido, devoto e piedoso. Ele é um dos Eleitos, dizia o *swami*, um de nós. No início de 1971, já profundamente integrado, Greg foi enviado ao templo de Nova Orleans. Seus pais o haviam visto esporadicamente enquanto estava no templo do Brooklyn, mas nesse momento a comunicação foi praticamente suspensa.

O problema surgiu no segundo ano de Greg com os krishnas — queixou-se de que sua visão estava ficando ofuscada, mas isso foi interpretado, pelo *swami* e pelos outros, de uma maneira espiritual: ele era "um iluminado", disseram-lhe; tratava-se do avanço da "luz interior". Greg se preocupou de início com sua vista, mas acabou se tranqüilizando com a explicação espiritual do *swami*. Sua visão turvou-se ainda mais, mas ele não mais se queixou. E, de fato, parecia estar se tornando cada vez mais espiritual — tinha sido tomado por uma espantosa serenidade. Não apresentava mais a impaciência ou as ansiedades de antes e por vezes caía numa espécie de torpor, com um estranho (alguns diziam "transcendental") sorriso nos lábios. É beatitude, dizia o *swami* — está se tornando um santo. O templo sentiu que ele precisava ser protegido nesse estágio: não saía mais nem fazia coisa nenhuma desacompanhado e era enfaticamente dissuadido de manter contato com o mundo exterior.

Embora os pais de Greg não tivessem comunicação direta com ele, recebiam notícias esporádicas do templo — notícias cada vez mais pontuadas por relatos de seu "progresso espiritual", sua "iluminação", relatos ao mesmo tempo tão vagos e incompatíveis com o Greg que conheciam que, aos poucos, começaram a se alarmar. Certa vez, escreveram diretamente ao *swami* e receberam uma resposta tranqüilizadora e apaziguante.

Foi preciso esperar mais três anos para que os pais de Greg decidissem ir ver por si mesmos. O pai não estava bem de saúde e temia nunca mais ver o filho "desaparecido" caso esperasse mais. Diante disso, o templo finalmente permitiu a visita. Em 1975, portanto, depois de quatro anos sem vê-lo, visitaram-no no templo de Nova Orleans.

Ficaram horrorizados: o filho esguio e cabeludo tinha se tornado gordo e careca; trazia um sorriso permanente e "estúpido" no rosto (foi assim pelo menos que seu pai o descreveu); deixava escapar de repente trechos de canções e versos e fazia comentários "idiotas", sem quase nenhuma demonstração de emoção mais profunda ("como se tivesse sido escavado, oco no interior", disse o pai); tinha perdido o interesse por qualquer coisa atual; estava desorientado — e completamente cego. O templo, surpreendentemente, concordou com sua partida — talvez sentissem que sua ascensão tinha ido longe demais e começassem a se inquietar com seu estado.

Greg foi internado, examinado e transferido para a neurocirurgia. A visualização do cérebro mostrou um enorme tumor de linha mediana, destruindo a glândula pituitária e a região do quiasma óptico adjacente e se estendendo para ambos os lados do lobo frontal. Também atingia, para trás, os lobos posteriores e temporais e, em declive, o diencéfalo, ou prosencéfalo. Na cirurgia, descobriram que o tumor era benigno, um meningioma — mas que tinha inchado até atingir o tamanho de um pequeno pomelo ou laranja, e embora os cirurgiões tenham podido removê-lo quase por inteiro, não podiam reverter os estragos que já haviam sido feitos.

Greg agora não estava apenas cego, mas seriamente incapacitado neurológica e mentalmente — uma desgraça que poderia ter sido evitada se suas primeiras queixas sobre o obscurecimento da visão tivessem sido levadas em conta e ao senso médico, e mesmo ao bom senso, tivesse sido permitido avaliar o seu estado. Já que, tragicamente, não se devia esperar nenhum tipo de recuperação, ou muito pouca, Greg foi levado para o Williamsbridge, um hospital para doentes crônicos, um rapaz de 25 anos cuja vida ativa chegara ao fim e para quem os prognósticos eram considerados desanimadores.

Encontrei Greg pela primeira vez em abril de 1977, quando chegou ao Williamsbridge Hospital. Desprovido de cabelo e pêlos faciais e com maneiras infantis, parecia mais jovem que seus 25 anos. Estava gordo, como um buda, com um rosto vago e afável, e os olhos cegos vagando ao acaso nas órbitas, enquanto permanecia sentado, imóvel em sua cadeira de rodas. Faltava-lhe espontaneidade e não iniciava qualquer interação, mas respondeu pronta e apropriadamente quando me dirigi a ele, embora termos curiosos por vezes tomassem seu pensamento, fazendo emergir desvios associativos ou fragmentos de canções e rimas. Entre as perguntas, se o tempo não fosse todo preenchido, costumava haver um silêncio profundo, ainda que ele pudesse cair num dos cantos ou mantras suaves e murmurantes de Hare Krishna se o silêncio se prolongasse por mais de um minuto. Continuava a ser, ele dizia, "um completo crente", devoto das doutrinas e objetivos do grupo.

Eu não conseguia extrair dele nenhuma história conseqüente — para começar, não sabia direito por que estava no hospital e me deu diferentes razões quando lhe perguntei sobre isso; primeiro, disse: "Porque não sou inteligente"; depois: "Porque tomei drogas no passado". Sabia ter estado no templo principal dos Hare Krishnas ("uma casa grande e vermelha, na Henry Street, número 439, no Brooklyn"), mas não que posteriormente estivera no templo deles em Nova Orleans. Também não se lembrava de que passara a apresentar sintomas lá — a começar, sobretudo, pela perda da visão. Com efeito, parecia ignorar ter tido qualquer problema: que estivesse cego, que fosse incapaz de andar com firmeza ou estivesse de alguma forma doente.

Inconsciente — e indiferente. Parecia afável, plácido, esvaziado de qualquer sentimento — foi essa estranha serenidade que a irmandade dos krishnas percebeu, aparentemente, como um "êxtase", e de fato, a certa altura, o próprio Greg usou o termo. "Como você se sente?", eu batia na mesma tecla. "Sinto-me em êxtase", ele respondeu certa vez, "tenho medo de cair de novo no mundo material." Nesse período em que esteve internado pela primeira vez no hospital, muitos de seus companheiros Hare Krishnas vieram visitá-lo; eu via com freqüência vestes alaranjadas pelos corredores. Vinham visitar o pobre, cego e vazio Greg, e arrebanhar-se em torno dele; viam-no como tendo alcançado a "separação", como um Iluminado.

Ao perguntar-lhe sobre fatos e personalidades do momento, percebi a profundidade de sua desorientação e confusão. Quando lhe perguntei quem era o presidente, ele disse: "Lyndon", e em seguida: "aquele que foi baleado". Eu induzi: "Jimmy...", e ele respondeu: "Jimi Hendrix" — e quando explodi numa gargalhada ele disse que talvez uma Casa Branca musical fosse uma boa idéia. Outras poucas perguntas me convenceram de que Greg não tinha praticamente nenhuma memória dos acontecimentos posteriores a 1970, certamente nenhuma memória coerente ou cronológica deles. Parecia ter sido abandonado, desamparado, nos anos 60 — sua memória, seu desenvolvimento e sua vida interior pareciam ter sido interrompidos desde então.

Seu tumor, de crescimento lento, estava enorme quando foi finalmente removido em 1976, mas apenas nos últimos estágios de seu crescimento, quando destruiu o sistema de memória no lobo temporal, é que impediu realmente o cérebro de registrar novos acontecimentos. No entanto, Greg tinha dificuldades — não absolutas, mas parciais — até mesmo de se lembrar de acontecimentos do final dos anos 60, que devem ter sido perfeitamente registrados na época. Assim sendo, para além da incapacidade de registrar novas experiências, houvera uma erosão das memórias existentes (uma amnésia retroativa) voltando muitos anos antes de seu tumor se desenvolver. Não havia um desligamento absolutamente pontual, mas um decréscimo temporal, de forma que figuras e fatos entre 1966 e 1967 eram lembrados na íntegra, acontecimentos entre 1968 e 1969, apenas parcial e eventualmente, e os posteriores a 1970, quase nunca.

Era fácil demonstrar a gravidade de sua amnésia imediata. Se eu lhe desse uma lista de palavras, era incapaz de se lembrar de qualquer uma delas após um minuto. Quando lhe contei uma história e pedi que a repetisse, ele o fez de uma maneira cada vez mais confusa, cada vez com mais "contaminações" e associações digressivas — algumas cômicas, outras extremamente esquisitas — até que, em cinco minutos, sua história não tivesse mais nenhuma semelhança com a que eu lhe contara. Assim, quando lhe contei a fábula do leão e do camundongo, ele logo se afastou da história original e fez o camundongo ameaçar devorar o leão — tinham se transformado num camundongo gigante e num minileão. Ambos eram mutantes, explicou Greg quando o questionei sobre suas digressões. Ou talvez, ele disse, fossem criaturas de um sonho, ou de "uma história alternativa" onde os camundongos fossem de fato os reis da selva. Cinco minutos depois, não tinha mais a menor lembrança da história.

Soube, pelo assistente social do hospital, que ele era apaixonado por música, especialmente as bandas de rock-and-roll dos anos 60; vi pilhas de discos assim que entrei em seu quarto e uma guitarra encostada na cama. Fiz perguntas sobre o assunto e deu-se uma completa transformação — ele perdeu sua desconexão, a indiferença, e falou com grande animação sobre suas bandas de rock e músicas prediletas — sobretudo do Grateful Dead. "Fui vê-los no Fillmore East e no Central Park", disse. Lembrava-se em detalhes do programa inteiro, mas "minha predileta", acrescentou, "é 'Tobacco Road'". O título me evocou a melodia, e Greg cantou a canção inteira com muito sentimento e convicção — uma profundidade de sentimento da qual, até então, não dera o menor sinal. Parecia transformado, uma pessoa diferente, inteira, enquanto cantava.

"Quando você os viu no Central Park?", perguntei.

"Já faz um tempo, mais de um ano talvez", respondeu — mas na realidade fazia oito anos que tinham tocado lá pela última vez, em 1969. E o Fillmore East, o célebre teatro de rock-and-roll onde Greg também tinha visto a banda, não sobreviveu ao início dos anos 70. Ele prosseguiu dizendo que certa vez ouvira Jimi Hendrix no Hunter College, e o Cream, com Jack Bruce no baixo, Eric Clapton na guitarra e Ginger Baker, "um fantástico baterista". "Jimi Hendrix", acrescentou reflexivamente, "onde ele anda? Não tenho ouvido falar nele." Falamos dos Rolling Stones e dos Beatles — "Grandes bandas", comentou Greg, "mas não me deixam ligado como o Dead. Que banda!", ele continuava, "não há ninguém como eles. Jerry Garcia — ele é um santo, um guru, um gênio. Mickey Hart, Bill Kreutzmann, os bateristas são demais. Tem Bob Weir, Phil Lesh; mas Pigpen — eu o adoro".

Foi o que delimitou a extensão de sua amnésia. Lembrava-se perfeitamente de canções entre 1964 e 1968. Lembrava-se de todos os membros fundadores do Grateful Dead de 1967. Mas ignorava que Pigpen, Jimi Hendrix e Janis Joplin estavam todos mortos. Sua memória fora interrompida por volta de 1970, ou antes. Estava preso nos anos 60, incapaz de seguir adiante. Era um fóssil, o último hippie.

No início, não quis confrontar Greg com a enormidade de sua perda do tempo, sua amnésia, nem dar a entender por alusões involuntárias (que ele certamente teria percebido, já que era tão sensível a anomalias e sinais), por isso, mudei de assunto e disse: "Deixe-me examiná-lo".

Notei que estava de certa forma fraco e espástico em todos os membros, mais do lado esquerdo, e mais nas pernas. Não podia ficar de pé sozinho. Seus olhos mostravam uma completa atrofia óptica — era impossível para ele ver o que quer que fosse. Mas, estranhamente, não parecia ter consciência de estar cego e supunha que eu estivesse lhe mostrando uma bola azul, uma caneta vermelha (quando na realidade tratava-se de um pente verde e um relógio de bolso). Também não parecia "olhar"; não fazia qualquer esforço para se virar na minha direção, e quando conversávamos freqüentemente deixava de me encarar, de olhar para mim. Quando lhe perguntei sobre a visão, ele admitiu que seus olhos não estavam "tão bem assim", mas acrescentou que gostava de "assistir" à TV. Assistir à televisão para ele, observei mais tarde, consistia em acompanhar com atenção o som de um filme ou programa e inventar cenas visuais para ele (mesmo se nem estivesse olhando para a TV). Parecia pensar, de fato, que isso era o que significava "ver", que era isso o que significava "assistir à TV", e que era o que todos nós fazíamos. Talvez tivesse perdido a própria idéia do que é ver.

Achei esse aspecto da cegueira de Greg, sua singular cegueira da cegueira, seu presente desconhecimento do significado de "ver" e "olhar", profundamente desconcertante. Parecia indicar algo mais estranho e complexo que um mero "déficit", evidenciar mais propriamente uma alteração radical na própria estrutura do conhecimento, na consciência, na própria identidade.[2]

Eu já tinha percebido algo assim quando testei sua memória, ao ver que, na verdade, seu confinamento a um único momento — "o presente" — estava desprovido de qualquer sentido de um passado (ou de um futuro). Dada essa falta radical de conexão e continuidade em sua vida interior, tive de fato o sentimento de que ele podia não *ter* uma vida interior sobre a qual discorrer, que lhe faltava o diálogo constante entre passado e futuro, entre experiência e sentido, que constitui a consciência e a vida interior para nós. Parecia não ter nenhum sentido de "seqüência" e carecer da tensão ansiosa e inquieta da expectativa, da intenção, que normalmente nos impulsiona ao longo da vida.

Algum sentido de seguimento, de "seqüência", sempre nos acompanha. Mas esse sentido de movimento, de acontecimento, faltava a Greg; parecia emparedado, sem saber, num momento sem movimento, fora do tempo. E enquanto para nós o presente ganha sentido e profundidade pelo passado (daí tornar-se o "presente relembrado", nas palavras de Gerald Edelman), assim como recebe seu potencial e tensão do futuro, para Greg ele era achatado e (à sua maneira escassa) completo. Esse viver-no-momento, que era tão manifestamente patológico, fora percebido no templo como a conquista de uma consciência superior.

Greg parecia adaptar-se ao Williamsbridge com notável facilidade, considerando-se que era um rapaz internado, provavelmente para sempre, num hospital para doentes crônicos. Não havia nenhum confronto furioso, nenhuma injúria contra o Destino, aparentemente nenhum sentimento de indignação ou desespero. Condescendente e com indiferença, Greg deixou-se cair na estagnação do Williamsbridge. Quando o confrontei com isso, ele disse: "Não tinha escolha". E, da forma como falou, parecia sensato e verdadeiro. De fato, parecia eminentemente filosófico sobre a questão. Mas era uma filosofia possibilitada por sua indiferença, sua lesão cerebral.

Seus pais, tão distantes quando era rebelde e saudável, vinham vê-lo diariamente, mimavam-no, agora que estava desamparado e doente; e, no que lhes dizia respeito, podiam estar certos de que ele estaria sempre no hospital, sorrindo e grato pela visita. Se não os estivesse "esperando", tanto melhor — podiam deixar de ir por um dia ou mais, se estivessem viajando; ele não percebia, e era mais cordial que nunca na visita seguinte.

Greg logo se instalou, com seus discos de rock e sua guitarra, seus terços de Hare Krishna, seus livros em fita e uma lista de programas — fisioterapia, terapia ocupacional, grupos de música, teatro. Logo depois de ser internado, foi transferido para uma ala de pacientes mais jovens, onde se tornou popular com sua personalidade aberta e solar. Na verdade, não conhecia nenhum dos outros pacientes ou funcionários, ao menos durante vários meses, mas era invariável e indiscriminadamente amável com todos. E havia pelo menos duas amizades especiais, não fortes, mas com uma espécie de total aceitação e estabilidade. A mãe dele relembra "Eddie, que tinha esclerose múltipla... ambos adoravam música, tinham quartos adjacentes, costumavam ficar juntos... e Judy, que tinha paralisia cerebral, ela também ficava horas ao lado dele". Eddie morreu e Judy foi para um hospital no Brooklyn; não houve outro tão próximo durante muitos anos. A sra. F. lembra-se deles, mas Greg não, nunca perguntou por eles, ou sobre eles, depois que partiram — talvez, pensava sua mãe, estivesse mais triste ou, pelo menos, menos animado, já que eles o estimulavam, faziam-no falar, ouvir discos e inventar poeminhas cômicos, contar piadas e cantar; tiravam-no "daquele estado morto" em que, caso contrário, caía.

Um hospital para doentes crônicos, onde pacientes e funcionários convivem por anos, é um pouco como um vilarejo ou uma cidade do interior: todo mundo acaba encontrando, conhecendo, todo mundo. Eu via com freqüência Greg nos corredores, sendo levado na cadeira de rodas para diferentes programas ou para o pátio, no rosto o mesmo olhar desemparelhado e cego, e ainda assim penetrante. E aos poucos passou a me conhecer, o bastante para saber meu nome e perguntar toda vez que nos encontrávamos: "Como vai, doutor Sacks? Quando sai o próximo livro?" (uma pergunta que me atormentava no aparentemente interminável ínterim de onze anos entre a publicação de *Tempo de despertar* e a de *Com uma perna só*).

Podia, portanto, aprender nomes, com contatos freqüentes, e em relação a eles ia recordando uns poucos detalhes sobre cada nova pessoa. Assim, conheceu Connie Tomaino, a musicoterapeuta — reconhecia a voz dela, seus passos, imediatamente —, mas nunca conseguia lembrar onde ou como a conhecera. Um dia, Greg começou a falar de "outra Connie", uma menina chamada Connie que ele conhecera no ginásio. Essa outra Connie, ele nos disse, também era excepcional, muito musical — "Por que todas as Connies são tão musicais?", ele provocava. A outra Connie regia grupos musicais, dizia ele, escrevia partituras, tocava acordeão nos recitais da escola. A essa altura, começamos a nos dar conta de que essa "outra" Connie era na realidade a própria Connie, e isso nos foi confirmado quando ele acrescentou: "Sabe, ela tocava trompete também" (Connie Tomaino é trompetista profissional). Esse tipo de situação acontecia freqüentemente com Greg, quando colocava as coisas num contexto errado ou não conseguia conectá-las com o presente.

Sua idéia de que havia duas Connies, a segmentação de Connie em duas, era característica da confusão em que por vezes se encontrava, sua necessidade de supor figuras adicionais por não conseguir manter ou conceber uma identidade no tempo. Com uma repetição consistente, Greg era capaz de aprender alguns fatos, e estes eram guardados. Mas ficavam isolados, despidos de contexto. Uma pessoa, uma voz, um lugar se tornavam lentamente "familiares", mas ele continuava incapaz de lembrar onde tinha encontrado a pessoa, ouvido a voz, visto o lugar. Especificamente, era a memória direcionada para um contexto (ou "episódica") que tinha sido inteiramente desarranjada em Greg — como ocorre com a maioria dos amnésicos.

Outras formas de memória estavam intatas; assim, Greg não tinha dificuldade para lembrar ou aplicar verdades geométricas que aprendera na escola. Percebia instantaneamente, por exemplo, que a hipotenusa de um triângulo era menor que a soma dos lados — logo, a chamada memória semântica estava nitidamente intata. Além disso, ele não apenas mantinha sua capacidade de tocar guitarra, como na realidade ampliara seu repertório musical, aprendendo novas técnicas e posições com Connie; também aprendeu a datilografar em Williamsbridge — logo, sua memória processual também não tinha sido afetada.

Por fim, parecia haver um tipo de habituação lenta ou familiarização — de maneira que se tornou capaz, em três meses, de orientar-se dentro do hospital, ir à lanchonete, ao cinema, ao auditório, ao pátio, seus lugares preferidos. Esse tipo de aprendizado era demasiado lento, mas, uma vez alcançado, tenazmente mantido.

Estava claro que o tumor de Greg causara danos complexos e curiosos. Primeiro, tinha comprimido e destruído estruturas do lado interno, ou mediano, de ambos os lobos temporais — em particular, o hipocampo e o córtex adjacente, áreas cruciais para o poder de formar novas memórias. Com essa lesão, a capacidade de adquirir informação sobre novos fatos e acontecimentos é devastada — deixa de existir qualquer lembrança explícita ou consciente deles. Mas se Greg era tão freqüentemente incapaz de lembrar acontecimentos, ou encontros, ou fatos à consciência, podia contudo ter uma memória inconsciente ou implícita deles, uma memória expressa em suas ações ou comportamento. Tal capacidade implícita de relembrar permitiu-lhe familiarizar-se lentamente com o aspecto físico e as rotinas do hospital e com alguns dos funcionários, e julgar se certas pessoas (ou situações) eram agradáveis ou não.[3]

Enquanto o aprendizado explícito requer a integridade dos sistemas do lobo temporal medial, o aprendizado implícito pode empregar trilhas mais primitivas e difusas, como ocorre com os processos simples de condicionamento e habituação. O aprendizado explícito, entretanto, envolve a construção de percepções complexas — sínteses de representações de todas as partes do córtex cerebral — agrupadas numa unidade contextual, ou "cena". Essas sínteses podem ser mantidas em mente por apenas um minuto ou dois — o limite da memória de curta duração — e se perdem em seguida, a menos que possam ser desviadas para a memória de longa duração. Assim, a memorização de ordem superior é um processo de múltiplos estágios, envolvendo a transferência de percepções, ou sínteses perceptivas, da memória de curta duração para a de longa duração. É apenas essa transferência que deixa de ocorrer em pessoas com lesões no lobo temporal. Portanto, Greg pode repetir uma sentença complicada com total exatidão e entendimento no momento em que a ouve, mas em três minutos, ou antes de se distrair por um instante, não guardará nenhum vestígio dela, ou qualquer idéia do seu sentido, ou qualquer lembrança de que tenha alguma vez existido.

Larry Squire, um neuropsicólogo da Universidade da Califórnia, em San Diego, que foi uma figura central na elucidação dessa função transferencial do sistema de memória do lobo temporal, fala da brevidade, da precariedade, da memória de curta duração em todos nós; todos, vez por outra, perdemos de repente uma percepção, ou imagem, ou pensamento que tínhamos nítido em mente ("Droga", podemos dizer, "esqueci o que queria dizer!"), mas apenas nos amnésicos essa precariedade é realizada por completo.

Não obstante, se Greg, agora incapaz de transformar suas percepções ou memórias imediatas em permanentes, permanecia paralisado nos anos 60, quando sua capacidade de aprender novas informações entrou em colapso, ele se ajustou de alguma forma e absorveu parte do que estava a sua volta, ainda que muito devagar e de maneira incompleta.[4]

Alguns amnésicos (como Jimmie, o paciente com síndrome de Korsakov que descrevi em "O marinheiro perdido") têm lesões cerebrais em grande parte restritas aos sistemas de memória do diencéfalo e do lobo temporal medial; outros (como o sr. Thompson, descrito em "Uma Questão de Identidade") são não apenas amnésicos, mas têm síndromes do lobo frontal também; já outros — como Greg, com imensos tumores — tendem a ter uma terceira área igualmente lesada, bem abaixo do córtex cerebral, no prosencéfalo ou diencéfalo. Em Greg, essa vasta lesão criou um quadro clínico muito complicado, por vezes com sintomas e síndromes justapostos ou mesmo contraditórios. Assim, embora sua amnésia fosse causada principalmente pela lesão do sistema do lobo temporal, lesões do diencéfalo e dos lobos frontais também tiveram um papel. Da mesma maneira, havia múltiplas origens para sua passividade e indiferença, pelas quais as lesões do lobo frontal, do diencéfalo e da glândula pituitária eram responsáveis em diferentes graus. Na realidade, o tumor de Greg lesou primeiro a glândula pituitária; o que teve como efeito não apenas seu ganho de peso e perda de pêlos mas também a debilitação de sua agressividade e dogmatismo, de origem hormonal, e conseqüentemente sua submissão e placidez anormais.

O diencéfalo é sobretudo um regulador de funções básicas — do sono, do apetite, da libido. Todas essas estavam em baixa em Greg — não tinha (ou expressava) interesse sexual; não pensava em comer, nem exprimia qualquer desejo de comer, a menos que lhe trouxessem comida. Parecia existir apenas no presente, apenas em resposta à urgência dos estímulos a sua volta. Se não fosse estimulado, caía numa espécie de torpor.

Deixado sozinho, Greg podia passar horas na enfermaria sem atividade espontânea. Esse estado inerte foi descrito inicialmente pelas enfermeiras como "cismático"; fora visto no templo como "meditativo"; minha impressão é de que era uma "indolência" mental profundamente patológica, quase destituída de conteúdo ou sentimento. Era difícil dar um nome a esse estado, tão diferente da vigília alerta e atenta, mas também, obviamente, muito diferente do sono — tinha um vazio sem equivalentes entre os estados normais. De certa forma, lembrava-me os estados vagos que vira em alguns dos meus pacientes pós-encefalíticos, e, como no caso deles, vinha acompanhado de uma lesão profunda do diencéfalo. Bastava alguém se dirigir a ele, ou que fosse estimulado por sons (música, sobretudo) próximos, para que "recuperasse os sentidos", "despertasse" de uma maneira espantosa.

Uma vez "acordado", uma vez que o córtex de Greg ganhava vida, via-se que sua própria animação tinha uma estranha qualidade — uma qualidade desinibida e ardilosa do tipo que se costuma ver quando as porções orbitais dos lobos frontais (ou seja, as porções adjacentes aos olhos) foram lesadas, a chamada síndrome órbito-frontal. Os lobos frontais são a parte mais complexa do cérebro, concernidos não com as funções "inferiores" do movimento e sensação, mas com as mais superiores, de integração de todo juízo e comportamento, toda imaginação e emoção, numa identidade única que costumamos chamar de "personalidade" ou o "eu". Lesões em outras partes do cérebro podem produzir distúrbios específicos de sensação ou movimento, de linguagem, ou de funções específicas de percepção, cognição ou memória. As lesões do lobo frontal, em contrapartida, não afetam essas funções, mas produzem um distúrbio mais sutil e profundo de identidade.

Era isso — mais que a cegueira, sua fraqueza, desorientação ou amnésia — que tanto horrorizara seus pais quando finalmente o viram em 1975. Não estava apenas lesado, mas mudara para além do reconhecimento possível, fora "desapropriado", nas palavras de seu pai, por um tipo de simulacro, ou substituto, que tinha a voz de Greg, seus modos, humor e inteligência, mas não a sua "alma", ou "realidade", ou "profundidade" — um substituto cujos gracejos ou leviandade formavam um contraponto chocante com a terrível gravidade do que lhe acontecera.

Esse tipo de gracejos é de fato característico dessas síndromes órbito-frontais — e é tão impressionante que ganhou um nome próprio: *Witzelsucht*, ou "mal de chiste". Parte do comedimento, da precaução, da inibição, é destruída, e pacientes com essas síndromes tendem a reagir incontinenti ou imediatamente a tudo a sua volta e dentro deles — a praticamente qualquer objeto, pessoa, sensação, palavra, pensamento, emoção, nuança ou tom.

Há uma tendência avassaladora, em tais estados, a jogos de palavras e trocadilhos. Certa vez, quando eu estava no quarto com Greg, passou um paciente. "Era o Bernie", eu disse. "Bernie, o berne", zombou Greg. Outro dia, quando fui visitá-lo, ele estava no refeitório, esperando o almoço. Quando uma enfermeira lhe anunciou: "Aqui está o almoço", ele respondeu imediatamente: "É hora de comermorar!";* quando ela lhe perguntou, referindo-se ao frango: "Você quer que eu tire a pele?", ele respondeu instantaneamente: "Você quer me arrancar a pele?". "Ah, você quer com pele?", ela perguntou, confusa. "Não", ele retrucou, "era só maneira de dizer." Ele era, em certo sentido, extraordinariamente sensível — mas de uma sensibilidade passiva, sem seletividade ou foco. Não havia diferenciação nessa sensibilidade — o formidável, o trivial, o sublime, o ridículo, estavam todos misturados e eram tratados como iguais.[5] Pode haver uma espontaneidade e uma transparência infantis nas reações imediatas e não premeditadas (e freqüentemente jocosas) desses pacientes. E contudo há algo definitivamente inquietante, e estranho, porque a mente que

---

* O verbo original, "cheer", tem o duplo sentido de aplaudir e comer. (N. T.)

reage (e que pode continuar sendo altamente inteligente e inventiva) perde sua coerência, sua introspecção, sua autonomia, seu "eu", e se torna escrava de toda sensação passageira. O neurologista francês François Lhermitte fala de uma "síndrome da dependência ambiente" em tais pacientes, uma falta de distância psicológica entre eles e seu meio ambiente. Era o que se passava com Greg: captava seu meio ambiente, era captado por ele, não conseguia distingui-lo de si mesmo.[6]

O sonho e a vigília, para nós, costumam ser diferentes — sonhar se dá dentro do sono e desfruta de uma licença especial por estar separado da percepção e ação externas, enquanto a percepção da vigília é coagida pela realidade.[7] Mas em Greg a fronteira entre o sonho e a vigília parecia romper-se, e o que emergia era uma espécie de sonho acordado ou público, onde fantasias, associações e símbolos oníricos proliferavam e se entrelaçavam com as percepções da mente em estado desperto.[8] Essas associações eram com freqüência surpreendentes e, por vezes, de cunho surrealista. Mostravam o poder da fantasia em jogo e, especificamente, os mecanismos — deslocamento, condensação, "sobredeterminação", e assim por diante — que Freud apontou como característicos dos sonhos.

Sentia-se tudo isso com intensidade em Greg; que estava freqüentemente num estado intermediário, semi-onírico, em que, se a seletividade e o controle normais do pensamento se perdessem, restava uma meia liberdade, meia compulsão, de fantasia e razão. Perceber isso como patológico era necessário, mas insuficiente: havia elementos primitivos, infantis, lúdicos. As expressões absurdas, com freqüência aforísticas, de Greg, ao lado de sua aparente serenidade (na realidade, desinteresse), davam-lhe um ar de inocência e sabedoria combinadas, um status especial na enfermaria, ambíguo porém respeitado, um Bobo Sagrado.

Ainda que, como neurologista, eu tivesse que falar da "síndrome" de Greg, de seus "déficits", não sentia que isso fosse adequado para descrevê-lo. Eu sentia — sentíamos — que ele tinha se tornado outro "tipo" de pessoa; que, embora a lesão no lobo frontal tivesse de certa forma roubado sua identidade, também lhe deixara um tipo de identidade ou personalidade, ainda que de uma espécie estranha e talvez primitiva.

Quando Greg estava sozinho, num corredor, mal parecia vivo; mas assim que se via acompanhado transformava-se numa pessoa completamente diferente. "Despertava", tornava-se engraçado, charmoso, engenhoso, sociável. Todos gostavam dele; respondia a todos de pronto, com leveza e humor, sem artimanhas ou hesitação; e se havia algo demasiado frívolo, ou loquaz, ou indiscriminado em suas interações e reações e, sobretudo, se de repente se esquecia de tudo, bem, fazia parte da doença, era compreensível, havia coisas piores. Por isso, ficávamos muito atentos, num hospital para doentes crônicos como o nosso — onde sentimentos de melancolia, raiva e desânimo consomem lentamente e predominam —, às virtudes de um paciente como Greg, que nunca parecia irritado e que, quando motivado por outros, ficava invariavelmente alegre, eufórico.

Uma das mais impressionantes peculiaridades do cérebro humano é o grande desenvolvimento dos lobos frontais — são muito menos desenvolvidos em outros primatas e apenas visíveis em todos os demais mamíferos. São a parte do cérebro que mais cresce e se desenvolve após o nascimento (e seu desenvolvimento não se completa até por volta dos sete anos). Mas nossas idéias sobre a função do lobo frontal, e seu papel, tiveram uma história tortuosa e ambígua, e ainda estão longe de serem esclarecidas. Essas dúvidas foram bem exemplificadas pelo célebre caso de Phineas Gage e pelas interpretações e equívocos por ele desencadeados, de 1848 até o presente. Gage era o contramestre de um bando de operários que construíam uma estrada de ferro perto de Burlington, no estado de Vermont, quando um estranho acidente lhe sucedeu, em setembro de 1848. Estava preparando uma carga de explosivos, usando um ferro de embuchar (instrumento semelhante a um pé-de-cabra pesando seis quilos e com cerca de um metro de comprimento), quando a carga explodiu prematuramente, lançando o instrumento direto em sua cabeça. Perdeu os sentidos, mas, por incrível que pareça, não morreu; ficou apenas atordoado por um instante. Conseguiu se levantar e pegar uma carroça até a cidade. Ao chegar, estava perfeitamente racional e calmo, e cumprimentou o médico dizendo-lhe: "Doutor, isto aqui vai lhe dar o maior trabalho".

Logo após seu acidente, Gage desenvolveu um abscesso do lobo frontal e apresentou febre, mas isso foi resolvido em poucas semanas e, no início de 1849, foi dado por "completamente curado". Que tenha sobrevivido já foi visto como um milagre médico, e o fato de continuar aparentemente o mesmo após sofrer uma enorme lesão dos lobos frontais parecia sustentar a idéia de que essas partes não tinham qualquer função ou, se tinham, não eram funções que não pudessem ser realizadas igualmente pelas outras partes não afetadas do cérebro. Se os frenologistas, no início do século XIX, viam cada parte da superfície do cérebro como o "assento" de uma faculdade intelectual ou moral particular, uma reação a isso surgiu nas décadas de 1830 e 1840, a ponto de o cérebro por vezes ter sido visto como tão indiferenciado quanto o fígado. De fato, o grande fisiologista Flourens dissera: "O cérebro segrega pensamento assim como o fígado segrega bílis". A aparente ausência de mudanças de comportamento de Gage parecia sustentar essa noção.

Tal era a influência dessa doutrina que, a despeito de provas cabais de outras fontes sobre uma mudança radical no "caráter" de Gage semanas após o acidente, somente vinte anos mais tarde o médico que o estudou mais de perto, John Martyn Harlow (aí, aparentemente, movido pelas novas doutrinas sobre os níveis "superiores" e "inferiores" do sistema nervoso, o superior inibindo e refreando o inferior), fez uma nítida descrição de tudo o que havia ignorado, ou pelo menos não mencionado, em 1848:

> (Gage) não pára quieto, é irreverente, permitindo-se por vezes as imprecações mais grosseiras (o que não era do seu costume), manifestando pouca deferência pelos colegas, impaciente com conselhos ou o comedimento quando isso entra em conflito com seus desejos, por vezes aferradamente obsti-

nado, ainda que caprichoso e vacilante, arquitetando muitos planos de operações futuras, abandonados mal são concluídos em nome de outros aparentemente mais factíveis. Uma criança em suas manifestações e capacidade intelectual, tem as paixões animais de um homem robusto. Antes de sua lesão, embora sem educação escolar, possuía uma mente equilibrada e era visto pelos que o conheciam como um homem de negócios astuto e esperto, muito enérgico e persistente na execução de todos os seus planos de ação. Nesse sentido, sua mente mudou radicalmente, de tal forma que seus amigos e conhecidos diziam que ele "não era mais o Gage".

Parecia que essa espécie de "desinibição" ocorrera com a lesão do lobo frontal, liberando algo animal ou infantil, de maneira que Gage tinha se tornado um escravo de seus caprichos e impulsos imediatos, do que estivesse imediatamente a sua volta, sem a deliberação e a consideração sobre o passado e o futuro que o caracterizaram anteriormente, ou suas prévias preocupações para com os outros e com as conseqüências de suas ações.[9]

Mas a excitação, a liberação e a desinibição não são os únicos efeitos possíveis de lesões do lobo frontal. David Ferrier (cujas Conferências Gulstonianas de 1879 apresentaram o caso Gage à comunidade médica internacional) observou um tipo diferente de síndrome em 1876, ao remover os lobos frontais de macacos:

> Não obstante esta aparente ausência de sintomas fisiológicos, pude perceber uma alteração muito clara no caráter e comportamento do animal. [...] Ao invés de, como antes, ficarem vivamente interessados no que os cercava, e espiar com curiosidade tudo o que passasse por seu campo de observação, permaneceram apáticos, ou embotados, ou adormecidos, reagindo apenas às sensações e impressões do momento, ou alternando sua inércia com perambulações irrequietas e vãs para lá e para cá. Embora na realidade não estivessem desprovidos de inteligência, perderam, ao que tudo indica, a faculdade de observação atenta e inteligente.

Na década de 1880 tornou-se claro que tumores do lobo frontal podiam produzir sintomas de vários tipos: por vezes, inércia, hebetude, lentidão da atividade mental; por outras, uma evidente mudança de caráter e perda do autocontrole — ou ainda (segundo Gowers) uma "insanidade crônica". A primeira operação de um tumor do lobo frontal foi realizada em 1884, e a primeira operação do lobo frontal por sintomas puramente psiquiátricos, em 1888. A lógica era que, nesses pacientes (provavelmente esquizofrênicos), as obsessões, as alucinações, as exaltações fantasmáticas eram causadas por uma hiperatividade, ou atividade patológica, nos lobos frontais.

Essas incursões não se repetiram por 45 anos, até os anos 30, quando o neurologista português Egas Moniz idealizou a operação que chamou de "leucotomia pré-frontal" e a que submeteu imediatamente vinte pacientes, alguns com angústia e depressão, outros com esquizofrenia crônica. Os resultados por ele reivindicados despertaram imenso interesse quando da publicação de sua monografia em 1936, e sua falta de rigor, sua imprudência e talvez desonestidade foram negligenciadas pela onda de entusiasmo terapêutico. O trabalho de Moniz levou a uma explosão da "psicocirurgia" (o termo que ele cunhou) em todo o mundo — Brasil, Cuba, Romênia, Grã-Bretanha e especialmente Itália —, mas sua maior repercussão seria nos Estados Unidos, onde o neurologista Walter Freeman inventou uma nova e terrível forma de procedimento cirúrgico, que chamou de lobotomia transorbital. Ele a descreveu da seguinte maneira:

> Consiste em apagá-los com um choque e, enquanto estão sob "anestesia", enfiar um picão de quebrar gelo entre o globo ocular e a pálpebra através da abóbada da órbita, na realidade para dentro do lobo frontal do cérebro, e fazer um corte lateral, balançando a coisa de um lado para o outro. Passei dois pacientes na faca em ambos os lados e um terceiro de um lado só sem quaisquer complicações, à exceção de um olho muito pisado num dos casos. Podem surgir proble-

mas posteriores mas que são bem tranqüilos, embora definitivamente desagradáveis de olhar. Resta ver como esses casos se mantêm, mas até agora mostraram considerável alívio de seus sintomas, e apenas algumas dificuldades menores de comportamento, resultantes da lobotomia. Podem até ficar de pé e voltar para casa em mais ou menos uma hora.

O desembaraço com que era feita a psicocirurgia, como um procedimento de escritório, com um picão de quebrar gelo, não despertou consternação e horror, como deveria, mas emulação. Mais de 10 mil operações foram realizadas nos Estados Unidos até 1949, e mais outras 10 mil foram feitas nos dois anos seguintes. Moniz foi aclamado mundialmente como um "salvador" e recebeu o Prêmio Nobel em 1951 — o clímax, nas palavras de Macdonald Critchley, dessa "crônica da vergonha".

O que se havia alcançado nunca foi a "cura", é claro, mas um estado dócil, um estado de passividade, tão (ou mais) distante da "saúde" quanto os sintomas ativos originais, e (ao contrário deles) sem possibilidade de ser resolvido ou revertido. Robert Lowell escreve, em "Memories of West Street and Lepke", sobre o lobotomizado Lepke:

> *Flabby, bald, lobotomized,*
> *he drifted in a sheepish calm,*
> *where no agonizing reappraisal*
> *jarred his concentration on the electric chair —*
> *hanging like an oasis in his air*
> *of lost connections...*

> [Débil, careca, lobotomizado,
> era levado numa calma ovina
> aonde nenhuma reavaliação torturante
> podia tirar sua concentração da cadeira elétrica —
> suspensa como um oásis no ar
> de suas conexões perdidas...]

Quando trabalhei num hospital psiquiátrico estadual entre 1966 e 1990, vi dúzias desses patéticos pacientes lobotomizados, muitos ainda mais destruídos que Lepke, alguns psiquicamente mortos, assassinados por sua "cura".[10]

Haja ou não no lobo frontal uma grande quantidade de circuitos patológicos causando os tormentos das doenças mentais — a noção simplista apresentada pela primeira vez na década de 1880, e adotada por Moniz —, o certo é que há uma contrapartida para suas capacidades formidáveis e positivas. O peso da consciência e a própria consciência e o escrúpulo, o peso do dever, a obrigação e a responsabilidade podem nos pressionar com uma força insuportável, levando-nos a procurar a libertação dessas inibições esmagadoras, da sanidade e da sobriedade. Procuramos umas férias dos nossos lobos frontais, uma festa dionisíaca dos sentidos e impulsos. Que isso seja uma necessidade de nossa natureza hiperfrontal reprimida e civilizada, foi algo reconhecido por todas as épocas e culturas. Todos precisamos tirar férias de nossos lobos frontais — a tragédia é quando, por doença ou lesão graves, não há volta das férias, como com Phineas Gage, ou Greg.[11]

Em uma nota de março de 1979 que escrevi sobre Greg, relatei que "jogos, canções, versos, conversas etc. o mantinham completamente íntegro [...] porque têm um ritmo e um fluxo orgânicos, uma circulação de vida, que o arrasta e sustenta". Nela, pude relembrar nitidamente o que vira com o paciente amnésico Jimmie, como parecia mais inteiro quando assistia à missa, por sua relação e participação num ato significativo, uma unidade orgânica, que ultrapassava ou contornava as desconexões de sua amnésia.[12] E o que havia observado com um paciente na Inglaterra, um musicólogo com amnésia profunda resultante de uma encefalite do lobo temporal, incapaz de se lembrar de acontecimentos ou fatos por mais de uns poucos segundos, mas capaz de lembrar, e de fato aprender, peças musicais elaboradas, regê-las, tocá-las e até improvisar no órgão.[13]

O mesmo acontecia com Greg: não somente tinha uma memória excelente para canções dos anos 60, como era capaz de aprender facilmente novas canções, a despeito de sua dificuldade de guardar quaisquer "fatos". Era como se diferentes tipos — e mecanismos — de memória pudessem estar envolvidos. Greg também podia decorar versinhos e *jingles* com desembaraço (e na verdade tirou centenas do rádio e da televisão, que ficavam sempre ligados na enfermaria). Logo após sua internação, testei-o com os seguintes versinhos:

> *Hush-a-bye baby,*
> *Hush quite a lot,*
> *Bad babies get rabies*
> *And have to be shot.*

> [Nana neném,
> Nana bem fundo,
> Criança má pega raiva
> E tem de ser alvejada.*]

Greg os repetiu imediatamente, sem errar, riu, perguntou se eu os tinha inventado, e os comparou a "algo horripilante, como Edgar Allan Poe". Mas dois minutos depois já não podia relembrá-los, até eu repassar-lhe o ritmo subjacente. Com mais umas poucas repetições, aprendeu-os sem precisar de deixas e posteriormente passou a recitá-los sempre que me encontrava.

Seria essa facilidade de aprender *jingles* e canções uma mera habilidade mecânica ou performática, ou podia fornecer uma profundidade emocional ou uma capacitação generalizada de um tipo a que Greg normalmente não teria acesso? Não parecia haver dúvida de que a música podia emocioná-lo profundamente, podia ser uma porta para profundezas de sentimento e significado às quais normalmente não tinha acesso, e era como se Greg

---

* "Shot", neste caso, tem o sentido de "alvejado" (tiro) e "vacinado" (injeção). (N. T.)

se tornasse uma pessoa diferente nesses momentos. Não parecia sofrer mais de uma síndrome do lobo frontal, mas ficava (por assim dizer) temporariamente "curado" pela música. Mesmo seu eletroencefalograma, tão lento e incoerente na maior parte do tempo, tornava-se calmo e rítmico com a música.[14]

É fácil demonstrar que informações simples podem ser embutidas em canções; assim, podíamos fornecer a Greg a data a cada dia, na forma de um *jingle*, permitindo-lhe isolá-la e repeti-la, sem o *jingle*, quando lhe perguntavam. Mas o que significa dizer "Hoje é 9 de julho de 1995", quando se está submerso na mais profunda amnésia, quando se perdeu o sentido do tempo e da história, quando se vive cada momento num limbo sem continuidade? Saber a data não significa nada nessas circunstâncias. Seria possível, entretanto, pela evocação e o poder da música, talvez usando canções com letras especialmente escritas — canções que contassem alguma coisa importante sobre ele ou o mundo atual —, alcançar algo mais durável e profundo? Dar a Greg não apenas os "fatos", mas um sentido de tempo e história, da relação entre os acontecimentos, uma estrutura completa (embora artificial) para o pensamento e os sentimentos?

Parecia natural a essa altura, dada a cegueira de Greg e a revelação de seu potencial para o aprendizado, que lhe fosse proporcionada a oportunidade de aprender braile. Ficou acertado com o Instituto Judaico para os Cegos que ele começaria um treinamento intensivo, quatro vezes por semana. Não deveria ter sido uma decepção, nem de fato uma surpresa, que Greg tenha se recusado a aprender braile — que tenha ficado assustado e perturbado ao descobrir que aquilo lhe estava sendo impingido, e que tenha gritado: "O que está acontecendo? Acham que sou cego? Que estou fazendo aqui, com todos esses cegos à minha volta?". Tentaram explicar-lhe, ao que ele respondeu com uma lógica impecável: "Se eu fosse cego, seria o primeiro a saber". O instituto disse nunca ter recebido um paciente tão difícil, e o projeto foi abandonado com discrição. E de fato, com o fracasso do programa de braile, fomos tomados por uma espécie de desânimo, e talvez Greg também. Sentíamos que não havia nada a fazer; ele não tinha potencial para mudar.

A essa altura, Greg passara por várias avaliações psicológicas e neuropsicológicas que, além de discorrerem sobre sua memória e problemas de concentração, o definiam como "superficial", "infantil", "sem discernimento", "eufórico". Era fácil ver por que esses termos foram usados; era esse o aspecto de Greg na maior parte do tempo. Mas será que havia sob sua doença, sob o efeito superficializante de sua perda do lobo frontal e de sua amnésia, um Greg mais profundo? No início de 1979, quando lhe perguntei como andava, disse que estava "péssimo... pelo menos na parte corporal", e acrescentou: "Isto não é vida". Nessas ocasiões ficava claro que não era apenas frívolo e eufórico, mas capaz de reações profundas, e realmente melancólicas, a sua condição. Na época, a comatosa Karen Ann Quinlan aparecia muito nos noticiários, e a cada vez que seu nome e sina eram mencionados Greg ficava aflito e silencioso. Ele não conseguia me dizer, explicitamente, por que aquilo o interessava tanto — mas tinha que ser, eu sentia, por causa de algum tipo de identificação entre a tragédia dela e a dele próprio. Ou seria apenas sua simpatia incontinenti, sua queda imediata no estado de espírito de qualquer estímulo ou notícia, sua queda quase irremediável, mimética, nessa disposição de espírito?

Essa não era uma questão que eu pudesse responder de início, e talvez também estivesse predeterminado a não descobrir qualquer profundidade em Greg, uma vez que os estudos neuropsicológicos que eu conhecia descartavam essa possibilidade. Mas eram estudos baseados em avaliações rápidas, não em uma relação e uma observação longas e contínuas, do tipo que só é possível, talvez, em um hospital para pacientes crônicos, ou em situações onde todo um mundo e uma vida são compartilhados com o paciente.

As características do "lobo frontal" de Greg — sua frivolidade, sua metralhadora de associações — eram engraçadas, mas por trás delas reluziam uma decência, uma sensibilidade e uma bondade fundamentais. Dava para sentir que, embora comprometido pela lesão, Greg ainda tinha uma personalidade, uma identidade, uma alma.[15]

Quando veio para o Williamsbridge, todos respondemos a sua inteligência, seu humor, sua perspicácia. Naquela época, recorreu-se a todo o tipo de programas e iniciativas terapêuticas, mas todos — como o aprendizado do braile — acabaram fracassando. A sensação de que Greg era incorrigível cresceu gradualmente em nós, e com isso começamos a fazer menos, e a esperar menos. Gradativamente, ele foi sendo deixado aos seus próprios mecanismos. Pouco a pouco, deixou de ser o centro das atenções, o foco do zelo das atividades terapêuticas — cada vez mais, era deixado entregue a si mesmo, fora dos programas, sem ser levado a qualquer lugar, serenamente ignorado.

É fácil, mesmo não sendo amnésico, perder contato com a realidade atual nas enfermarias esquecidas dos hospitais para doentes crônicos. Há uma única rotina que não mudou em vinte ou cinqüenta anos. Você acorda, é alimentado, levado ao banheiro, e deixado sentado num corredor; depois, almoça, é levado para jogar bingo, janta e vai para a cama. É verdade que a TV pode ficar ligada, aos brados, na sala da televisão — mas a maioria dos pacientes não presta atenção nela. É verdade que Greg tinha prazer com suas novelas e faroestes prediletos, e aprendeu de cor um número enorme de *jingles* de publicidade. Mas, como a maioria, achava as notícias chatas e, progressivamente, ininteligíveis. Os anos podem passar, numa espécie de limbo atemporal, com poucos marcos da passagem do tempo — e certamente nenhum memorável.

Passados cerca de dez anos, Greg mostrava uma completa ausência de desenvolvimento, sua conversa parecia progressivamente datada e repertoriada, já que nada de novo era acrescentado a ela, ou a ele. A tragédia de sua amnésia parecia aumentar com os anos, embora a própria amnésia, sua síndrome neurológica, continuasse praticamente a mesma.

Em 1988, Greg teve uma convulsão — nunca havia sofrido uma antes (embora tomasse anticonvulsivos, como precaução, desde a época de sua cirurgia) — e quebrou a perna. Não reclamou disso, não chegou nem a mencionar o fato; a fratura só foi descoberta quando ele tentou ficar de pé no dia seguinte. Aparentemente, ele a esquecera assim que passou a dor, assim que encontrou uma posição confortável. Seu desconhecimento de que tinha quebrado a perna me pareceu ter semelhanças com seu desconhecimento de que estava cego, sua incapacidade, com a amnésia, de guardar na cabeça uma ausência. Quando a perna doía por um instante, ele sabia que algo havia acontecido, sabia que ela estava lá; mas bastava a dor cessar para a perna desaparecer de sua mente. Se ao menos tivesse tido alucinações visuais ou fantasmas (como acontece por vezes com os cegos, pelo menos nos primeiros meses e anos após terem perdido a visão), teria podido falar deles, dizer "Olhe!" ou "Uau!". Mas, na falta de dados visuais palpáveis, não podia guardar na cabeça nada sobre ver, ou não ver, ou sobre a perda do mundo visual. Em sua pessoa, em seu mundo, agora Greg só conhecia a presença, não a ausência. Parecia incapaz de registrar qualquer perda — fosse de uma função em si mesmo, ou de um objeto, ou de uma pessoa.

Em junho de 1990, o pai de Greg, que vinha vê-lo, brincar e conversar com ele por uma hora todas as manhãs antes do trabalho, morreu de repente. Eu estava fora na época (por causa do enterro do meu próprio pai) e, ao saber do luto de Greg com a minha volta, corri para vê-lo. Ele havia recebido a notícia, é claro, quando acontecera. E ainda assim eu não estava certo do que dizer — teria sido capaz de absorver esse novo fato? "Imagino que você deva estar sentindo falta do seu pai", arrisquei.

"O que você quer dizer?", Greg respondeu. "Ele vem todo dia. Vejo-o todo dia."

"Não", eu disse, "ele não vem mais... Já não vem há algum tempo. Morreu no mês passado."

Greg vacilou, ficou pálido e silencioso. Tive a impressão de que ficou chocado, duplamente chocado, com a súbita e espantosa notícia da morte do pai e com o fato de não saber, não ter registrado, não se lembrar. "Acho que tinha por volta de cinqüenta anos", disse.

"Não, Greg", respondi, "ele já tinha passado dos setenta."

Greg ficou pálido de novo quando falei. Deixei o quarto por um minuto; senti que ele precisava ficar sozinho com tudo aquilo. Mas quando voltei, alguns minutos depois, Greg não se lembrava da conversa que tivéramos, da notícia que eu lhe dera, não tinha a menor idéia de que o pai tinha morrido.

Pelo menos, Greg mostrava uma capacidade evidente de sentir amor e dor. Se eu alguma vez desconfiara da capacidade de Greg de ter sentimentos mais profundos, era algo de que não mais suspeitava. Ele estava nitidamente arrasado pela morte do pai — não demonstrava nenhuma "petulância", nenhuma leviandade.[16] Mas seria capaz de fazer o luto? O luto depende de que se tenha em mente o sentido da perda, e para mim não era nem um pouco claro que Greg fosse capaz disso. Era possível, de fato, contar-lhe repetidamente que seu pai havia morrido. E a cada vez a notícia viria como algo chocante e novo, causando um tormento imensurável. Mas então, em poucos minutos, ele a esquecia e voltava a ficar alegre, e com isso era impedido de passar pela dor e pelo trabalho de luto.[17]

Transformei em prioridade as visitas freqüentes a Greg nos meses seguintes, mas não abordei mais o assunto da morte do pai. Não cabia a mim, pensei, confrontá-lo com isso — seria de fato inútil e cruel fazê-lo; a própria vida certamente se encarregaria disso, porque Greg acabaria descobrindo a falta do pai.

Fiz a seguinte anotação no dia 26 de novembro de 1990: "Greg não demonstra qualquer conhecimento consciente de que seu pai tenha morrido — quando lhe perguntam onde está o pai, ele pode dizer: 'Ah, ele foi até o pátio' ou 'Não deu para ele vir hoje', ou alguma outra coisa plausível. Mas não quer mais ir para casa nos fins de semana ou no dia de Ação de Graças, como tanto gostava de fazer — deve sentir algo triste ou repugnante na casa agora sem o pai, ainda que não consiga (conscientemente) lembrar ou articular isso. Ele estabeleceu claramente uma associação de tristeza".

Próximo ao fim do ano, Greg, que normalmente tinha um sono profundo, passou a dormir mal, levantando-se no meio da noite para vagar às cegas em seu quarto durante horas. "Perdi alguma coisa, estou procurando alguma coisa", respondia quando lhe perguntavam o que estava fazendo — mas nunca conseguia explicar o que tinha perdido, o que procurava. Era difícil não pensar que Greg estivesse procurando o pai, embora não pudesse explicar o que estava fazendo e não tivesse nenhum conhecimento explícito do que havia perdido. Mas me parecia haver agora talvez um conhecimento implícito e, também, simbólico (embora não conceitual).

Greg parecia tão triste desde a morte do pai que senti que ele merecia uma celebração especial — e quando ouvi, em agosto de 1991, que seu grupo adorado, o Grateful Dead, ia tocar no Madison Square Garden poucas semanas depois, aquilo me pareceu a ocasião perfeita. De fato, eu havia encontrado um dos bateristas da banda, Mickey Hart, no início do verão, quando nós dois depusemos no Senado sobre os poderes terapêuticos da música, e ele nos possibilitou conseguir ingressos na última hora, e levar Greg, com cadeira de rodas e tudo, para o *show*; um lugar especial seria reservado para ele perto dos rebatedores de som, onde a acústica seria melhor.

Acertamos tudo no último minuto, e não preveni Greg, para não desapontá-lo caso não conseguíssemos os lugares. Mas quando fui pegá-lo no hospital e lhe contei aonde estávamos indo, ficou na maior excitação. Nós o vestimos rapidamente e o enfiamos no carro. Ao chegarmos a *midtown*, abri as janelas e os sons e cheiros de Nova York entraram no carro. Ao passarmos pela rua 33, o cheiro de *pretzels* quentes subitamente o atingiu; ele respirou fundo e riu. "Este é o cheiro mais nova-iorquino do mundo."

Havia uma enorme multidão convergindo para o Madison Square Garden, a maioria com camisetas de batique — não via uma dessas havia vinte anos, e eu mesmo comecei a achar que estávamos de volta aos anos 60, ou que talvez nunca os tivéssemos deixado. Fiquei com pena por Greg não poder ver essa multidão; teria se sentido em casa, como um deles. Estimulado pela atmosfera, Greg começou a falar espontaneamente — algo muito incomum para ele — e a rememorar os anos 60: "É, havia aqueles grandes encontros no Central Park. Há muito tempo não fazem um — há mais de um ano talvez, não me lembro direito... Shows, música, ácido, maconha, tudo... Na primeira vez que eu fui, era o Dia do Flower Power... Bons tempos... um monte de coisas teve início nos anos 60 — acid rock, os grandes encontros, todo mundo transando, o fumo... Não vejo mais isso hoje em dia... Allen Ginsberg — ele vai muito ao Village ou ao Central Park. Não o vejo há um tempão. Faz mais de um ano desde que o vi pela última vez...".

O uso que Greg fazia do presente do indicativo, ou do passado próximo, seu sentimento sobre todos esses eventos, não como longínquos, menos ainda como terminados, mas como tendo acontecido "há talvez um ano" (e, por conseqüência, plausíveis de acontecer de novo, a qualquer momento); tudo isso, que parecia tão patológico, tão anacrônico em exames clínicos, surgia como quase normal, natural, agora que fazíamos parte dessa multidão dos anos 60 precipitando-se na direção do Garden.

Lá dentro encontramos o lugar especial reservado para a cadeira de rodas de Greg, ao lado do rebatedor de som. Greg ficava mais excitado a cada minuto; o clamor da multidão o excitava — "É como um animal gigante", dizia —, bem como o ar doce e carregado de haxixe. "Que cheiro maravilhoso", ele dizia, respirando fundo. "É o cheiro menos estúpido do mundo."[18]

Assim que a banda subiu ao palco, e o barulho do público cresceu ainda mais, Greg foi transportado pela excitação e começou a bater palmas bem forte e a gritar numa voz estrondosa "Bravo! Bravo!", e depois "Vamos lá!", seguido de "Vamos lá, Hypo" e, homofonicamente, "Ro, Ro, Ro, Harry-Bo". Fazendo uma breve pausa, Greg me disse: "Está vendo a lápide atrás da bateria? Viu o *look* afro do Jerry Garcia?", com tal convicção que por um momento cheguei a acreditar e procurar (em vão) por uma lápide atrás da bateria — antes de me dar conta de que era mais uma das confabulações de Greg — e a olhar para os cabelos agora grisalhos de Jerry Garcia, que caíam desembaraçados, em linha reta, até os ombros.

E depois: "Pigpen!", gritou Greg, "está vendo Pigpen?".

"Não", respondi, hesitante, sem saber o que dizer. "Ele não está lá... Você entende, ele não está mais com o Dead."

"Não está com eles?", disse Greg espantado. "O que aconteceu — foi preso ou alguma coisa?"

"Não, Greg, não foi preso. Ele morreu."

"Isso é horrível", Greg respondeu balançando a cabeça, chocado. Um minuto depois, estava me cutucando de novo. "Pigpen! Você está vendo o Pigpen?" E, palavra por palavra, a conversa inteira se repetiu.

Mas aí a excitação rítmica e compassada da multidão o capturou — as palmas, as batidas de pé e o canto o possuíram — e ele começou a entoar "Os Dead! Os Dead!", e depois, com uma mudança de ritmo e uma ênfase lenta em cada palavra, "Nós queremos os Dead!". E em seguida: "'Tobacco Road', 'Tobacco Road'", o título de uma de suas canções favoritas, até a música começar.

A banda começou com uma velha canção, "Iko, Iko", e Greg acompanhou com gosto, entregue, sabendo de cor toda a letra, e com especial exuberância durante o coro de sonoridade africana. Todo o imenso Garden se movia agora com a música, 18 mil pessoas respondendo juntas, todos transportados, todos os sistemas nervosos sincronizados, em uníssono.

A primeira metade do show continha muitas músicas antigas, canções dos anos 60, e Greg as conhecia, adorava-as, acompanhava. Sua energia e alegria eram surpreendentes de ver; batia palmas e cantava sem parar, sem nada da fraqueza ou fadiga que geralmente mostrava. Apresentava uma continuidade de atenção rara e maravilhosa, tudo o orientava, dava-lhe unidade. Olhando para Greg transformado dessa maneira, eu não podia ver nenhum traço de sua amnésia, de sua síndrome do lobo frontal — ali, ele parecia completamente normal, como se a música estivesse insulando nele sua própria força, sua coerência, sua alma.

Eu me perguntara se devíamos sair durante o intervalo na metade do show — Greg era, afinal de contas, um paciente incapacitado, preso à cadeira de rodas, que na verdade não ia à cidade ou a um show de rock havia mais de vinte anos. Mas ele disse: "Não, quero ficar, quero ver tudo" — uma declaração, uma autonomia que eu exultei em ver, e que quase nunca havia presenciado em sua vida submissa no hospital. Assim, ficamos e fomos aos bastidores durante o intervalo, onde Greg comeu um grande *pretzel* quente, encontrou-se com Mickey Hart e trocou algumas palavras com ele. Tinha parecido um pouco pálido e cansado antes, mas agora enrubescera, excitado pelo encontro, estava recarregado e ansioso por voltar e ouvir mais música.

Mas a segunda parte do show foi um tanto estranha para Greg: a maioria das canções datava da metade ou final dos anos 70 e tinha letras desconhecidas para ele, embora familiares no estilo. Dessas ele ainda gostou, batendo palmas e acompanhando sem as letras, ou improvisando-as na hora. Mas aí surgiram canções ainda mais novas, radicalmente diferentes, como "Picasso moon", com harmonias sombrias e profundas e uma instrumentalização eletrônica tal, que seria impossível, inimaginável, nos anos 60. Greg ficou intrigado, mas profundamente confuso. "Que negócio estranho", disse, "nunca ouvi nada parecido antes." Escutou atentamente, com todo o seu sentido musical ativado, mas de um jeito assustado e desorientado, como se estivesse vendo um novo animal, uma nova planta, um novo mundo pela primeira vez. "Imagino que seja um negócio novo, experimental", disse, "algo que nunca tocaram antes. Parece futurístico... talvez seja a música do futuro." As novas músicas que ele ouviu ultrapassavam qualquer desenvolvimento que pudesse ter imaginado, estavam tão mais além (e de certa forma eram tão diferentes) do que ele havia associado ao Dead, que aquilo "explodiu sua cabeça". Era, ele não tinha dúvidas, a música "deles" que estava ouvindo, mas ela lhe deu um sentimento quase insuportável de ouvir o futuro — assim como o Beethoven da última fase teria chocado um fã se tivesse sido tocado num concerto em 1800.

"Foi fantástico", ele disse, ao sairmos do Garden. "Vou me lembrar disso para sempre. Nunca me diverti tanto na vida." Coloquei CDS do Grateful Dead no carro, a caminho de casa, para manter o quanto fosse possível o estado de espírito e a memória do show. Temia que, se parasse de tocar o Dead ou de falar sobre eles, por um único instante, toda a lembrança do show desapareceria de sua cabeça. Greg acompanhou, cantando entusiasticamente durante todo o percurso, e quando nos separamos no hospital ele continuava no estado de espírito exuberante do show.

Mas na manhã seguinte, quando fui cedo ao hospital, encontrei-o na sala de refeições, sozinho, olhando para a parede. Perguntei-lhe sobre o Grateful Dead — o que achava deles? "Grande grupo", disse, "adoro eles. Eu os ouvi no Central Park e no Fillmore East."

"Sim", eu disse, "você me contou. Mas e desde então? Você não os viu no Madison Square Garden?"

"Não", ele disse, "nunca fui ao Garden."[19]

UMA VIDA DE CIRURGIÃO

A SÍNDROME DE TOURETTE pode ser vista em qualquer raça, qualquer cultura, qualquer camada da sociedade; pode ser reconhecida numa vista de olhos uma vez que se esteja familiarizado com ela; e casos de grunhidos, crispações, caretas, estranhos gestos e blasfêmias e xingamentos involuntários foram registrados por Areteu da Capadócia há quase 2 mil anos. Sua definição clínica, no entanto, não ocorreu antes de 1885, quando Georges Gilles de la Tourette, um jovem neurologista francês — aluno de Charcot e amigo de Freud —, juntou esses relatos históricos a observações de alguns de seus próprios pacientes. A síndrome, como ele a descreveu, era caracterizada sobretudo por tiques convulsivos, mímica involuntária e a repetição de palavras e atos dos outros (ecolalia e ecopraxia), e pelas expressões involuntárias ou compulsivas de xingamentos e obscenidades (coprolalia). Alguns indivíduos (apesar de seu sofrimento) apresentavam uma extravagante indiferença ou despreocupação; outros, uma tendência de fazer estranhas, e em grande parte espirituosas, associações oníricas ocasionais; outros, um comportamento impulsivo e provocativo ao extremo, testando constantemente os limites físicos e sociais; outros, uma reação agitada e incessante ao meio ambiente, atirando-se sobre tudo, farejando as coisas ou arremessando objetos subitamente; e outros, ainda, uma extrema estereotipia e obsessão — nunca houve dois pacientes que se assemelhassem completamente.

Qualquer doença introduz uma duplicidade na vida — um "algo", com suas próprias necessidades, exigências, limitações. Com a síndrome de Tourette, o "algo" toma a forma de uma compulsão explícita, uma multiplicidade de impulsos e compulsões explícitas: o sujeito é levado a fazer isto ou aquilo contra sua própria vontade, ou em deferência à vontade alienígena do "algo". Pode haver um conflito, uma concessão, um conluio entre essas vontades. Assim, ser "possuído" pode ser mais que uma figura de linguagem para alguém com um distúrbio impulsivo como a síndrome de Tourette, e não há dúvida de que na Idade Média ela foi por vezes vista literalmente como "possessão" (o próprio Tourette era fascinado pelo fenômeno e escreveu uma peça sobre a epidemia de possessão demoníaca na cidade medieval de Loudun).

Mas a relação entre a doença e o sujeito, o "algo" e o "eu", pode ser particularmente complexa na síndrome de Tourette, sobretudo se esteve presente desde a tenra infância, crescendo com o eu, entrelaçando-se com ele de todas as formas possíveis. A síndrome de Tourette e o eu formam-se um para o outro, passam cada vez mais a complementar um ao outro até, finalmente, como num longo casamento, tornarem-se um único ser composto. Essa relação é com freqüência destrutiva, mas também pode ser construtiva, podendo dar rapidez, espontaneidade e uma capacidade para desempenhos incomuns e surpreendentes. Com toda a sua intrusão, a síndrome de Tourette também pode ser usada criativamente.

Mesmo nos anos posteriores a sua definição, ela costumava ser vista não como uma doença orgânica, mas "moral" — uma expressão da maldade e fraqueza da vontade, a ser tratada pela correção desta última. Entre os anos 20 e os 60, tendeu a ser vista como uma doença psiquiátrica, a ser tratada pela psicanálise ou pela psicoterapia; mas isso, no geral, também se mostrou ineficaz. Com a demonstração, no início dos anos 60, de que o medicamento haloperidol podia suprimir dramaticamente seus sintomas, a síndrome de Tourette passou a ser vista (numa reviravolta súbita) como uma doença química, resultado do desequilíbrio de um neurotransmissor, a dopamina, no cérebro. Mas todas essas visões são parciais e reducionistas, e deixam de fazer justiça à total complexidade da doença. Nem um ponto de vista biológico nem psicológico ou sociomoral são adequados; devemos ver a síndrome de Tourette não apenas simultaneamente pelas três perspectivas, mas por uma perspectiva interior, existencial, da própria pessoa afetada. Como em toda parte, aqui as narrativas interiores e exteriores também devem se fundir.

É de se imaginar que muitas profissões encontram-se fechadas para pessoas com elaborados tiques e compulsões ou comportamentos estranhos e extravagantes, mas este não parece ser bem o caso. A síndrome de Tourette atinge talvez uma pessoa em mil, e é possível encontrar gente com os sintomas — por vezes os mais severos — em praticamente todas as atividades. Há escritores touretticos, matemáticos, músicos, atores, disc-jóqueis, operários, assistentes sociais, mecânicos, atletas. É de se imaginar que certas coisas estejam completamente fora de cogitação — sobretudo, talvez, o trabalho intricado, preciso e firme de um cirurgião. Era essa a minha própria crença até há pouco tempo. Mas agora, por incrível que pareça, conheço *cinco* cirurgiões com síndrome de Tourette.[1]

Encontrei o dr. Carl Bennett pela primeira vez numa conferência sobre a síndrome de Tourette, em Boston. Sua aparência era irrepreensível — uns cinqüenta anos, estatura mediana, com uma barba e um bigode castanhos com alguns fios grisalhos, vestido sobriamente com um terno escuro — até abaixar-se ou arremeter-se em direção ao chão, ou pular e se sacudir todo. Fiquei impressionado tanto por seus estranhos tiques como por sua calma e dignidade. Quando exprimi descrença em relação a sua escolha profissional, ele me convidou a visitá-lo na cidade de Branford, na Colúmbia Britânica, onde vivia e trabalhava — e a acompanhá-lo em seus turnos no hospital, grudar nele, vê-lo em ação. Agora, quatro meses depois, vejo-me num pequeno avião aproximando-se de Branford, cheio de curiosidade e expectativas contraditórias. O dr. Bennett foi me buscar no aeroporto, cumprimentou-me — um estranho cumprimento, meio arremesso, meio tique, um gesto de boas-vindas idiossincraticamente tourettizado —, agarrou minha maleta e seguiu em direção ao carro numa marcha extravagante, rápida e saltitante, dando um pulo a cada cinco passos e súbitas investidas ao solo como se quisesse pegar algo que tivesse caído.

A situação de Branford é quase idílica, com a cidade abrigada à sombra das montanhas Rochosas, no Sudeste da Colúmbia Britânica, com o parque florestal de Banff e suas montanhas ao norte, e os estados de Montana e Idaho ao sul; encontra-se numa região temperada e de grande fertilidade, mas está cercada por montanhas, geleiras, lagos. O próprio Bennett é apaixonado por geografia e geologia; há alguns anos tirou um ano de licença de sua prática cirúrgica para estudar ambas na Universidade de Victoria. Enquanto dirigia, apontou-me morainas, estratificações e outras formações, de forma que o que a princípio me parecera uma paisagem pastoral carregou-se de um sentido de história e forças ctônicas, de imensas perspectivas geológicas. Essa atenção aguçada e tremenda para cada detalhe, esse incessante olhar sob a superfície, esse exame e análise são características da mente questionadora e inquieta de pessoas com síndrome de Tourette. É, por assim dizer, o outro lado das tendências obsessivas e perseverantes, sua disposição de reiterar, tocar repetidas vezes.

E, de fato, sempre que o fluxo da atenção e interesse era interrompido, os tiques e as iterações de Bennett imediatamente voltavam a manifestar-se — sobretudo com toques obsessivos em seu bigode e nos óculos. O bigode precisava ser constantemente alisado e ter simetria inspecionada, seus óculos tinham que ser "balanceados" — para cima e para baixo, de um lado e do outro, na diagonal, para a frente e para trás — com súbitos tiques e toques dos dedos, até ficarem também exatamente "centralizados". Havia ainda movimentos e arremetidas ocasionais com seu braço direito; toques repentinos e compulsivos no pára-brisa com ambos os indicadores ("O toque precisa ser simétrico", ele observava); súbitos reposicionamentos de seus joelhos, ou do volante ("Preciso ficar com os joelhos em simetria com o volante. Têm que estar *exatamente* centralizados"); e súbitas vocalizações agudas, numa voz completamente diferente da dele, que soavam como "*Hi, Patty*" ["Oi, Patty"], "*Hi, there*" ["Oi, pessoal"], e em algumas ocasiões como "*Hideous!*" ["Horrenda!"]. (Mais tarde, eu soube que Patty era uma ex-namorada, cujo nome era preservado como tique.)[2]

Houve poucos sinais desse repertório até chegarmos à cidade e ficarmos parados nos sinais. Os semáforos não incomodavam Bennett — não estávamos com pressa — mas interrompiam a condução, a melodia cinética, o fluxo rápido e suave da ação, com seu poder de integrar a mente e o cérebro. A transição foi muito súbita: tudo ocorria na maior calma e fluência e, de repente, tornou-se fragmentação, pandemônio, tumulto. Quando Bennett dirigia calmamente, tinha-se a impressão não de que a síndrome de Tourette estava sendo de alguma forma eliminada mas que o cérebro e a mente estavam em modos de ação completamente diversos um do outro.

Poucos minutos depois já tínhamos chegado a sua casa, uma casa charmosa e idiossincrática, com um jardim silvestre, encarapitada num morro com vista da cidade. Os cães de Bennett, com aspecto mais propriamente de lobos e estranhos olhos pálidos, latiram, abanaram os rabos e correram em nossa direção enquanto entrávamos. Ao descermos do carro, ele disse "Oi, cachorrinhos" com a mesma voz rápida, esquisita, esganiçada e quebradiça que usara para dizer "Oi, Patty!". Deu tapinhas em suas cabeças, uns tapinhas convulsivos como tiques, uma rajada de cinco tapinhas para cada um, aplicados com simetria e sincronia meticulosas. "São cães formidáveis, meio esquimó, meio malamute", disse. "Senti que devia ficar com dois, para que fizessem companhia um ao outro. Brincam juntos, dormem juntos, caçam juntos — tudo." E, eu pensei, levam tapinhas juntos: será que tinha adquirido dois cães por causa de suas próprias compulsões simétricas e simetrizantes? Ao ouvir o latido dos cães, seus filhos vieram correndo — dois simpáticos adolescentes. Tive o sentimento súbito de que Bennett ia gritar "Oi, garotinhos" em sua voz touréttica e dar tapinhas em suas cabeças também, em sincronia e simetricamente. Mas me apresentou a eles, Mark e David, um de cada vez. E então, ao entrarmos em sua casa, apresentou-me à mulher, Helen, que estava nos preparando um chá de fim de tarde.

Assim que sentamos à mesa, Bennett foi repetidamente tomado por tiques — toques compulsivos na cúpula de vidro da lâmpada sobre sua cabeça. Tinha que bater suavemente com as unhas dos dois indicadores no vidro para produzir um estalido agudo, quase musical, ou, vez por outra, uma breve salva de estalidos. Um terço do seu tempo era ocupado por esses tiques e cliques, que parecia incapaz de interromper. Tinha que fazer isso? Tinha que se sentar logo ali?

"Se a lâmpada não estivesse ao seu alcance, você continuaria tendo a necessidade de bater nela com os dedos?", perguntei.

"Não", ele disse. "Depende inteiramente de como eu me situo. Tudo é uma questão de espaço. De onde estou agora, por exemplo, não tenho nenhum ímpeto de alcançar aquela parede de tijolos, mas se estivesse perto talvez tivesse que tocá-la uma centena de vezes." Segui o olhar dele até a parede e vi que estava cheia de cicatrizes, como a lua, devido a seus toques e cutucadas; e, mais adiante, percebi a porta da geladeira, furada e amassada, como se tivesse sofrido o impacto de meteoritos e projéteis. "É", disse Bennett, seguindo meu olhar. "Atiro coisas — o ferro, o rolo de massa, a panela, qualquer coisa —, atiro coisas nela se fico irritado de repente." Digeri essa informação em silêncio. Ela acrescentou uma nova dimensão — inquietante e violenta — ao quadro que eu estava pintando e parecia completamente incongruente com o homem cordial e tranqüilo à minha frente.[3]

"Se a lâmpada o perturba, por que se senta ao lado dela?"

"É certamente um 'transtorno'", Bennett respondeu. "Mas também um estímulo. Gosto do tato e do som do estalido. Mas, claro, pode ser uma grande distração. Não consigo estudar aqui, na sala de jantar — tenho que ir para o meu escritório, fora do alcance da lâmpada."

O sentido do espaço pessoal, do eu em relação a outros objetos e pessoas, tende a ser fortemente alterado com a síndrome de Tourette. Conheço vários touretticos que não toleram sentar-se num restaurante a uma pequena distância de outras pessoas e podem sentir-se compelidos, se não conseguem evitá-lo, a tocá-las ou arremeter convulsivamente em direção a elas. Essa intolerância pode ser especialmente forte se a pessoa "provocadora" encontra-se atrás do touréttico. Por isso, muita gente com a síndrome prefere cantos, onde estão a uma distância "segura" dos outros e onde não há ninguém às suas costas.[4] Problemas análogos podem surgir, vez por outra, ao dirigirem; pode haver uma sensação de que outros veículos estão "demasiado próximos" ou "avultando-se", ou mesmo que estejam subitamente "arremetendo" para cima de você, quando se encontram (aos olhos de uma pessoa não touréttica) a uma distância normal. Pode ocorrer também, paradoxalmente, uma tendência de se sentir "atraído" por outros veículos, de deixar-se levar ou virar na direção deles — embora a consciência disso, e uma reação mais rápida, normalmente sirva para impedir o desastre. (Ilusões e ímpetos semelhantes, em conseqüência de anormalidades na base neuronial do espaço pessoal, também podem, eventualmente, ser vistas no mal de Parkinson.)

Outra expressão da síndrome de Tourette em Bennet — bastante diferente do toque repentino, impulsivo e compulsivo — é uma pressão vagarosa e quase sensual com o pé para marcar um círculo no chão ao seu redor. "Parece-me quase instintivo", ele disse quando lhe perguntei. "Como um cachorro marcando seu território. Sinto nos ossos. Acho que é algo primal, pré-humano — talvez algo que todos nós, sem saber, trazemos em nós. Mas a síndrome de Tourette 'libera' esses comportamentos primitivos."[5]

Bennett às vezes chama a síndrome de Tourette de "uma doença de desinibição". Diz que há pensamentos, nada excepcionais em si mesmos, que todo mundo pode ter incidentalmente, mas que são normalmente inibidos. No caso dele, esses pensamentos persistem obsessivamente no fundo de sua cabeça e eclodem de repente, sem seu consentimento ou intenção. Assim, por exemplo, ele pode querer sair, ficar ao sol e se bronzear, quando o tempo está bom. Esse pensamento fica no fundo de sua cabeça enquanto atende seus pacientes no hospital, e acaba emergindo numa declaração súbita e involuntária. "A enfermeira pode dizer: 'O senhor Jones está com dores no abdômen', e eu olho pela janela e digo: 'Raios bronzeadores, raios bronzeadores'. Pode eclodir quinhentas vezes em uma manhã. As pessoas na enfermaria devem ouvir — não dá para *não* ouvir —, mas acho que ignoram ou não ligam."

Por vezes, a síndrome de Tourette se manifesta em pensamentos e angústias obsessivos. "Se estou preocupado com algo", Bennett me contou enquanto estávamos sentados à mesa, "digamos que ouço a história de um garoto ferido, tenho que me levantar, dar pancadinhas na parede e dizer: 'Espero que não aconteça com os meus filhos'." Eu mesmo testemunhei isso alguns dias depois. Uma reportagem, na televisão, sobre uma criança perdida, o perturbou e agitou. Imediatamente começou a mexer nos óculos (em cima, embaixo, à esquerda, à direita, em cima, embaixo, à esquerda, à direita), centralizando-os sem parar e com furor. Emitiu uns barulhos "uuu, uuu", como uma coruja, e murmurou em voz baixa: "David, David — está tudo bem com *ele*?". E aí saiu correndo da sala para certificar-se. Sentiu uma angústia intensa e uma preocupação exagerada; um alarme imediato à menção de qualquer criança perdida ou ferida; uma identificação imediata consigo mesmo, com seus próprios filhos; uma necessidade imediata e supersticiosa de conferir se estava tudo bem.

Depois do chá, Bennett e eu saímos para uma caminhada, passamos por um pequeno pomar cheio de maçãs e continuamos morro acima, contemplando a cidade, com os dois malamutes pulando a nossa volta. Enquanto caminhávamos, falou-me um pouco de sua vida. Não sabia se alguém em sua família tinha a síndrome de Tourette — fora adotado. Sua própria síndrome começou quando tinha por volta de sete anos. "Quando garoto, em Toronto, usava óculos, aparelho nos dentes e tinha tiques", disse. "Foi o golpe final. Mantive minha distância. Era um ser solitário; fazia longos passeios sozinho. Nunca tive amigos telefonando o tempo todo, como Mark — o contraste é muito grande." Mas o fato de ser solitário e fazer longas caminhadas sozinho também o endureceu, tornou-o desembaraçado, deu-lhe um sentimento de independência e auto-suficiência. Era muito hábil com as mãos e amava a estrutura das coisas naturais — a maneira como as rochas eram formadas, como as plantas cresciam, como os animais se deslocavam, a forma como os músculos se equilibravam e se estiravam uns contra os outros, a forma como o corpo se compunha. Decidiu muito cedo que seria cirurgião.

A anatomia veio "naturalmente", ele disse, mas teve grande dificuldade com a escola de medicina, não apenas por seus tiques e toques, que foram se tornando mais elaborados com os anos, mas por estranhas resistências e obsessões que obstruíam o ato da leitura. "Tinha que ler várias vezes cada linha", ele disse. "Tinha que alinhar cada parágrafo para colocar os quatro cantos em simetria no meu campo visual." Além desse alinhamento de cada parágrafo, e às vezes de cada linha, era assediado pela necessidade de "equilibrar" sílabas e palavras, de "colocar em simetria" a pontuação em sua cabeça, de conferir a freqüência de determinada letra e de repetir palavras, frases ou linhas para si mesmo.[6] Tudo isso fez com que se tornasse impossível uma leitura desembaraçada e fluente. Continua com esses problemas, que lhe dificultam folhear um texto, perceber sua essência ou desfrutar de uma boa leitura, ficção ou poesia. Mas eles o obrigaram a uma leitura meticulosa e a praticamente decorar seus textos médicos.

Quando terminou a escola de medicina, satisfez seu interesse por lugares distantes, particularmente o Norte: trabalhou como clínico geral nos territórios do Nordeste e no Yukon, e em quebra-gelos em volta do Ártico. Tinha o dom da intimidade e ficou amigo dos esquimós com quem trabalhou, tornando-se quase um especialista em medicina polar. Quando se casou, em 1968 — aos 28 anos —, deu a volta ao mundo com a esposa, realizando o sonho de infância de escalar o Kilimanjaro.

Nos últimos dezessete anos, trabalhou em comunidades pequenas e isoladas do Oeste do Canadá — primeiro, por doze anos, como clínico numa pequena cidade. Depois, há cinco anos, quando a necessidade de estar perto das montanhas, do campo agreste e de lagos tornou-se mais forte, mudou-se para Branford ("E aqui vou ficar. Não quero mais sair daqui"). Disse-me que Branford tinha a justa "medida". As pessoas eram calorosas, mas não íntimas; mantinham certa distância. Há uma cortesia e uma civilidade naturais. As escolas são de alto nível, há uma universidade comunitária, teatros e livrarias — Helen é dona de uma —, mas ao mesmo tempo um forte sentimento de ar livre, de campo. Há muita pesca e caça, mas Bennett prefere pegar sua mochila, escalar e fazer esqui de fundo.

Quando veio para Branford pela primeira vez, tinha a impressão de ser visto com certa suspeita. "Um cirurgião com tiques nervosos! Quem precisa disso? Qual será a próxima?" De início, não teve pacientes, e ficou sem saber se conseguiria vencer ali, mas aos poucos conquistou a afeição e o respeito da cidade. A clientela começou a crescer e seus colegas, que inicialmente se mostraram surpresos e incrédulos, logo passaram também a aceitá-lo e a confiar nele, recebendo-o de braços abertos na comunidade médica. "Mas já falei demais", ele concluiu, enquanto voltávamos para a casa. Já era quase noite e as luzes de Branford estavam cintilando. "Venha ao hospital amanhã — temos uma conferência às sete e meia. Em seguida, atendo gente de fora e visito meus pacientes internados. E na sexta-feira eu opero — você pode grudar em mim."

Dormi profundamente naquela noite, no quarto do porão dos Bennett, mas fui despertado cedo pela manhã, por um estranho zumbido no quarto ao lado — a sala de jogos. A porta da sala de jogos tinha placas de vidro translúcido. Quando olhei através dela, ainda meio dormindo, vi o que parecia ser uma locomotiva em movimento — uma máquina grande e barulhenta girando, soltando nuvens de fumaça e apitando eventualmente. Perplexo, abri a porta e dei uma espiada. Bennett, nu da cintura para cima, pedalava furiosamente numa bicicleta ergométrica enquanto fumava calmamente um grande cachimbo. Tinha um livro de patologia aberto à sua frente — no capítulo, observei, sobre neurofibromatose. É dessa forma que começam invariavelmente suas manhãs — meia hora de bicicleta, fumando seu cachimbo preferido, com um livro de patologia ou cirurgia aberto diante de si na página referente ao que fará naquele dia. O cachimbo e o exercício rítmico o acalmavam. Não havia tiques, ou compulsões — no máximo, um pequeno apito (ele parecia imaginar nessas horas que era um trem atravessando as pradarias). Assim, pode ler, com calma, sem suas distrações e obsessões habituais.

Mas assim que parava de pedalar ritmicamente, era tomado por uma onda de tiques e compulsões; ficava examinando a própria barriga, que estava em boa forma, e resmungando: "Gordura, gordura, gordura... gordura, gordura, gordura... gordura, gordura, gordura", e depois, enigmaticamente: "Gordura e um quarto de teta" (às vezes, a "teta" era deixada de fora).

"O que isso quer dizer?", perguntei.

"Não faço a menor idéia. Também não sei de onde vem 'horrenda' ['*hideous*'] — surgiu de repente, há dois anos. Vai desaparecer um dia, e outra palavra aparecerá no lugar. Quando estou cansado, transforma-se em 'gorrenda' ('*gideous*'). Não se pode ver sempre um sentido nessas palavras; muitas vezes é apenas o som que me atrai. Qualquer som curioso, ou nome curioso, pode me levar a ficar rebatendo, repetindo. Fico preso a uma palavra por dois ou três meses. E aí, um belo dia, ela desaparece, e já tenho outra no lugar." Conhecendo o apetite do pai por palavras e sons curiosos, os filhos de Bennett estão constantemente à procura de nomes "esquisitos" — nomes, muitos deles estrangeiros, que soam esquisitos ao ouvido de alguém de língua inglesa. Esquadrinham jornais e livros em busca de tais palavras, ouvem rádio e vêem TV, e quando encontram um nome "suculento" acrescentam-no à lista que mantêm. Bennett diz que a lista "é a coisa mais valiosa da casa". Chama essas palavras de "doces para a mente".

A lista foi iniciada há seis anos, após Bennett ter se ligado no nome Oginga Odinga, com suas aliterações — hoje, ela contém mais de duzentos nomes. Desses, 22 estão "em uso" — passíveis de serem regurgitados a qualquer momento e de novo mastigados, repetidos, e saboreados internamente. Dos 22, o nome de Slavek J. Hurka — um professor de relações industriais na Universidade de Saskatchewan, onde Helen estudou — é o que remonta mais longe; começou a ser ecolaliado em 1974 e continuou, sem interrupções significativas, pelos últimos dezessete anos. A maioria das palavras dura apenas uns poucos meses. Alguns dos nomes (Boris Blank, Floyd Flake, Morris Gook, Lubor J. Zink) têm uma qualidade curta e percussiva. Outros (Yelberton A. Tittle, Babaloo Mandel) são marcados por aliterações polissilábicas eufônicas. A ecolalia congela os sons, pára o tempo, preserva o estímulo como "corpos estranhos" ou ecos na mente, mantendo uma existência alienígena, como implantes. É apenas o som das palavras, sua "melodia", como diz Bennett, que os implanta em sua cabeça; suas origens, sentidos e associações são irrelevantes (há aqui uma semelhança com sua "preservação" de nomes como tiques).

"É parecido com as compulsões de números", ele disse. "Agora tenho que fazer tudo em três ou em cinco, mas até há alguns meses eram quatro ou sete. Acordei um dia e *quatro* e *sete* tinham sumido, mas *três* e *cinco* haviam surgido no lugar. É como se um circuito estivesse ligado lá em cima, e um outro o desligasse. Não parece ter nada a ver *comigo*.

É sempre o esquisito, o incomum, o proeminente, o caricatural que chama a atenção dos olhos e ouvidos do touréttico e costuma provocar a elaboração e a imitação.[7] Isso fica bem salientado no relato pessoal citado por Meige e Feindel em 1902:

Sempre tive consciência de uma predileção pela imitação. Um gesto curioso ou uma atitude estranha da parte de qualquer um era um sinal imediato para uma tentativa da minha parte de reproduzi-los, e continua sendo. O mesmo em relação a palavras ou frases, pronúncia ou entonação, era rápido em imitar qualquer peculiaridade.

Quando tinha treze anos, lembro-me de ter visto um homem com uma expressão cômica de olhos e bocas, e daquele momento em diante não sosseguei até conseguir imitá-lo com exatidão... Fiquei repetindo por muitos meses, involuntariamente, a careta do velho cavalheiro. Resumindo, virou um tique.

Às 7h25 saímos de carro rumo à cidade. Levamos somente cinco minutos para chegar ao hospital, mas nossa chegada lá foi mais complicada que de costume, porque Bennett tinha se tornado notório da noite para o dia. Fora entrevistado por uma revista algumas semanas antes, e o artigo tinha acabado de sair. Todos sorriam e brincavam com ele por causa disso. Um pouco embaraçado, mas ao mesmo tempo satisfeito, Bennett levou na esportiva ("Não vou superar isso nunca — agora sou um homem marcado"). Na sala dos médicos, ficava claramente à vontade com seus colegas, e vice-versa. Um sinal desse à vontade, paradoxalmente, era o fato de sentir-se livre para ter tiques na frente deles — tocá-los ou dar tapinhas suaves com as pontas dos dedos, ou, em duas ocasiões, enquanto compartilhava um sofá, virar-se de repente de lado e bater no ombro do colega com os dedos do pé — uma prática que eu já havia observado em outros touréticos. Bennett toma cuidado com seus tourettismos num primeiro encontro e os esconde ou minimiza até conhecer melhor a pessoa. Contou-me que, quando começou a trabalhar no hospital, só dava pulos nos corredores depois de se certificar de que ninguém estava olhando; agora, quando pula ou salta, ninguém presta atenção.

As conversas na sala dos médicos eram como de qualquer hospital — médicos conversando entre si sobre casos raros. O próprio Bennett, semi-enroscado no chão, dando chutes e pontapés com uma perna no ar, descrevia um caso raro de neurofibromatose — um rapaz que ele tinha operado recentemente. Seus colegas o escutavam com atenção. A anormalidade de seu comportamento e a completa normalidade de seu discurso criavam um contraste extraordinário. Havia algo de estranho em toda a cena, mas era obviamente algo tão comum que passava despercebido e já não atraía a menor atenção. Mas um estranho que presenciasse a cena teria ficado muito espantado.

Depois do café e dos pãezinhos, tomamos o caminho do departamento de cirurgia ambulatorial, onde meia dúzia de pacientes esperava Bennett. O primeiro era um guia campestre de Banff, bem à moda do Oeste, com camisa xadrez, jeans apertados e um chapéu de caubói. Seu cavalo tinha caído e rolado por cima dele, e ele desenvolvera um imenso pseudoquisto no pâncreas. Bennett conversou com o sujeito — que disse que o inchaço estava diminuindo — e apalpou delicada e lentamente a massa oscilante de seu abdômen. Checou as sonografias com o radiologista — que confirmavam a retração do quisto —, voltou e animou o paciente. "Está sumindo por si mesmo. Está encolhendo naturalmente — você não vai precisar de cirurgia, apesar de tudo. Pode voltar a cavalgar. Vejo-o em um mês." E o guia campestre, encantado, saiu lépido e fagueiro. Mais tarde, fui falar com o radiologista. "Bennett não é apenas um bamba no diagnóstico", ele disse. "É também o cirurgião mais compassivo que conheço."

O paciente seguinte era uma mulher gorda com um melanoma em uma das nádegas, que precisava ser extirpado com certa profundidade. Bennett lavou as mãos, pôs luvas esterilizadas. Algo sobre a esterilização, a interdição, parecia incitar sua síndrome de Tourette; fez movimentos súbitos e bruscos, ou incipientes, com sua mão direita, já esterilizada e enluvada, em direção à parte não esterilizada, "suja", de seu braço esquerdo. A paciente olhava inexpressiva. Fiquei imaginando o que podia ter pensado sobre esses estranhos movimentos bruscos e os repentinos tremeliques convulsivos que ele também tinha com a mão. Talvez não tenha se espantado tanto, uma vez que seu clínico deve tê-la preparado até certo ponto, dizendo: "Você precisa fazer uma pequena operação. Recomendo o doutor Bennett — é um ótimo médico. Preciso preveni-la de que às vezes ele faz movimentos e sons estranhos — tem uma coisa chamada síndrome de Tourette —, mas não se preocupe, não tem importância. Nunca interfere na cirurgia".

Agora, passada a fase preliminar, Bennett concentrou-se no trabalho sério, esfregando um algodão com anti-séptico de iodo na nádega e dando a anestesia local, com mão absolutamente firme. Mas bastava que o ritmo da ação fosse interrompido por um minuto — precisava de mais anestesia, e a enfermeira lhe passava o frasco para encher de novo a seringa — para que voltassem os movimentos espasmódicos e a compulsão de quase tocar as coisas. A enfermeira não estava nem aí; tinha visto aquilo antes e sabia que ele não contaminaria suas luvas. Com mão firme, Bennett fez uma incisão oval a 2,5 centímetros de cada lado do melanoma e em quarenta segundos o tinha removido, com um naco de gordura e pele em forma de castanha-de-caju. "Já tirei!", disse. E então, muito rapidamente e com grande habilidade, costurou a ferida, dando cinco nós cuidadosos em cada ponto. A paciente, torcendo a cabeça, observou-o enquanto dava os pontos e zombou dele: "É você que faz toda a costura em casa?".

Ele riu. "Menos as meias. Mas ninguém mais remenda meias hoje em dia."

Ela olhou de novo. "Você está fazendo uma bela colcha."

Com toda a operação terminada em menos de três minutos, Bennett exclamou: "Pronto! Olhe o que tiramos". Segurou o pedaço de carne diante dela.

"Ugh!", ela disse, encolhendo os ombros. "Não me mostre. Mas obrigada de qualquer jeito."

Tudo isso parecia altamente profissional do começo ao fim e, fora os movimentos compulsivos, não touréttico. Mas fiquei na dúvida sobre Bennett mostrar o tumor extirpado para a paciente ("Olhe!"). Pode-se mostrar um cálculo de vesícula ao paciente, mas será que se mostra um pedaço sangrento e disforme de carne e gordura? Obviamente, ela não queria ver, mas Bennett queria mostrar, e me pergunto se essa insistência não seria parte de sua meticulosidade e exatidão touréttica, de sua necessidade de ter tudo examinado e compreendido. Tive a mesma dúvida mais tarde, pela manhã, quando ele atendia uma senhora de idade em cujo ducto biliar tinha enfiado um tubo em T. Estendeu-se, antes de tirar o tubo, na explicação de toda a anatomia, e a senhora disse: "Eu não quero saber. Faça logo o que tem que fazer!".

Seria este o Bennett touréttico em sua compulsão ou o professor Bennett, mestre em anatomia? (Ele dava aulas semanais de anatomia em Calgary.) Seria isso apenas uma expressão de sua meticulosidade e preocupação? A pressuposição, talvez, de que todos os seus pacientes compartilhavam sua curiosidade e amor pelo detalhe? Alguns talvez, mas obviamente não esses.

E assim foi com uma longa lista de pacientes ambulatoriais. Bennett é evidentemente um cirurgião muito popular, atendendo e operando cada paciente com rapidez e eficiência, com uma concentração absoluta e dedicada, de forma que quando os atende eles sabem que podem contar com toda a sua atenção. Esquecem que tinham esperado, ou que outros continuam esperando, e sentem que, para ele, são as únicas pessoas no mundo.

Eu continuava pensando em como era agradável e real a vida do cirurgião — relações afáveis e diretas, especialmente claras com pacientes ambulatoriais como estes. Um imediatismo da relação, do trabalho, dos resultados, da gratificação — muito maior que na clínica, especialmente em se tratando de um neurologista (como eu). Pensei em minha mãe, em como desfrutou a vida de cirurgiã, e em como eu adorava observar suas consultas cirúrgicas. Não pude me tornar um cirurgião devido a uma incorrigível falta de jeito, mas desde criança amei a vida de cirurgião e observá-los trabalhando. Esse amor, esse prazer, parcialmente esquecido, voltou com uma grande força enquanto eu observava Bennett com seus pacientes; fez-me querer ser mais que um espectador, fazer alguma coisa, segurar um afastador, participar de alguma forma da cirurgia.

O último paciente de Bennett era um jovem mecânico com neurofibromatose extensa, uma doença rara e por vezes cancerosa que pode produzir enormes inchaços e intumescências amarronzadas de camadas da pele, desfigurando todo o corpo.[8] Esse rapaz tivera um enorme avental de pele pendurado em seu peito, tão grande que podia levantá-lo e cobrir a própria cabeça com ele, e tão pesado que o curvava para a frente com o peso. Bennett o removera havia cerca de duas semanas — um trabalho imenso — com grande perícia, e agora examinava um avental enorme pendurado nos ombros, e grandes abas de carne marrom na virilha e nas axilas. Fiquei aliviado por ele não deixar escapar o seu "Horrenda!" ao remover os pontos da cirurgia, porque temia o impacto de tal expressão proferida em voz alta, mesmo não passando de um velho tique verbal. Mas, graças a Deus, não houve nenhum "Horrenda!", nenhum tique verbal, até Bennett examinar a aba de pele dorsal, quando deixou escapar um curto "Hor...", com o fim da palavra omitido por uma diplomática apócope. Mais tarde, compreendi que não se tratava de uma supressão consciente — Bennett não se lembrava do tique —, embora me parecesse ter havido uma solicitude e um tato profissionais, se não conscientes, subconscientes. "Bom rapaz", disse Bennett, ao sairmos. "Desprendido. Uma personalidade simpática, interessada. A maioria das pessoas com uma doença dessas se trancaria no armário." Não pude deixar de sentir que suas palavras podiam ser aplicadas a si mesmo. Muitas pessoas com síndrome de Tourette ficam embaraçadas e angustiadas, retiram-se do mundo e se fecham. Não era o caso de Bennett: lutou contra isso; enfrentou e venceu na vida, enfrentou as pessoas e a mais improvável das profissões. Todos os seus pacientes, eu acho, percebem isso, e é esta uma das razões por que confiam tanto nele.

O homem com a fralda de pele era o último dos pacientes ambulatoriais, mas Bennett, extremamente ocupado, tinha apenas um breve intervalo antes de uma tarde igualmente longa pela frente, com seus pacientes internados na enfermaria. Eu me dispensei dessa parte para tirar a tarde e dar uma volta pela cidade. Vaguei por Branford com uma mistura estranha de sentimentos simultâneos de *déjà-vu* e de total descoberta; tinha o sentimento de já ter visto a cidade antes, mas em seguida ela me parecia mais uma vez uma completa novidade. E aí, de repente, percebi — era verdade, eu a vira antes, estivera ali antes, por uma noite, em 1960, quando atravessava as montanhas Rochosas de carona, rumo ao oeste. Na época, tinha uma população de apenas alguns milhares de habitantes e não passava de umas poucas ruas empoeiradas, motéis e bares — uma encruzilhada, pouco mais que uma parada de caminhões no longo caminho pelo oeste. Agora tinha 20 mil habitantes, Main Street, um bulevar luzidio cheio de lojas e carros, uma prefeitura, uma delegacia de polícia, um hospital regional e várias escolas — era o que me cercava, o presente avassalador, ainda que através dele eu visse a encruzilhada empoeirada e os bares, a Branford de trinta anos atrás, que permanecia curiosamente nítida, por não ter sido atualizada, em minha mente.

Sexta-feira é dia de operação para Bennett, e ele tinha agendado uma mastectomia. Eu estava ansioso para me juntar a ele, vê-lo em ação. Pacientes ambulatoriais são uma coisa — você sempre pode se concentrar por uns poucos minutos —, mas como ele se comportaria numa operação longa e difícil, que exige concentração intensa e ininterrupta, não por segundos ou minutos, mas por horas?

Bennett se preparando para a sala de cirurgia era uma visão alarmante. "Você deve ficar ao lado dele", disse-me seu jovem assistente. "É uma experiência impressionante." De fato era, porque o que vira na clínica com os pacientes ambulatoriais era amplificado aqui: arremessos e toques repentinos e freqüentes com as mãos, chegando perto mas nunca tocando seu ombro não esterilizado, seu assistente, o espelho; súbitos chutes e toques em seus colegas com os pés e uma batelada de vocalizações — "Uuutiuuu! Uuuti-uuu!" — que sugeriam uma enorme coruja.

Terminada a esterilização, Bennett e seu assistente colocaram as luvas e seus trajes cirúrgicos e passaram à paciente, já anestesiada, na mesa de operação. Examinaram rapidamente o mamograma na caixa de radiografias. Então, Bennett pegou o bisturi, fez uma incisão vigorosa e precisa — não havia sinais de tiques ou distrações — e avançou no ritmo da operação. Passaram-se vinte, cinqüenta, setenta, cem minutos. Em vários momentos, a operação era complexa — veias que precisavam ser ligadas, nervos a serem encontrados —, mas a ação era segura, calma, avançando em seu próprio ritmo, sem o menor vestígio da síndrome de Tourette. Por fim, depois de duas horas e meia da cirurgia mais complexa e desgastante, Bennett fechou a incisão, agradeceu a todos, bocejou e espreguiçou-se. Aqui estava, afinal, uma operação completa sem um traço da síndrome de Tourette. Não porque tivesse sido suprimida, ou reprimida — não houve nenhum sinal de controle ou repressão —, mas simplesmente porque não houve um único ímpeto de tiques. "Na maior parte do tempo em que estou operando, nem passa pela minha cabeça que eu tenho síndrome de Tourette", diz Bennett. Nessas horas, sua identidade é integralmente a de um cirurgião em ação, e toda a sua organização psíquica e neuronial se alinha com isso, torna-se ativa, centrada, à vontade, não touréttica. É somente quando a operação é interrompida por uns minutos — para examinar uma radiografia especial feita durante a cirurgia, por exemplo — que Bennett, à espera, desocupado, lembra-se de que *é* touréttico, tornando-se imediatamente um. Basta o fluxo da operação recomeçar para a síndrome de Tourette, a identidade touréttica, sumir mais uma vez. Os assistentes de Bennett, apesar de o conhecerem e terem trabalhado com ele durante anos, ainda ficam atônitos diante dessas cenas. "É como um milagre", disse um deles. "A maneira como a síndrome desaparece." E o próprio Bennett também ficava espantado, e me questionou, enquanto tirava as luvas, sobre a neurofisiologia de tudo isso.

As coisas nem sempre eram tão fáceis, Bennett me contou depois. Ocasionalmente, se era bombardeado por exigências externas durante a cirurgia — "Você está com três pacientes esperando no pronto-socorro", "A senhora X quer saber se pode vir no dia 10", "Sua mulher quer que você pegue três sacos de ração de cachorro" —, essas pressões, distrações quebravam sua concentração e o curso calmo e rítmico. Dois anos atrás, impôs como regra que nunca o perturbassem durante uma operação, precisava concentrar-se totalmente na cirurgia, e desde então o centro cirúrgico ficou livre de seus tiques.

O fato de Bennett operar ressalta todo o enigma da síndrome de Tourette, questões profundas como a natureza do ritmo, da melodia e do "fluxo", e a natureza da interpretação, dos papéis, da representação e da identidade. Uma transição da descoordenação, dos tiques convulsivos para o movimento coerente, calmamente orquestrado, pode ocorrer instantaneamente em touretticos quando expostos a ou requisitados por ações ou músicas rítmicas. Vi isso com o homem que descrevi em "Ray e seus tiques espirituosos", que podia nadar a distância de uma piscina sem tiques, até mesmo com braçadas rítmicas — mas que no instante da virada, quando o ritmo, a melodia cinética, era interrompido, sofria uma súbita comoção de tiques. Muitos touretticos são dados ao atletismo também, em parte (suspeita-se) por sua extraordinária velocidade e precisão,[9] e em parte por causa de sua energia e seu impulso motor desordenado e explosivo, que os impele para alguma descarga motora — mas uma descarga que, felizmente, em vez de explosiva, pode ser coordenada no fluxo, no ritmo de um desempenho ou jogo.

É possível ver situações muito parecidas quando se toca ou acompanha música. Os padrões motores ou discursivos convulsivos ou interrompidos que costumam ocorrer na síndrome de Tourette podem ser instantaneamente normalizados com a recitação ou o canto (há muito é sabido que o mesmo acontece com os gagos). É semelhante aos movimentos convulsivos e interrompidos do mal de Parkinson (por vezes chamado de gagueira cinética), que também podem ser substituídos, com música ou ação, por um fluxo rítmico e melódico.

Essas reações parecem envolver sobretudo os modelos motores do indivíduo, mais que o personagem, a identidade, em qualquer forma superior. Senti que *parte* da transformação, enquanto Bennett operava, ocorria nesse nível "musical" elementar. Nesse nível, a ação de operar tornou-se automática; havia a cada instante uma dúzia de coisas com as quais se preocupar, mas orquestradas, integradas a uma única corrente inconsútil — e que, como quando ele dirigia, tornou-se automática com o tempo, de forma que podia conversar com as enfermeiras, contar piadas, caçoar, pensar, enquanto suas mãos, olhos e cérebro desempenhavam impecavelmente, quase inconscientemente, tarefas que exigiam a maior perícia.

Mas acima desse nível, coexistindo com ele, havia outro, superior e pessoal, que tinha a ver com a identidade, o papel, de um cirurgião. Anatomia e em seguida cirurgia foram os amores constantes de Bennett, guardados no centro do seu ser, e ele é mais ele, mais profundamente ele mesmo, quando imerso em seu trabalho. Toda a sua personalidade e conduta — por vezes nervosas e hesitantes — se transformam quando coloca a roupa cirúrgica e assume a confiança tranqüila, a identidade, de alguém que domina o que faz. O desaparecimento da síndrome de Tourette também parece parte dessa mudança total. Vi exatamente a mesma coisa acontecer também com atores touréttcos; conheço um ator reputado que é violentamente touréttico fora do palco, mas completamente livre de tourettismos, imerso no papel, quando interpreta.

Aqui estamos diante de algo de nível superior à mera repercussão rítmica, quase automática, dos modelos motores; vemos (embora isto deva vir a ser definido em termos psíquicos ou nêuricos) um ato básico de encarnação ou interpretação, pelo qual as habilidades, sensibilidades, a totalidade dos traços nêuricos de outro eu conquistam o cérebro, redefinem a pessoa, todo o seu sistema nervoso, durante toda a duração de seu desempenho.[10] Essas transformações e reorganizações da identidade ocorrem em todos nós quando passamos, no decorrer de um dia, de um papel, ou personalidade, a outro — das relações familiares às profissionais, políticas, eróticas ou qualquer outra. Mas são especialmente dramáticas naqueles que entram e saem de síndromes neurológicas ou psiquiátricas e nos que precisam ter desempenhos profissionais e nos atores.

Essas transformações, as trocas entre traços nêuricos muito complexos, são tipicamente vivenciadas em termos de "lembrança" e "esquecimento" — dessa forma, Bennett esquece que é touréttico enquanto opera ("nem me passa pela cabeça"), mas se lembra disso no mesmo instante em que há uma interrupção. E, ao lembrar, torna-se um, já que nesse nível não há distinção entre a memória, o conhecimento, o impulso e o ato — todos surgem ou somem juntos, como se fossem um só. (Algo semelhante também ocorre com outras condições: vi certa vez um conhecido com mal de Parkinson tomar uma injeção de apomorfina para amenizar sua rigidez e "congelamento" — dois minutos depois, ele descongelou de repente, sorriu e disse: "Esqueci como ser um parkinsoniano".)

A tarde de sexta é livre. Bennett gosta de fazer longas caminhadas nas sextas, sair de bicicleta ou de carro, com a sensação da estrada, do caminho aberto diante de si. Há uma fazenda, sua preferida, aonde adora ir e que tem um belo lago e uma pista de pouso, acessível apenas por uma estrada de terra esburacada. É uma fazenda maravilhosamente localizada, uma faixa de terra estreita e fértil perfeitamente situada entre o lago e as montanhas, e caminhamos por quilômetros, falando de uma coisa e de outra, com Bennett fazendo suas observações botânicas ou geológicas pelo caminho. Passamos, então, pelo lago, onde nadei um pouco; quando saí da água, achei que Bennett tinha, um pouco abruptamente, se enroscado para tirar uma soneca. Parecia calmo, sem tensão, enquanto dormia; e a instantaneidade e profundidade do seu sono me levaram a pensar na dificuldade que devia enfrentar durante o dia, se não chegava por vezes ao limite do estresse. Perguntei-me quanto devia encobrir sob a aparência cordial — o tanto com que tinha de lidar internamente, e controlar.

Depois, enquanto continuávamos nosso passeio pela fazenda, ele notou que eu vira apenas algumas de suas manifestações touréticas, e que essas, por mais estranhas que pudessem parecer, estavam longe de ser os piores problemas que a síndrome lhe causava. Os problemas reais, internos, eram pânico e ira — sentimentos tão violentos que ameaçavam subjugá-lo, e de uma forma tão inesperada que praticamente não podia prever quando eclodiriam. Bastava, às vezes, pegar um tíquete de estacionamento ou ver um carro de polícia para cenas de violência passarem por sua cabeça: cenas de perseguições alucinadas, tiroteios, incêndios, mutilações violentas e mortes que eram detalhadamente elaboradas em segundos e jorravam em sua cabeça numa velocidade convulsiva. Uma parte dele, não implicada, é capaz de observar essas cenas à distância, mas outra o subjuga e impele à ação. Ele consegue não explodir em público, mas o esforço para se controlar é árduo e desgastante. Em casa, na privacidade, pode se liberar — não em relação aos outros, mas a objetos inanimados a sua volta. A parede que eu tinha visto, que ele golpeara com freqüência em sua raiva, e a geladeira, contra a qual já havia jogado praticamente tudo na cozinha. Em seu consultório, abrira um buraco na parede com um chute e teve de colocar uma planta na frente para tapá-lo; em seu escritório, em casa, as paredes de cedro estavam cobertas de facadas. "Não é nada leve", ele me disse. "Você pode ver a síndrome de Tourette como estapafúrdia, cômica — ter a tentação de romantizá-la —, mas ela vem das profundezas do sistema nervoso e do inconsciente. Toca nos sentimentos mais antigos e fortes que temos. É como uma epilepsia na região subcortical; quando ataca, sobra apenas uma linha muito tênue de controle, uma fronteira tênue do córtex, entre você e ela, entre você e aquela tempestade furiosa, a força cega da região subcortical. É possível ver o lado charmoso, engraçado, criativo da síndrome, mas também há o lado sombrio. Você tem que enfrentá-lo pelo resto da vida."

O retorno de carro para casa foi uma experiência estimulante e, por vezes, aterradora. Agora que Bennett começava a me conhecer, sentia-se à vontade para liberar a si mesmo e a sua síndrome. O volante era abandonado por alguns segundos a cada vez — ou assim me pareceu, em meu temor — em que batia com os dedos no pára-brisa (ao ritmo de uma litania de "Uuuti-uuu!" e "Oi, pessoal!" e "Horrenda!"), arrumava os óculos, "centralizava-os" de uma centena de maneiras diferentes e, com os indicadores dobrados, alisava e acertava seu bigode de olho no retrovisor e não na estrada. Sua necessidade de centralizar o volante em relação a seus joelhos também tornou-se quase frenética: tinha que "equilibrá-lo" constantemente, torcendo-o de um lado para o outro, o que levava o carro a ziguezaguear erraticamente pela estrada. "Não se preocupe", disse-me ao ver minha aflição. "Conheço esta estrada. Estava vendo que não vinha nada atrás. Nunca tive um acidente ao volante."[11]

O ímpeto de olhar e de ser olhado é muito impressionante em Bennett, e de fato, assim que chegamos em casa, ele agarrou Mark e o plantou diante de si, alisando seu bigode enfurecidamente e dizendo: "Olhe para mim! Olhe para mim!". Mark, detido, ficou onde estava, mas seus olhos vagavam de um lado para o outro. Bennett agarrou a cabeça de Mark, segurou-a firme diante de si, assobiando: "Olhe, olhe para mim!". E Mark ficou totalmente imóvel, petrificado, como se estivesse hipnotizado.

Achei essa cena perturbadora. Tinha achado outras com a família mais propriamente emocionantes: Bennett dedilhando o cabelo de Helen, simetricamente, com os dedos esticados, fazendo "uuu, uuu" suavemente. Ela estava serena, condescendente; era uma cena tocante, ao mesmo tempo meiga e absurda. "Eu o amo do jeito que ele é", Helen disse. "Não ia querê-lo de outro jeito." Bennett sente o mesmo: "Doença engraçada — não penso nela como uma doença, mas apenas como eu mesmo. Digo 'doença', mas não parece ser a palavra adequada".

É difícil para Bennett e, com freqüência, para os tourétticos ver sua síndrome como algo externo a eles, porque muitos tiques e ímpetos podem ser sentidos como intencionais, parte integrante do eu, da personalidade, da vontade. É completamente diferente, em contraposição, de males como Parkinson, ou dança de são Guido, que não têm uma característica de identidade ou intencionalidade e são sempre vividos como doenças, externas ao eu. Compulsões e tiques ocupam uma posição intermediária, parecendo às vezes a expressão de uma vontade pessoal, e às vezes uma coerção dessa vontade por outra, alheia. Essas ambigüidades são exprimidas com freqüência nos termos que as pessoas empregam. Assim, a separação entre "algo" e o "eu" é por vezes expressa por personificações jocosas da síndrome: um touréttico que conheço chama sua síndrome de "Toby"; outro, de "sr. T.". Em contraposição, uma possessão touréttica do eu foi claramente expressa por um rapaz de Utah, que me escreveu dizendo ter uma "alma tourettizada".

Embora Bennett esteja muito preparado e até ansioso para compreender a síndrome em termos neuroquímicos e neurofisiológicos — pensa em termos de anomalias químicas, de "circuitos sendo ligados e desligados" e de "comportamentos primitivos, e normalmente reprimidos, sendo liberados" —, também a sente como algo que se tornou parte de si mesmo. Por essa razão (entre outras), descobriu que não pode tolerar haloperidol e medicamentos similares — certamente reduzem sua síndrome, mas também *o* reduzem, de forma que não consegue mais sentir-se íntegro. "Os efeitos colaterais do haloperidol são terríveis", ele disse. "Eu ficava extremamente agitado, não conseguia ficar parado, meu corpo se contorcia, arrastava os pés como um parkinsoniano. Foi o maior alívio deixar de tomá-lo. Por outro lado, o Prozac foi uma dádiva contra as obsessões, as iras, embora não atinja os tiques." O Prozac, efetivamente, tem sido uma dádiva para muito touréticos, embora alguns não tenham sentido qualquer resultado e outros poucos tenham sofrido efeitos paradoxais — uma intensificação de suas agitações, obsessões e iras.[12]

Embora Bennett tenha tido tiques desde os sete anos, mais ou menos, só identificou o que tinha como síndrome de Tourette aos 37. "Logo que nos casamos, ele chamava isso somente de um 'hábito nervoso'", Helen me contou. "Costumávamos brincar sobre isso. Eu dizia: 'Paro de fumar e você pára de se contorcer'. Pensávamos nisso como se fosse algo que ele *pudesse* largar se quisesse. Se você lhe perguntasse: 'Por que você faz isso?', ele diria: 'Não sei por quê'. Não parecia embaraçado com aquilo. E aí, em 1977, quando Mark era um bebê, Carl ouviu aquele programa 'Quirks and quarks' no rádio. Ficou todo excitado e berrou: 'Helen, venha ouvir isso! Esse sujeito está falando do que eu faço!'. Ficou excitado ao saber que outras pessoas tinham a mesma coisa. E para mim foi um alívio, porque sempre tivera a impressão de que alguma coisa estava errada. Foi bom dar um nome à coisa. Ele nunca fez um caso daquilo, não levantava o assunto, mas, uma vez que tomamos conhecimento, contávamos às pessoas quando perguntavam. Foi somente nos últimos anos que ele conheceu outras pessoas com a mesma coisa e participou dos encontros da Associação da Síndrome de Tourette." (Até muito recentemente, a síndrome era sumariamente ignorada em diagnósticos, desconhecida até mesmo para profissionais da medicina, e a maioria das pessoas se autodiagnosticava, ou era diagnosticada por amigos e parentes, após terem lido ou visto algo sobre ela na mídia. Na verdade, sei de outro médico, um cirurgião em Louisiana, que foi diagnosticado por um dos seus pacientes que vira um touréttico no programa de Phil Donahue. Ainda hoje, nove entre dez diagnósticos são feitos não por médicos, mas por outros que ouviram falar disso na mídia. Muito dessa ênfase da mídia se deve aos esforços da AST, que tinha apenas trinta membros no início dos anos 70 e conta hoje com mais de 20 mil.)

Sábado de manhã, e eu tenho que voltar para Nova York. "Levo você de avião até Calgary se o tempo estiver bom", disse Bennett de supetão ontem à noite. "Já voou com um touréttico?"

Eu havia feito canoagem com um,[13] respondi, e atravessado o país de carro com outro, mas voar...

"Você vai gostar", disse Bennett. "Vai ser uma nova experiência. Sou o único cirurgião-touréttico voador do mundo."

Ao acordar, com o amanhecer, percebo, com sentimentos contraditórios, que o tempo, embora muito frio, está perfeito. Vamos de carro até o pequeno aeroporto de Branford, uma viagem cheia de desvios e sacudidas bruscas que me deixa nervoso diante da perspectiva do vôo. "É muito mais fácil no ar, onde não há estrada a seguir e você não precisa ficar com as mãos no volante o tempo inteiro", diz Bennett. No aeroporto, ele estaciona, abre um hangar e orgulhosamente apresenta seu avião — um pequenino Cessna Cardinal monomotor vermelho e branco. Puxa-o para fora até a pista e checa o motor repetidas vezes antes de aquecê-lo. Está quase congelando no aeroporto, e bate um vento norte. Observo tudo o que ele inspeciona, com impaciência, mas também um sentimento tranqüilizador. Se sua síndrome o faz checar tudo três ou cinco vezes, tanto maior é a segurança. Tive um sentimento parecido de confiança renovada em relação a sua cirurgia — que sua síndrome pelo menos o tornou mais meticuloso, mais preciso, sem deixar arrefecer em nada sua intuição e liberdade.

Terminada a checagem, Bennett pula como um trapezista para dentro do avião, acelera o motor enquanto eu subo na cabine e decola. Enquanto subimos, o sol está nascendo por trás das Rochosas a leste e invade a pequena cabine com uma luz dourada e pálida. Vamos na direção de picos de 2,7 mil metros, e Bennett tem tiques e tremeliques, tenta alcançar as coisas, dá tapinhas, toca nos óculos, no bigode, no teto da cabine. Tiques menores, tudo bem, penso comigo, mas e se começar a ter grandes tiques? Se resolver girar o avião em pleno vôo, dar saltos com ele, fazer acrobacias, ou um *looping*? E se tiver um ímpeto de pular para fora e tocar a hélice? Os touréticos costumam ser fascinados por objetos giratórios; tenho uma visão dele arremetendo para a frente, com a metade do corpo para fora da janela, compulsivamente investindo contra a hélice à nossa frente. Mas seus tiques e compulsões continuam pequenos, e quando larga os controles o avião prossegue tranqüilamente. Graças a Deus, não há estrada a seguir. Que importa se ganhamos ou perdemos altitude ou damos uma guinada de quinze metros? Temos todo o céu para brincar.

E Bennett, ainda que perfeitamente competente, um aviador nato, *é* como uma criança brincando. Parte da síndrome de Tourette, pelo menos, não passa disso — a liberação de um impulso lúdico normalmente reprimido ou abandonado por nós. A liberdade, a amplidão, obviamente, encantam Bennett; tem uma expressão despreocupada e infantil que eu raramente vira no solo. Agora, ganhando altitude, sobrevoamos os primeiros picos, o posto avançado das Rochosas; com faixas de lariços amarelados aos nossos pés. Sobrevoamos as encostas a trezentos metros ou mais. Pergunto-me se Bennett, caso estivesse sozinho, não passaria sobre os picos em rasantes de três metros — os tourétticos às vezes são viciados em resvalar nas coisas. A 3 mil metros, avançamos por um corredor de picos, montanhas brilhando sob o sol da manhã à nossa esquerda, montanhas recortadas contra o sol à nossa direita. A 3,3 mil metros, podemos ver toda a amplitude das Rochosas — têm apenas noventa quilômetros de largura neste ponto — e a vasta pradaria dourada de Alberta começando em direção ao leste. Vez por outra o braço direito de Bennett passa na minha frente, sua mão bate suavemente no pára-brisa. "Rochas sedimentares, olhe!" Ele aponta pela janela. "Erguidas do fundo do mar entre setenta e oitenta graus." Ele olha para as encostas de rochas íngremes como se olhasse para um amigo; está totalmente em casa com essas montanhas, com essa terra. Há neve nas encostas ensombreadas das montanhas, mas nenhuma nas faces ensolaradas; e mais além, a noroeste, para os lados de Banff, podemos ver as geleiras sobre as montanhas. Bennett troca de posição, uma vez, duas, três, tentando colocar os joelhos exatamente simétricos sob os controles do avião.

Já em Alberta — estamos voando há quarenta minutos —, o rio Highwood serpenteia lá embaixo. Virados para o norte, começamos a suave descida para Calgary, com as últimas encostas mais baixas das Rochosas cobertas de choupos tremulantes. Agora, mais embaixo, vastos campos de trigo e alfafa — fazendas, ranchos, campos cultivados —, mais ainda, por toda a parte, bosques de choupos dourados. Para além do xadrez dos campos, as torres de Calgary surgem abruptamente da planície.

De repente, o rádio começa a chiar — um enorme avião russo está a caminho; a pista principal, fechada para manutenção, tem que ser aberta rapidamente. Outro avião imenso, da força aérea zambiana. Aviões de todo o mundo vêm a Calgary para reparos especiais e manutenção; suas instalações, Bennett me conta, estão entre as melhores da América do Norte. No meio dessa significativa agitação, Bennett passa pelo rádio nossa posição e os dados (Cessna Cardinal de cinco metros de comprimento, com um touréttico e seu neurologista) e recebe uma resposta imediata, tão completa e prestimosa como se fôssemos um 747. Todos os aviões, todos os pilotos, são iguais neste mundo. E este é um mundo à parte, com sua própria maçonaria, sua própria linguagem, códigos, mitos e maneiras. Bennett obviamente faz parte desse mundo, e é reconhecido pelo controlador de tráfego aéreo e cumprimentado efusivamente ao taxiar.

Ele salta para fora com uma repentinidade e celeridade surpreendentes, com jeito de tique — eu o sigo num passo mais vagaroso, "normal" —, e começa a falar com dois rapazes gigantes na pista, Kevin e Chuck, irmãos, ambos da quarta geração de pilotos das Rochosas. Eles o conhecem bem. "Ele é um de nós", Chuck me diz. "Um cara normal. Síndrome de Tourette, que porcaria é essa? Ele é um grande ser humano. Um grande piloto também."

Bennett conversa sobre casos com seus colegas pilotos e faz seu plano de vôo para a viagem de volta a Branford. Tem que voltar direto; está sendo esperado às onze horas para falar a um grupo de enfermeiras, e seu tema, dessa vez, não é cirurgia, mas a síndrome de Tourette. Seu pequeno avião é reabastecido e preparado para o vôo de volta. Abraçamo-nos e nos despedimos, e enquanto avanço para o meu vôo para Nova York viro para trás e o observo partir. Bennett caminha até o avião, taxia para a pista principal e decola, rápido, deixando um rastro de fumaça. Eu o observo por um instante, e então ele desaparece.

VER E NÃO VER

NO INÍCIO DE OUTUBRO DE 1991, recebi o telefonema de um pastor aposentado do Centro-Oeste, falando-me do noivo de sua filha, um homem de cinqüenta anos chamado Virgil, que era praticamente cego desde a mais tenra infância. Tinha densas cataratas e também fora diagnosticado como portador de retinite pigmentosa, uma doença hereditária que devora as retinas vagarosa porém implacavelmente. Sua noiva, Amy, entretanto, cujo diabetes exigia exames regulares dos olhos, levara-o recentemente a seu oftalmologista, o dr. Scott Hamlin, que lhes dera novas esperanças. Após escutar atentamente a história, o dr. Hamlin não teve tanta certeza de que Virgil sofresse de retinite pigmentosa. Era difícil saber, naquele estágio, porque as retinas já não podiam ser observadas sob as espessas cataratas, mas Virgil ainda podia ver luzes e sombras, a direção de onde vinha a luz, e a sombra de mãos movendo-se diante de seus olhos, portanto era óbvio que não havia destruição total da retina. E a operação de catarata é uma cirurgia relativamente simples, feita com anestesia local e riscos cirúrgicos muito pequenos. Não havia nada a perder — e possivelmente muito a ganhar. Amy e Virgil iam se casar em breve — não seria fantástico se ele pudesse ver? Se, após quase uma vida cego, sua primeira visão fosse a de sua noiva, do casamento, do padre, da igreja! O dr. Hamlin havia concordado em operá-lo, e a catarata do olho direito fora removida quinze dias antes, segundo me informou o pai de Amy. Milagrosamente, a operação foi bem-sucedida. Amy, que iniciou um diário no dia seguinte ao da operação — o dia em que os curativos foram removidos —, escreveu na primeira página: "Virgil pode VER! [...] Todo mundo no hospital em lágrimas, primeira vez que Virgil enxerga em quarenta anos. [...] A família dele excitada, chorando, não podem acreditar! [...] O milagre da vista restaurada inacreditável!". Mas no dia seguinte, ela notou alguns problemas: "Tentando se adaptar à visão, é difícil passar da cegueira à visão. Tem que pensar mais depressa, ainda não é capaz de confiar na visão. [...] Como um bebê aprendendo a ver, tudo é novo, excitante, amedrontador, está incerto sobre o que significa ver".

A vida de um neurologista não é sistemática, como a de um cientista, mas lhe fornece situações novas e inesperadas, que podem se transformar em janelas, passagens para a complexidade da natureza — uma complexidade que não se pode prever a partir do curso da vida comum. "Não há lugar onde a natureza exponha mais abertamente seus mistérios secretos", escreveu William Harvey, no século XVII, "do que nos casos em que mostra vestígios de seu funcionamento fora do caminho trilhado." É certo que esse telefonema — sobre a restauração da visão na idade adulta, em um paciente que havia sido cego desde a tenra infância — sugeria tal coisa. "Na verdade", escreve o oftalmologista Alberto Valvo, em *Sight restoration after long-term blindness*, "o número desses casos que chegaram ao nosso conhecimento nos últimos dez séculos não passa de vinte."

Como seria a visão nesse paciente? Seria "normal" a partir do momento em que foi restaurada? É o que se imagina de início. É a noção do senso comum — que os olhos se abrirão, as crostas cairão e (nas palavras do Novo Testamento) o cego "receberá" a visão.[1]

Mas será que foi assim tão simples? Não é necessária a *experiência* para ver? Não é preciso aprender a ver? Não estava bem a par da literatura sobre o assunto, embora tivesse lido com fascínio a história formidável do caso publicado no *Quarterly Journal of Psychology*, em 1963, pelo psicólogo Richard Gregory (com Jean G. Wallace), e sabia que tais casos, hipotéticos ou reais, atraíram a atenção de filósofos e psicólogos por centenas de anos. O filósofo do século XVII William Molyneux, cuja mulher era cega, colocou a seguinte questão a seu amigo John Locke: "Suponhamos que um homem nascido cego, e agora adulto, a quem é ensinado distinguir o cubo da esfera pelo tato, volte a ver: [será que poderia agora] pela visão, antes de tocá-los [...] distinguir e dizer qual é o globo e qual é o cubo?". Locke considerou o problema em seu *Essay concerning human understanding*, de 1690, e decidiu que a resposta era não. Em 1709, examinando mais detalhadamente o problema e toda a relação entre a visão e o tato, em *A new theory of vision*, George Berkeley concluiu que não havia necessariamente conexão entre o mundo tátil e o da visão — que uma conexão entre os dois só poderia ser estabelecida com base na experiência.

Foram necessários vinte anos para que essas considerações fossem testadas — quando, em 1728, William Cheselden, um cirurgião inglês, removeu as cataratas dos olhos de um menino de treze anos, nascido cego. A despeito de sua grande inteligência e juventude, o menino esbarrou em profundas dificuldades com as mais simples percepções visuais. Não tinha a menor idéia de distância. Não tinha a menor idéia de espaço ou tamanho. E se confundia estranhamente com desenhos e pinturas, pela *idéia* de uma representação bidimensional da realidade. Como previra Berkeley, ele conseguia dar sentido ao que via apenas gradualmente e enquanto fosse capaz de conectar as experiências visuais com as táteis. O mesmo ocorreu com muitos outros pacientes nos 250 anos desde a operação de Cheselden: quase todos experimentaram as mais profundas confusões e perturbações lockianas.[2]

E, ainda assim, fui informado de que bastou remover o curativo do olho de Virgil para que ele visse seu médico e sua noiva, e risse. Não há dúvida de que viu *algo* — mas o quê? O que significava "ver" para esse homem antes privado da visão? Em que espécie de mundo ele foi jogado?

Virgil nasceu numa pequena fazenda do Kentucky logo após a deflagração da Segunda Guerra Mundial. Parecia um bebê bastante normal, mas (segundo sua mãe) já tinha uma visão fraca desde pequeno, esbarrando por vezes em coisas, parecendo não vê-las. Aos três anos, ficou muito doente com uma enfermidade tripla — uma meningite ou meningoencefalite (inflamação do cérebro e suas membranas), pólio e febre da arranhadura do gato. Durante essa doença aguda, sofreu convulsões, ficou praticamente cego, com as pernas e a respiração parcialmente paralisadas, e após dez dias entrou em coma. Ficou em coma por duas semanas. Quando saiu, parecia, segundo sua mãe, "uma pessoa diferente"; mostrava uma curiosa indolência, displicência, passividade, não parecia em nada o menino impetuoso e travesso que havia sido.

A força nas pernas voltou no ano seguinte, e seu peito ficou mais robusto, embora nunca completamente normal. Sua visão também se recuperou de forma significativa — mas agora suas retinas estavam seriamente comprometidas. Nunca ficou claro se as lesões da retina haviam sido causadas inteiramente por sua doença aguda ou quem sabe, em parte, por uma degeneração retiniana congênita.

Aos seis anos, as cataratas começaram a se desenvolver nos dois olhos e tornou-se evidente que ele estava ficando cego de novo. No mesmo ano, foi mandado a uma escola para cegos, onde acabou aprendendo a ler em braile e tornou-se versado no uso de uma bengala. Mas não era um aluno destacado; não era audaz e agressivamente independente como alguns cegos. Demonstrou uma impressionante passividade ao longo de todo o tempo que passou na escola — como, na realidade, desde que adoecera.

Ainda assim, Virgil terminou a escola e, quando tinha vinte anos, decidiu deixar o Kentucky e procurar uma especialização, um trabalho e uma vida própria numa cidade em Oklahoma. Tornou-se massagista terapeuta e logo encontrou um emprego na Associação Cristã de Moços. Era obviamente bom no que fazia, e altamente respeitado, e a ACM estava satisfeita em mantê-lo no quadro permanente, dando-lhe uma pequena casa do outro lado da rua, onde vivia com um amigo, também empregado pela ACM. Virgil tinha muitos clientes — é fascinante ouvir os detalhes táteis com que pode descrevê-los — e parecia tirar um verdadeiro prazer e orgulho de seu trabalho. Assim, à sua maneira modesta, Virgil ganhou a vida: tinha um emprego fixo e uma identidade, era auto-suficiente, tinha amigos, lia jornais e livros em braile (embora menos, com os anos, à medida que livros em fita começaram a aparecer). Era apaixonado por esportes, em especial beisebol, e adorava ouvir os jogos no rádio. Tinha um conhecimento enciclopédico sobre jogos, jogadores, resultados e números do beisebol. Em mais de uma ocasião, teve namoradas e atravessou a cidade de ônibus para encontrá-las. Mantinha uma ligação estreita com a família, e em particular com a mãe — recebia regularmente cestos de comida da fazenda e mandava cestos de roupa suja para lavar. A vida era limitada, mas estável a sua maneira.

Foi quando, em 1991, encontrou Amy — ou melhor, reencontraram-se, já que tinham se conhecido bem havia vinte anos ou mais. A formação de Amy era diferente da de Virgil: vinha de uma família culta de classe média, cursara a universidade em New Hampshire e tinha um diploma em botânica. Trabalhara em outra ACM na cidade, como professora de natação, e encontrara Virgil numa exposição de gatos em 1968. Namoraram por um tempo — ela tinha vinte e poucos, ele era alguns anos mais velho —, mas então Amy decidiu fazer pós-graduação em Arkansas, onde conheceu seu primeiro marido, e perdeu o contato com Virgil. Por um tempo, manteve o seu próprio viveiro de plantas, especializando-se em orquídeas, mas foi obrigada a abrir mão do negócio quando passou a sofrer sérios ataques de asma. Divorciou-se do primeiro marido poucos anos depois e voltou para Oklahoma. Em 1988, sem mais nem menos, Virgil lhe telefonou e, após três anos de longas conversas telefônicas entre os dois, finalmente se reencontraram, em 1991. "De repente, era como se vinte anos não tivessem passado", disse Amy.

Ao se reencontrarem, a esta altura de suas vidas, ambos sentiram certo desejo de companhia. Talvez com Amy isso tenha tomado uma forma mais ativa. Via que Virgil estava paralisado (era assim que ela sentia as coisas) numa vida vegetativa e apática: indo para a ACM, fazendo suas massagens; voltando para casa, onde, cada vez mais, ouvia os jogos no rádio; saindo pouco e conhecendo cada vez menos pessoas com o passar dos anos. Ela deve ter sentido que recobrar a visão, assim como o casamento, o arrancaria dessa existência indolente de solteiro, abrindo uma nova vida para ambos.

Virgil era passivo nisso como em muitas outras coisas. Fora mandado a meia dúzia de especialistas ao longo dos anos, e todos foram unânimes em recusar-se a operá-lo, sentindo que muito provavelmente não tinha mais nenhuma função retiniana útil. Virgil parecia aceitar esse fato com serenidade. Mas Amy discordava. Já que era cego, ela dizia, não tinha nada a perder, e havia uma possibilidade real, remota, mas quase demasiado excitante de imaginar, de que ele pudesse realmente recuperar alguma visão e, após quase 45 anos, ver outra vez. E, assim, Amy insistiu na cirurgia. A mãe de Virgil, temendo o transtorno, era categoricamente contra ("Ele está bem do jeito que está", dizia). Por sua vez, Virgil não se posicionava sobre a questão; parecia satisfeito em acatar o que quer que decidissem.

Por fim, em meados de setembro, chegou o dia da cirurgia. Removeram a catarata do olho direito de Virgil e colocaram uma lente; o olho foi tapado com um curativo, como de costume, por 24 horas. No dia seguinte, o curativo foi retirado, e o olho de Virgil foi afinal exposto, descoberto, ao mundo. A hora da verdade tinha chegado finalmente.

Será que tinha? A verdade da coisa (como concluí mais tarde), se menos "milagrosa" do que sugeria o diário de Amy, era infinitamente mais estranha. O momento dramático ficou por vir, demorou-se, cedeu. Nenhuma exclamação ("Estou vendo!") escapou dos lábios de Virgil. Parecia estar fitando o vazio, desorientado, sem foco, com o cirurgião a sua frente, ainda com o curativo na mão. Foi só quando o cirurgião falou — dizendo: "Então?" — que um olhar de reconhecimento atravessou o rosto de Virgil.

Depois ele me disse que, nesse primeiro momento, não fazia a menor idéia do que estava vendo. Havia luz, movimento e cor, tudo misturado, sem sentido, um borrão. E então, do meio da nódoa veio uma voz que dizia: "Então?". Foi nesse instante, e somente nesse instante, ele disse, que finalmente se deu conta de que aquele caos de luz e sombra era um rosto — e, na realidade, o rosto de seu cirurgião.

Sua experiência foi praticamente idêntica à do paciente de Gregory, S. B., que ficou acidentalmente cego na infância e recebeu um transplante de córnea quando já estava com mais de cinqüenta anos:

> Quando os curativos foram removidos [...] ele ouviu uma voz vindo da sua frente e de um dos lados: virou-se na direção da origem do som e viu um "borrão". Compreendeu que aquilo devia ser um rosto. [...] Parecia crer que não saberia que aquilo era um rosto se não tivesse ouvido previamente a voz, sabendo que as vozes vêm de rostos.

Nós que nascemos com a visão mal podemos imaginar tal confusão. Já que, possuindo de nascença a totalidade dos sentidos e fazendo as correlações entre eles, um com o outro, criamos um mundo visível de início, um mundo de objetos, conceitos e sentidos visuais. Quando abrimos nossos olhos todas as manhãs, damos de cara com um mundo que passamos a vida *aprendendo* a ver. O mundo não nos é dado: construímos nosso mundo através de experiência, classificação, memória e reconhecimento incessantes. Mas quando Virgil abriu os olhos, depois de ter sido cego por 45 anos — tendo um pouco mais que a experiência visual de uma criança de colo, há muito esquecida —, não havia memórias visuais em que apoiar a percepção; não havia mundo algum de experiência e sentido esperando-o. Ele viu, mas o que viu não tinha qualquer coerência. Sua retina e nervo óptico estavam ativos, transmitindo impulsos, mas seu cérebro não conseguia lhes dar sentido; estava, como dizem os neurologistas, agnósico.

Todos, incluindo Virgil, esperavam algo mais simples. Um homem abre os olhos, a luz entra e bate na retina: ele vê. Como num piscar de olhos, nós imaginamos. E a própria experiência do cirurgião, como a da maioria dos oftalmologistas, era com a remoção de cataratas de pacientes que quase sempre haviam perdido a visão tarde na vida — e tais pacientes têm, de fato, se a cirurgia é bem-sucedida, uma recuperação praticamente imediata da visão normal, já que não perderam de forma alguma a capacidade de ver. Assim sendo, embora tenha havido uma cuidadosa consideração cirúrgica da operação e de possíveis complicações pós-operatórias, houve pouca discussão ou preparação para as dificuldades neurológicas e psicológicas que Virgil poderia encontrar.

Removida a catarata, ele pôde ver cores e movimentos, ver (mas não identificar) grandes objetos e formas e, espantosamente, *ler* algumas letras na terceira linha da tabela-padrão de Snellen para exame de vista — a linha correspondente a uma acuidade visual de 20/100 ou um pouco mais. Mas ainda que sua melhor visão fosse de cerca de 20/80, faltava-lhe um campo visual coerente, porque sua visão central era fraca, sendo quase impossível para o olho fixar-se em pontos específicos; seguia perdendo-os, fazendo movimentos de busca ao acaso, encontrando-os, e então perdendo-os de novo. Era evidente que a parte central ou macular da retina, especializada em alta precisão e fixação, mal funcionava, e era apenas a área paramacular a sua volta que tornava possível uma visão tal como a dele. A própria retina tinha uma aparência malhada, como se tivesse sido comida por traças, com áreas de maior ou menor pigmentação — ilhotas intatas ou relativamente intatas em alternância com áreas atrofiadas. A mácula era degenerada e pálida, e os veios sangüíneos de toda a retina mostravam-se estreitados.

Os exames, pelo que me disseram, sugeriram traços ou resíduos de uma antiga doença, mas nenhum processo de enfermidade atual ou ativa; e, sendo assim, a visão de Virgil, do jeito que estava, podia permanecer estável para o resto de sua vida. Era de se esperar, além do mais (já que o pior olho fora operado primeiro), que seu olho esquerdo, que devia ser operado no período de algumas semanas, tivesse uma retina em estado consideravelmente melhor que a do direito.

Não pude ir a Oklahoma logo — minha vontade era pegar o primeiro avião depois daquele primeiro telefonema —, mas me mantive informado sobre o progresso de Virgil nas semanas seguintes, em conversas com Amy, com a mãe de Virgil e, é claro, com o próprio. Também conversei longamente com o dr. Hamlin e com Richard Gregory, na Inglaterra, para saber que tipo de testes eu devia levar, já que pessoalmente nunca tinha visto um caso parecido, nem conhecia ninguém (à exceção de Gregory) que o tivesse. Juntei algum material — objetos sólidos, figuras, desenhos, ilusões visuais, vídeos e testes de percepção especiais, concebidos por um colega fisiologista, Ralph Siegel; liguei para um amigo oftalmologista, Robert Wasserman (havíamos trabalhando juntos anteriormente no caso do pintor daltônico), e começamos a planejar a visita. Sentíamos que era importante não apenas testar Virgil, mas ver como se comportava na vida em geral, dentro e fora de casa, do lado de fora, em ambientes naturais e situações sociais; era crucial também que o víssemos como uma pessoa, trazendo sua própria história de vida — suas inclinações, necessidades e expectativas particulares — para essa passagem crítica; que conhecêssemos sua noiva, que tanto insistiu na operação, e com quem sua vida estava agora tão intimamente associada; que dirigíssemos nossos olhares não apenas para seus olhos e capacidades de percepção, mas para a totalidade do teor e padrão de sua vida.

Virgil e Amy — agora recém-casados — nos receberam à saída do desembarque no aeroporto. Virgil era de estatura mediana, mas muito gordo; movia-se lentamente e tinha a tendência de tossir e ofegar ao menor esforço. Não era, estava claro, um homem completamente saudável. Seus olhos erravam de um lado para o outro, à procura de movimentos, e quando Amy nos apresentou — Bob e eu — a ele pareceu não nos ver de imediato — olhou na nossa direção, mas não exatamente para nós. Tive a impressão, momentânea porém forte, de que na realidade não olhava para nossos rostos, embora tenha sorrido, rido e escutado com atenção.

Lembrei-me do que Gregory observara em seu paciente S.

B. — que "ele não olhava para o rosto de um interlocutor, e não se dava conta de expressões faciais". O comportamento de Virgil não era por certo o de um homem de visão, mas também não era o de um cego. Era, antes, o comportamento de alguém *mentalmente* cego, ou agnósico — capaz de ver, mas não de decifrar o que estava vendo. Ele me lembrou um de meus pacientes agnósicos, o dr. P. (o homem que confundiu sua mulher com um chapéu), que, ao me receber, em vez de olhar para mim de uma maneira normal, tinha de repente estranhas fixações — pelo meu nariz, minha orelha direita, descendo até meu queixo, e de volta ao meu olho direito — sem conseguir ver, "apreender" meu rosto como um todo.

Caminhamos pelo aeroporto apinhado, Amy segurando o braço de Virgil, guiando-o até o estacionamento onde tinham deixado o carro. Virgil adorava carros, e um de seus primeiros prazeres após a cirurgia (assim como com S. B.) tinha sido observá-los da janela de sua casa, apreciar seus movimentos e identificar suas cores e formas — as cores, sobretudo. Por vezes, ficava desorientado com as formas. "Que carros você está vendo?", perguntei enquanto atravessávamos o estacionamento. Ele apontava para todos os carros por que passávamos. "Aquele é azul, aquele é vermelho — uau! Aquele é dos grandes!" Ele achava algumas formas surpreendentes. "Olhe aquele lá", exclamou uma vez. "Tenho que olhar de perto!" E, curvando-se, ele o tocou — era um Jaguar V-12, sinuoso e aerodinâmico — e confirmou suas formas discretas. Mas eram apenas as cores e as formas gerais que ele percebia; teria passado direto por seu próprio carro se Amy não estivesse com ele. E Bob e eu ficamos impressionados pelo fato de Virgil só olhar, só prestar atenção visualmente, quando chamado ou quando lhe apontavam algo — não espontaneamente. Sua visão podia ter sido restaurada em grande parte, mas era óbvio que o uso dos olhos, o olhar, estava longe de ser natural para ele; continuava com muitos dos hábitos e comportamentos de um cego.[3]

O percurso do aeroporto à casa deles foi longo, através do coração da cidade, e nos deu a chance de conversar com Virgil e Amy e observar as reações dele a sua nova visão. Manifestamente, gostava do movimento, olhava o espetáculo em permanente mutação pelas janelas do carro, e o movimento dos outros veículos na estrada. Detectou um motorista vindo a toda atrás de nós e identificou carros, ônibus (gostava particularmente dos escolares, amarelo-vivos), caminhões de dezoito rodas e, uma vez, numa estrada secundária, um vagaroso e barulhento trator. Parecia muito sensível — e intrigado — aos grandes sinais e anúncios de néon, e gostava de identificar as letras quando passávamos. Tinha dificuldade de ler palavras inteiras, embora com freqüência as deduzisse corretamente a partir de uma ou duas letras ou do estilo do anúncio. Havia outros que ele podia enxergar, mas não ler. Foi capaz de ver e discernir as cores cambiantes das luzes dos sinais de trânsito ao entrarmos na cidade.

Ele e Amy nos contaram sobre outras coisas que ele vira desde a operação e sobre algumas confusões inesperadas que podiam ocorrer. Vira a Lua; era maior do que esperava.[4] Em certa ocasião, ficou confuso ao ver "um avião gordo" no céu — "petrificado, sem se mexer". Era um dirigível. Eventualmente, tinha visto pássaros; eles o faziam pular, às vezes, se chegavam muito perto. (É claro que não vinham tão perto, Amy explicou. Virgil simplesmente não tinha o menor senso de distância.)

Recentemente, passaram boa parte do tempo fazendo compras — havia os preparativos do casamento, e Amy queria exibir Virgil aos outros, contar sua história a vendedores e lojistas que os conheciam, deixá-los ver a transformação de Virgil com os próprios olhos.[5] Foi divertido; a televisão local levou ao ar uma reportagem sobre a operação de Virgil, as pessoas o reconheciam e vinham cumprimentá-lo. Mas supermercados e outras lojas também eram densos espetáculos visuais de objetos de todo tipo, com freqüência em embalagens vistosas, e serviam como um bom "exercício" para a nova vista de Virgil. Entre os primeiros objetos que reconheceu, apenas um dia após tirarem o curativo, estavam rolos de papel higiênico em prateleiras. Apanhara um pacote e o entregara a Amy para provar que podia ver. Três dias após a cirurgia, foram a um hipermercado e Virgil enxergou prateleiras, frutas, enlatados, pessoas, corredores, carrinhos — tantas coisas que ficou amedrontado. "Tudo corria junto", disse. Teve de sair da loja e fechar os olhos por um momento.

Apreciava paisagens ordenadas, dizia, de montes verdes e grama — sobretudo depois dos espetáculos visuais sobrecarregados e excessivos das lojas —, embora lhe fosse difícil, segundo Amy, conectar as formas visuais dos montes com os montes reais em que caminhava, e não tivesse senso algum de tamanho ou perspectiva.[6] Mas o primeiro mês com a visão fora predominantemente positivo: "Cada dia parece uma grande aventura, enxergando mais pela primeira vez a cada dia", Amy escrevera, sintetizando, em seu diário.

Quando chegamos em casa, Virgil caminhou por conta própria, sem bengala, até a porta da frente, tirou a chave do bolso, segurou a maçaneta, destrancou e abriu a porta. Era impressionante — não poderia ter feito isso de primeira, ele disse, era algo que vinha praticando desde o dia seguinte à cirurgia. Era o seu show. Mas ele dizia que, em geral, caminhar era "assustador" e "confuso" sem o tato, sem sua bengala, com suas noções incertas e instáveis sobre o espaço e a distância. Por vezes, superfícies e objetos pareciam avultar-se, estar em cima dele, quando na realidade continuavam a uma grande distância; por outras, confundia-se com a própria sombra (todo o conceito de sombras, de objetos bloqueando a luz, era enigmático para ele) e parava, ou dava um passo em falso, ou tentava passar por cima dela. Degraus, em particular, apresentavam um risco especial, porque tudo o que podia ver era uma confusão, uma superfície plana, de linhas paralelas ou entrecruzadas; não conseguia vê-los (embora os conhecesse) como objetos sólidos indo para cima ou para baixo num espaço tridimensional. Agora, cinco semanas depois da cirurgia, sentia-se com freqüência mais incapaz do que se sentira quando era cego, e perdera a confiança, a facilidade de movimento que possuíra então. Mas tinha a esperança de que tudo isso entrasse nos eixos com o tempo.

Eu não tinha tanta certeza; todos os pacientes descritos na literatura médica enfrentaram, após a cirurgia, grandes dificuldades na apreensão do espaço e da distância — por meses, até mesmo anos. Tinha sido o caso mesmo com o paciente extremamente inteligente de Valvo, H. S., que havia enxergado normalmente até os quinze anos, quando seus olhos foram danificados por uma explosão química. Ficou totalmente cego até receber um transplante de córnea 22 anos mais tarde. Mas, a partir daí, enfrentou sérias dificuldades de toda espécie, que ele registrou, minuciosamente, em fita:

> Durante as primeiras semanas [após a cirurgia], eu não tinha nenhum senso de profundidade ou distância; as luzes da rua eram manchas luminosas grudadas aos vidros das janelas, e os corredores do hospital eram buracos negros. Ao atravessar a rua, o tráfego me aterrorizava, mesmo quando estava acompanhado. Sinto-me muito inseguro ao andar; na realidade, tenho mais medo agora do que antes da operação.

Ficamos na cozinha, nos fundos da casa, onde havia uma grande mesa de pinho branco. Bob e eu despejamos todos os nossos objetos de testes — tabelas coloridas, tabelas de letras, desenhos, ilusões visuais — sobre a mesa e preparamos a câmera de vídeo para registrar o exame. Assim que nos instalamos, o gato e o cachorro de Virgil apareceram para nos receber e examinar — e Virgil, nós notamos, teve alguma dificuldade em estabelecer qual era qual. Esse problema cômico e embaraçoso persistia desde que voltara para casa após a cirurgia: ambos os animais eram, por coincidência, preto-e-brancos, e ele continuava a confundi-los — para a tristeza dos dois — até poder tocá-los. Por vezes, disse Amy, ela o via examinando o gato cuidadosamente, olhando para sua cabeça, suas orelhas, patas, seu rabo, e tocando ao mesmo tempo cada parte. Observei a mesma coisa no dia seguinte — Virgil tocando e olhando para Tibbles com extraordinária concentração, correlacionando o gato com o gato. Ficava fazendo a mesma coisa, segundo Amy ("Você poderia achar que uma vez seria suficiente"), mas as novas idéias, os reconhecimentos visuais, continuavam escapando à sua mente.

Cheselden descreveu uma cena espantosamente semelhante com seu jovem paciente na década de 1720:

> Um detalhe apenas, embora possa parecer frívolo, devo relatar: tendo com freqüência esquecido qual era a gata, e qual o cão, envergonhava-se de perguntar; mas ao pegar a gata, que conhecia pelo tato, foi observado olhando fixamente para ela e, em seguida, colocando-a de volta ao chão, dizer: Então, bichano, hei de reconhecer-te em outra ocasião. [...] Ao ser informado sobre o que eram as coisas [...] ele comentava com cautela que poderia vir a conhecê-las de novo; e (como disse) tomar conhecimento, e mais uma vez esquecer, milhares de coisas num dia.

Os primeiros reconhecimentos formais de Virgil após a remoção do curativo foram de letras na tabela de acuidade visual, e decidimos testá-lo, primeiro, com a identificação de letras. Não conseguia enxergar claramente o texto comum de jornal — sua acuidade continuava apenas em cerca de 20/80 —, mas percebeu prontamente letras com mais de 0,85 centímetros de altura. Aqui, saiu-se relativamente bem, em grande parte, reconhecendo todas as letras de uso mais corrente (as maiúsculas, pelo menos) com facilidade — assim como havia sido capaz de fazer desde que o curativo fora removido. Como era possível que tivesse tanta dificuldade em reconhecer rostos, ou o gato, tanta dificuldade com as formas em geral, com o tamanho e a distância, e contudo tão pouca, relativamente, para reconhecer as letras? Quando lhe perguntei sobre isso, disse-me que aprendera o alfabeto pelo tato na escola, onde usavam letras em três dimensões, ou recortadas, para ensinar aos cegos. Fiquei impressionado e me lembrei de S. B., o paciente de Gregory: "Para nossa grande surpresa, ele era capaz até de dizer a hora a partir de um grande relógio na parede. Ficamos tão impressionados com isso que, de início, não acreditamos que pudesse ter sido cego antes da operação". Mas em seus dias de cegueira S. B. usara um grande relógio de caçador, sem o vidro, dizendo a hora pelo tato, e aparentemente fizera uma transferência, para usar o termo de Gregory, "modal cruzada" instantânea do tato para a visão. Virgil, ao que parecia, também devia estar fazendo apenas uma transferência desse tipo.

Mas se por um lado Virgil era capaz de reconhecer com facilidade letras separadas, por outro não conseguia amarrá-las — não podia ler ou mesmo ver as palavras. Achei isso enigmático, já que ele dissera que usavam não apenas braile, mas inglês com letras tridimensionais ou em alto-relevo na escola — e que aprendera a ler com total fluência. De fato, ainda era capaz de ler com facilidade as inscrições em monumentos de guerra ou lápides pelo tato. Mas seus olhos pareciam se fixar em letras específicas e ser incapazes de um movimento livre, de uma passada de olhos, necessária para a leitura. O mesmo ocorreu com o alfabetizado H. S.:

> Minhas primeiras tentativas de ler foram penosas. Podia pinçar letras separadas, mas me era impossível ler palavras inteiras; consegui fazê-lo apenas depois de semanas de esforços exaustivos. Na verdade, era-me impossível lembrar todas as letras juntas, após tê-las lido uma a uma. Também não me era possível, durante as primeiras semanas, contar meus próprios cinco dedos: tinha a sensação de que estavam todos lá, mas... não era possível para mim passar de um ao outro enquanto contava.

Outros problemas se manifestaram ao longo do dia. Virgil pinçava detalhes incessantemente — um ângulo, uma quina, uma cor, um movimento —, mas não era capaz de sintetizá-los, de formar uma percepção complexa com uma passada de olhos. Esta era uma das razões por que o gato, visualmente, era tão enigmático: via a pata, o focinho, o rabo, uma orelha, mas não conseguia ver tudo junto, o gato como um todo.

Amy anotou em seu diário como mesmo as conexões mais "óbvias" — visual e logicamente — precisavam ser aprendidas. Assim, ela nos contou, poucos dias após a operação, "ele disse que as árvores não se pareciam com nada na Terra", mas em 21 de outubro, um mês depois da cirurgia, ela escreveu: "Virgil finalmente deu unidade a uma árvore — agora sabe que o tronco e as folhas se juntam para formar uma coisa só". E em outra ocasião: "Estranhamento de arranha-céus, não consegue entender como ficam de pé sem cair".

Muitos dos pacientes — ou talvez todos — na situação de Virgil tiveram dificuldades semelhantes. Uma dessas pacientes (descrita por Eduard Raehlmann em 1891), embora tivesse tido uma pequena visão anteriormente à operação e segurado cachorros com freqüência, "não fazia a menor idéia de como a cabeça, as patas e as orelhas eram conectadas ao animal". Valvo cita seu paciente T. G.:

> Antes da operação, eu fazia uma idéia completamente diferente do espaço e sabia que um objeto só podia ocupar um único ponto tátil. Sabia [...] também que, se houvesse um obstáculo ou degrau ao fim de uma varanda, esse obstáculo surgia após certo período de tempo, ao qual eu estava acostumado. Depois da operação, por vários meses, não podia mais coordenar as sensações visuais com a velocidade do meu passo. [...] Tinha que coordenar a visão e o tempo necessários para cobrir a distância. Achava isso muito difícil. Se o passo fosse muito lento ou muito rápido, eu tropeçava.

Valvo observa: "A dificuldade real aqui é que a percepção simultânea de objetos não é algo habitual para aqueles acostumados a uma percepção seqüencial através do tato". Nós, com a totalidade dos sentidos, vivemos no espaço e no tempo; os cegos vivem num mundo só de tempo. Porque os cegos constroem seus mundos a partir de seqüências de impressões (táteis, auditivas, olfativas) e não sendo capazes, como as pessoas com visão, de uma percepção visual simultânea, de conceber uma cena visual instantânea. Efetivamente, se alguém não consegue mais ver no espaço, a *idéia* de espaço torna-se incompreensível — mesmo para pessoas muito inteligentes que ficaram cegas relativamente tarde na vida —, essa é a tese central da formidável monografia de Von Senden, que é vigorosamente transmitida por John Hull em sua notável autobiografia, *Touching the rock*, quando fala de si, do cego, como "vivendo (quase que exclusivamente) no tempo". Com o cego, ele escreve:

> este sentido de estar num lugar é menos pronunciado. [...] O espaço é reduzido ao seu próprio corpo, e a posição deste é conhecida não pelos objetos que passaram por ele, mas pelo tempo que esteve em movimento. [...] Para o cego, as pessoas não estão lá se não falam. [...] As pessoas estão em movimento, são temporais, vêm e vão. Aparecem do nada; desaparecem.

Embora Virgil pudesse reconhecer letras e números, e também pudesse escrevê-los, confundia as letras mais parecidas ("A" e "H", por exemplo) e, certa vez, escreveu algumas ao contrário. (Hull descreve como, após apenas cinco anos de cegueira, aos quarenta anos, suas próprias memórias visuais se tornaram de tal forma incertas que ele já não sabia para que lado estava virado um "3" e tinha que traçá-lo no ar com os dedos. Dessa forma, o numeral era guardado como um conceito tátil-motor, mas não mais visual.) Ainda assim, o desempenho de Virgil impressionava para um homem que não tinha enxergado por 45 anos. Mas o mundo não consiste apenas em letras e números. Como se sairia com objetos e imagens? Como se sairia com o mundo real?

Suas primeiras impressões ao retirarem o curativo foram especialmente de cores, e parecia ser a cor, sem analogias no mundo do tato, o que mais o excitava e encantava — isso ficou muito claro pela maneira como falava e pelo diário de Amy. (O reconhecimento das cores e do movimento parece ser inato.) Era às cores que Virgil aludia continuamente, o inesperado cromático de novas visões. Comera salada grega e espaguete na noite anterior, contou-nos, e o espaguete o surpreendeu: "Linhas brancas e esféricas, como linha de pescar", disse. "Pensava que seriam marrons."

Ver a luz, a forma e os movimentos, ver as cores sobretudo, havia sido algo completamente inesperado e teve um impacto físico e emocional quase que chocante, explosivo. ("Senti a violência dessas sensações", escreveu H. S., o paciente de Valvo, "como uma explosão na cabeça. A violência da emoção [...] era análoga à emoção muito forte que tive ao ver minha mulher pela primeira vez e quando, saindo de carro, vi os grandes monumentos de Roma.")

Percebemos que Virgil distinguia facilmente uma grande quantidade de cores e as combinava sem dificuldade. Mas, confuso e de uma maneira atabalhoada, por vezes dava nomes errados às cores: chamou, por exemplo, amarelo de rosa, mas sabendo que se tratava da mesma cor da banana. No começo ficamos na dúvida se ele tinha uma agnosia ou anomia de cor — falhas na associação ou definição das cores são conseqüência de lesões em áreas específicas do cérebro. Mas as dificuldades dele, ao que nos parecia, vinham simplesmente da falta de aprendizado (ou do esquecimento) — do fato de que a cegueira prematura e prolongada o impedira por vezes de associar as cores aos seus nomes ou o levara a esquecer algumas dessas associações que havia feito. Essas associações e as conexões neurais que as sustentam, inicialmente fracas, ficaram soltas em seu cérebro, não por alguma lesão ou doença, mas simplesmente por falta de uso.

Embora Virgil acreditasse ter memórias visuais, incluindo memórias de cor, do passado remoto — em nosso percurso do aeroporto falou de ter crescido na fazenda em Kentucky ("Vejo o riacho correndo entre as plantações", "pássaros nas cercas", "a velha casa grande branca") —, eu não conseguia saber se estas memórias eram genuínas, imagens visuais em sua mente, ou meras descrições sem imagens (como as de Helen Keller).

Como se saía com as formas? Aqui as coisas ficavam mais complicadas, porque tinha se exercitado nas semanas após a cirurgia, correlacionando a aparência e o tato. Nenhum desses exercícios foi necessário com as cores. Primeiro, foi incapaz de reconhecer qualquer forma visualmente — mesmo as mais simples, como o quadrado ou o círculo, que identificava imediatamente pelo toque. Para ele, um quadrado tocado não correspondia em nada a um quadrado visto. Esta era a sua resposta à questão de Molyneux. Por essa razão, Amy havia comprado, entre outras coisas, um quadro de madeira para crianças, com grandes blocos simples — quadrado, triângulo, círculo e retângulo — a serem encaixados nos buracos correspondentes, e fez Virgil se exercitar com o brinquedo diariamente. A princípio, ele achou a incumbência impossível, mas, após um mês de prática, tornou-se absolutamente fácil. Ele continuava com a tendência de tocar os buracos e as formas antes de encaixá-las, mas quando o impedimos de fazê-lo ele conseguiu arrumá-las espontaneamente apenas pela visão.

Evidentemente, objetos sólidos apresentavam uma dificuldade bem maior, porque sua aparência era muito variável; e grande parte das últimas cinco semanas fora dedicada à exploração destes, de suas inesperadas vicissitudes de aparência quando vistos de perto ou de longe, ou semi-encobertos, ou de diferentes pontos e ângulos.

No dia em que Virgil voltou para casa, após a retirada dos curativos, a casa e o que havia em seu interior eram ininteligíveis para ele, e teve de ser guiado pelo caminho no jardim, pela casa, em cada quarto, e apresentado a cada cadeira. Em uma semana, com a ajuda de Amy, estabeleceu um fio condutor — uma linha de referências seguindo o caminho no jardim, através da sala de estar até a cozinha, com outras, sempre que necessário, até o banheiro e o quarto. No começo, era somente a partir dessas referências que conseguia reconhecer o que quer que fosse — embora isso tenha exigido uma boa dose de interpretação e inferência; assim, aprendeu por exemplo que "uma brancura à direita", vista quando vinha em diagonal da porta da frente, era na realidade a mesa de jantar na outra sala, embora a esta altura nem "mesa" nem "sala de jantar" fossem conceitos visuais claros. Se se desviasse desse fio, ficava completamente desorientado. Então, cuidadosamente, com a ajuda de Amy, começou a usá-lo como base para a casa, fazendo pequenos desvios e excursões para ambos os lados, de forma que pudesse ver os cômodos, perceber suas paredes e móveis de diferentes ângulos, e construir um sentido de espaço, de solidez e de perspectiva.

Conforme Virgil explorava os cômodos da casa, investigando, por assim dizer, a construção visual do mundo, veio-me a imagem de um bebê movendo a mão de um lado para o outro diante de seus olhos, balançando a cabeça, virando-a de um lado para o outro, em sua construção primal do mundo. A maioria de nós não faz a menor idéia da enormidade dessa construção, já que a desempenhamos inconsútil e inconscientemente, milhares de vezes todos os dias, num piscar de olhos. Mas não é assim com um bebê, como não era assim com Virgil, e também não o é, digamos, com um artista que deseja experimentar suas percepções elementares renovadas, como pela primeira vez. Cézanne escreveu certa vez: "A mesma coisa vista de um ângulo diferente fornece um tema de estudo do mais alto interesse e tão variado que creio poder passar meses ocupado sem mudar de posição, simplesmente curvando-me mais à direita ou à esquerda".

Atingimos a constância perceptiva — a correlação de todas as diferentes aparências, as modificações dos objetos — muito cedo, nos primeiros meses de vida. Trata-se de uma enorme tarefa de aprendizado, mas que é alcançada tão suavemente, tão inconscientemente, que sua imensa complexidade mal é percebida (embora seja uma conquista a que nem mesmo os maiores supercomputadores conseguem começar a fazer face). Mas para Virgil, com meio século esquecendo todos os engramas visuais que construíra, o aprendizado, ou reaprendizado, dessas modificações demandava horas de uma exploração consciente e sistemática a cada dia. Este primeiro mês, então, foi cena de uma exploração sistemática, pela vista e pelo tato, de todas as pequenas coisas da casa: frutas, legumes, garrafas, latas, faqueiros, flores, os enfeites sobre o consolo da lareira — mexendo e remexendo nelas, observando-as bem perto de si e depois de longe, com o braço esticado, tentando sintetizar suas várias aparências num sentido de objeto único.[7]

Apesar de todas as amolações que podem decorrer dos esforços para ver, Virgil se empenhou nisso com espírito esportivo, e aprendeu com perseverança. Agora, tinha poucas dificuldades em reconhecer as frutas, as garrafas, as latas na cozinha, as diferentes flores na sala, e outros objetos comuns na casa.

Objetos a que não estivesse habituado eram muito mais difíceis. Quando tirei um aparelho de medir a pressão de minha maleta médica, ele ficou completamente sem ação, sem a mínima idéia do que se tratava, mas o reconheceu imediatamente quando lhe permiti tocá-lo. Objetos em movimento apresentavam um problema especial, já que mudavam de aparência constantemente. Mesmo o seu cachorro, ele me disse, parecia tão diferente a cada momento que ele se perguntava se era de fato o mesmo cachorro.[8] Ficava absolutamente perdido diante de movimentos rápidos nas fisionomias dos outros. Tais dificuldades são quase universais entre cegos de infância que voltam a enxergar. O paciente de Gregory, S. B., continuava sem conseguir reconhecer os rostos das pessoas, ou suas expressões, um ano depois de seus olhos terem sido operados, a despeito de ter uma visão elementar perfeitamente normal.

E quanto às figuras? Recebi, nessa área, relatos contraditórios sobre Virgil. Diziam que adorava ver televisão, acompanhar tudo o que ia ao ar — e, com efeito, um enorme televisor ficava na sala, um emblema da nova vida de Virgil como uma pessoa que vê. Mas quando o submetemos a figuras imóveis, fotografias em revistas, não teve o menor sucesso. Não conseguia ver as pessoas, nem os objetos — não compreendia a idéia de representação. S. B., o paciente de Gregory, tinha problemas semelhantes. Diante de uma foto de Cambridge Backs, mostrando o rio e a King's Bridge, Gregory nos relata:

> Não entendeu nada. Não percebeu que a cena era de um rio, e não reconheceu água ou ponte. [...] Até onde entendemos, S. B. não fazia a menor idéia de que objetos estavam na frente ou atrás de outros em nenhuma das fotos coloridas. [...] Ficamos com a impressão de que via pouco além de fragmentos de cor.

O mesmo ocorreu, mais uma vez, com o jovem paciente de Cheselden:

Pensávamos que ele logo saberia o que representavam as figuras [...] mas percebemos em seguida que tínhamos nos enganado; pois, cerca de dois meses após suas cataratas terem sido removidas, descobriu de repente que representavam corpos sólidos, o que até então tinha percebido apenas como planos de cores variadas, ou superfícies diversificadas com uma variedade de tintas; mas mesmo então ficou não menos surpreso, achando que as imagens teriam a mesma textura da coisa que representavam, [...] e perguntou qual era o sentido enganoso, o tato ou a visão?

As coisas também não melhoravam com as imagens em movimento na tela de TV. Conhecendo a paixão de Virgil por escutar jogos de beisebol, achamos um canal com uma partida em andamento. A princípio, parecia que a estava acompanhando visualmente, porque podia dizer quem estava rebatendo a bola, o que estava acontecendo. Mas bastou desligarmos o som para que ficasse perdido. Ficou claro que ele próprio percebia pouco além de faixas de luz, cores e movimentos, e que todo o resto (o que *parecia* ver) era interpretação, desempenhada rápida e talvez inconscientemente, em consonância com o som. Não tínhamos a menor certeza de como seria com um jogo ao vivo — parecia-nos possível que pudesse assistir e desfrutar de boa parte dele; era na representação bidimensional, pictórica ou televisiva, da realidade que ele continuava completamente à deriva.

Virgil já havia passado por duas horas de testes e começava a ficar cansado — tanto visual como cognitivamente, como costumava ocorrer desde a operação —, e, uma vez cansado, via cada vez menos, e tinha cada vez mais dificuldade de entender o que via.[9]

De fato, nós mesmos estávamos ficando impacientes e queríamos sair após toda uma manhã de testes. Nós lhe perguntamos, como última tarefa antes de darmos uma volta de carro, se estava disposto a fazer alguns desenhos. Sugerimos de início que desenhasse um martelo (foi o primeiro objeto que S. B. desenhou). Virgil concordou e começou a desenhar, trêmulo. Guiava o movimento do lápis com a outra mão, que estava livre ("Só faz isso porque agora está cansado", disse Amy). Depois, desenhou um carro (muito alto e antigo); um avião (sem a cauda: teria sido complicado fazê-lo voar); e uma casa (plana e grosseira, como o desenho de uma criança de três anos de idade).

Quando finalmente saímos, era uma luminosa manhã de outubro e Virgil ficou ofuscado por um minuto, até colocar um par de óculos verde-escuros. Mesmo a luz comum do dia, ele disse, parecia-lhe demasiado clara, resplandecente; sentia que via melhor sob uma luz totalmente baixa. Perguntamos a ele aonde gostaria de ir, e depois de refletir um pouco ele disse: "Ao zoológico". Nunca tinha ido a um zoológico, disse ele, e estava curioso para saber a cara de vários animais. Amava animais desde sua infância na fazenda.

O mais impressionante, assim que chegamos ao zoológico, era a sensibilidade de Virgil para o movimento. Ficou sobressaltado de início por um curioso movimento empertigado, que o fez sorrir — nunca vira nada parecido. "Que é isto?", perguntou.

"Um emu."

Ele não estava muito seguro sobre o que era um emu, por isso pedimos que o descrevesse para nós. Sentiu dificuldade e a única coisa que pôde dizer é que era da mesma altura que Amy — ela e o emu estavam lado a lado nesse momento —, mas que seus movimentos eram totalmente diferentes dos dela. Ele quis tocá-lo, apalpá-lo inteiro. Se o fizesse, pensou, o veria melhor. Mas tocar, infelizmente, não era permitido.

Sua atenção foi fisgada em seguida por um movimento saltitante nas proximidades, e ele imediatamente concluiu — ou melhor, presumiu — que devia ser um canguru. Seu olho acompanhou de perto os movimentos do canguru, mas não conseguiria descrevê-lo, ele disse, a menos que pudesse tocá-lo. A esta altura, já estávamos colocando em questão exatamente o que ele podia ver — e o que, efetivamente, queria dizer com "ver".

Pareceu-nos que, no geral, se conseguia identificar um animal, era ou por seu movimento ou através de um único dado específico — assim, era possível identificar um canguru porque saltava, uma girafa pela altura, ou uma zebra por suas listras — mas não podia formar uma impressão de conjunto do animal. Também era preciso que o bicho estivesse definido com precisão contra um fundo; não pôde identificar os elefantes, a despeito das trombas, porque estavam a uma distância considerável, na frente de um fundo cinza-azulado.

Por fim, fomos à jaula do gorila; Virgil estava curioso em vê-lo. Não conseguiu enxergá-lo de todo enquanto o gorila permaneceu semi-escondido entre algumas árvores, e quando ele finalmente saiu para o espaço aberto Virgil pensou que, embora se movesse de uma maneira diferente, parecia igual a um homem grande. Felizmente, havia uma estátua de bronze de um gorila em tamanho natural na seção dos macacos, e dissemos a Virgil, que desejava ardentemente tocar em todos os animais, que podia, na falta de outra coisa, pelo menos examinar a estátua. Ao fazê-lo rápida e minuciosamente com as mãos, ganhou um ar de segurança que nunca havia mostrado ao examinar o que quer que fosse com os olhos. Ocorreu-me — talvez isso tenha ocorrido a todos nós nesse momento — o quanto tinha sido hábil e auto-suficiente como um cego, o tanto de naturalidade e facilidade com que havia experimentado o seu mundo com as mãos e o quanto estávamos agora, por assim dizer, forçando-o contra o que lhe era natural: exigindo que renunciasse a tudo o que lhe vinha com facilidade, que passasse a perceber o mundo de uma maneira inacreditavelmente difícil para ele, e estranha.[10]

Seu rosto pareceu se iluminar com o entendimento enquanto tocava a estátua. "Não parece em nada com um homem", murmurou. Uma vez examinada a estátua, ele abriu os olhos e virou-se para o verdadeiro gorila de pé à sua frente, dentro da jaula. E agora, de um jeito que teria sido impossível antes, descreveu a postura do macaco, a maneira como as juntas dos dedos tocavam o solo, as pequenas pernas arqueadas, os grandes caninos, a enorme ruga na cabeça, apontando para cada característica enquanto falava. Gregory escreve sobre um episódio maravilhoso com seu paciente S. B., que nutria um interesse de longa data por ferramentas e máquinas. Gregory o levou ao Museu de Ciência em Londres para ver a grande coleção:

> O episódio mais interessante foi sua reação ao admirável torno de corte em rosca mantido num compartimento especial de vidro. [...] Nós o levamos até o compartimento, que estava fechado, e lhe pedimos para nos dizer o que havia no interior. Ele foi totalmente incapaz de dizer qualquer coisa sobre o objeto, à exceção de que achava que a parte mais próxima era uma manivela. [...] Pedimos em seguida ao auxiliar do museu (como previamente combinado) que abrisse o compartimento, e S. B. pôde tocar o torno. O resultado foi surpreendente. [...] Ele correu com as mãos por sobre o torno, com os olhos fechados, apertados. Depois, afastou-se um pouco, abriu os olhos e disse: "Agora que o toquei, posso vê-lo".

O mesmo aconteceu com Virgil e o gorila. Esse exemplo espetacular de como o tato podia tornar possível a visão explicava algo mais que me intrigara. Desde a operação, Virgil vinha comprando soldadinhos de brinquedo, carros, bichos e prédios célebres em miniatura — todo um mundo liliputiano — e passando horas com eles. Não era uma mera infantilidade ou espírito lúdico que o levaram a tais recreações. Tocando-os, ao mesmo tempo em que os olhava, podia forjar uma correlação crucial; podia preparar-se para ver o mundo real aprendendo antes a ver esse mundo de brinquedo. A disparidade de escala não importava, assim como não havia importado para S. B., que foi capaz de dizer a hora imediatamente num grande relógio de parede porque podia correlacioná-lo com o que conhecia pelo toque de seu relógio de bolso.

Fomos almoçar num restaurante de peixes e, enquanto comíamos, fiquei observando Virgil de tempos em tempos. Notei que começou a comer de maneira normal, como quem enxerga, cortando com precisão pedaços de tomate de sua salada. Em seguida, conforme continuava, sua mira foi piorando: seu garfo passou a errar os alvos e a pairar indeciso no ar. Por fim, incapaz de "ver", ou compreender, o que estava em seu prato, abandonou os esforços e passou a usar as mãos para comer como antes, como um cego. Amy já havia me falado sobre essas recaídas, descrevendo-as no diário. Houve reversões parecidas, por exemplo, ao fazer a barba, começando com um espelho, pela visão, com uma concentração tensa. Em seguida, o movimento da lâmina se tornava mais lento, e ele começava a examinar incerto seu rosto no espelho ou tentava confirmar pelo toque o que via pela metade. Por fim, dava as costas ao espelho, ou fechava os olhos, ou apagava a luz, e terminava o trabalho pelo tato.

Que Virgil tivesse períodos de cansaço visual agudo em decorrência do esforço ou uso prolongado da vista não era de surpreender; todos nós passamos pelo mesmo se exigimos demais da nossa visão. Algo acontece, por exemplo, com o meu próprio sistema visual se passo três horas olhando direto para um eletroencefalograma: começo a perder coisas nas linhas e fico vendo garatujas ofuscantes em toda parte — nas paredes, no teto, em todo o campo visual —, e nesse momento tenho que parar e fazer outra coisa ou, o que é ainda melhor, ficar com os olhos fechados por uma hora. E o sistema visual de Virgil, comparado ao normal, devia ser, nesse estágio, extremamente instável.

Menos fáceis de entender, e mais alarmantes, talvez ameaçadores, eram os longos períodos de "turvação" — de visão ou conhecimento deteriorados —, por horas ou mesmo dias, que surgiam de repente, sem razões claras. Bob Wasserman ficou muito intrigado com as descrições que Virgil e Amy fizeram dessas flutuações; praticava a oftalmologia havia cerca de 25 anos, tendo operado muitas cataratas, mas nunca encontrara nada dessa espécie.

Depois do almoço, fomos todos ao consultório do dr. Hamlin. Ele havia tirado fotografias detalhadas da retina logo após a cirurgia e Bob, examinando agora o olho (tanto por oftalmoscopia direta como indireta) e comparando-o com as fotografias, não via qualquer sinal de complicações pós-operatórias. (Um exame especial — a angiografia por fluoresceína — havia mostrado um edema macular cistóide, mas que não teria causado as súbitas flutuações tão impressionantes.) Já que não parecia haver uma causa local ou ocular suficiente para tais flutuações, Bob levantou a hipótese de que fossem conseqüência de um estado médico subjacente — ficamos impressionados com a má aparência de Virgil logo que o conhecemos — ou pudessem representar uma reação *neural* do sistema visual do cérebro a condições de sobrecarga sensória ou cognitiva. Não é um esforço para pessoas com a visão normal construir formas, contornos, objetos e cenas a partir de sensações puramente visuais; elas fazem essas construções visuais, um mundo visual, desde o nascimento e para tanto desenvolvem um vasto e desembaraçado aparato cognitivo. (Normalmente, metade do córtex cerebral é dedicado ao processamento visual.) Mas em Virgil essas capacidades cognitivas, subdesenvolvidas, eram rudimentares; as partes visuais-cognitivas de seu cérebro podiam facilmente ter sido esmagadas.

Os sistemas cerebrais, em todos os animais, podem responder a um estímulo esmagador, ou a um estímulo que ultrapassa um ponto crítico, com um desligamento súbito.[11] Essas reações nada têm a ver com os indivíduos ou suas motivações. São estritamente locais e fisiológicas e podem ocorrer até mesmo em parcelas isoladas do córtex cerebral: são uma defesa biológica contra uma sobrecarga neural.

Todavia, os processos perceptivos-cognitivos, enquanto fisiológicos, também são pessoais — não se trata de um mundo que a pessoa percebe e constrói, mas de *seu próprio* mundo —, e levam a, estão ligados a, um eu perceptivo, com uma vontade, uma orientação e um estilo próprios. Esse eu perceptivo pode sucumbir com a paralisação de sistemas perceptivos, alterando a orientação e a própria identidade do indivíduo. Se isso acontece, a pessoa não apenas fica cega, mas deixa de se comportar como um ser que enxerga, sem apresentar nenhum registro de qualquer mudança em seu estado interior, esquecendo-se completamente da visão que teve, ou do fato de tê-la perdido. Esse estado de total cegueira psíquica (conhecido como síndrome de Anton) pode ocorrer se houver uma lesão extensa, como a de um derrame, nas partes visuais do cérebro. Mas também parecia acontecer, vez por outra, com Virgil. Nessas ocasiões, com efeito, ele podia falar de "ver" enquanto, na realidade, agia como um cego, sem qualquer tipo de comportamento visual. Éramos levados a nos perguntar se toda a base da percepção visual e da identidade de Virgil não seria ainda demasiado fraca, de modo que ele podia entrar e sair não apenas de uma cegueira física, mas de uma cegueira psíquica total, semelhante à síndrome de Anton.

Um tipo completamente diferente de suspensão — ou retração — visual parecia associado a situações de grande estresse ou conflito emocional. E para Virgil esse período foi de fato um dos mais estressantes por que passou: acabara de ser operado, acabara de se casar; o curso tranqüilo de sua vida de cego e de solteiro fora estilhaçado; estava sob uma enorme pressão de expectativa; e o próprio ato de ver era atordoante e exaustivo. Essas pressões aumentaram com a proximidade do dia do casamento, especialmente com a chegada de sua própria família à cidade; eles não apenas tinham sido contra a operação a princípio, mas agora insistiam que na realidade ele continuava cego. Tudo isso foi documentado por Amy em seu diário:

> 9 de outubro: Fomos à igreja para fazer a decoração do casamento. A visão de Virgil completamente turva. Incapaz de distinguir grande coisa. É como se a visão tivesse entrado em queda livre. Virgil age como "cego" de novo. [...] Tenho que guiá-lo por toda parte.
>
> 11 de outubro: A família de Virgil chega hoje. Sua vista parece ter saído de férias. [...] É como se tivesse voltado a ser cego! A família chegou. Não podiam acreditar que ele pudesse ver. Toda hora em que ele afirmava que podia ver

alguma coisa, eles diziam: "Ah, você está chutando". Trataram-no como se fosse totalmente cego — guiando-o por todo lado, dando-lhe tudo o que quisesse. [...] Estou muito nervosa, e a visão de Virgil desapareceu. [...] Queria ter certeza de que estamos fazendo a coisa certa.

12 de outubro: Dia do casamento. Virgil muito calmo [...] visão um pouco melhor, mas ainda turva. [...] Pôde me ver vindo pelo corredor, mas estava muito turva. [...] Belo casamento. Festa na casa de mamãe. Virgil cercado pela família. Ainda não aceitam a visão dele, ele não conseguia ver grande coisa. Despediu-se de sua família esta noite. A visão começou a melhorar assim que partiram.

Nesses episódios, Virgil foi tratado por sua família como um cego, tendo sua identidade visual negada ou solapada, e reagiu, de acordo, comportando-se como tal ou mesmo ficando cego — uma retração ou regressão extensiva de parte do seu ego a uma negação esmagadora e aniquilante da identidade. Tal regressão poderia ser vista como motivada, ainda que inconscientemente — uma inibição de base "funcional". Assim, parecia haver duas formas distintas de "comportamento cego" ou "atuação cega" — a primeira, uma paralisação do processamento e da identidade visual, de base orgânica (um processo "de baixo para cima" ou distúrbio neuropsicológico, no vernáculo neurológico); a outra, uma paralisação ou inibição da identidade visual, de base funcional (um distúrbio "de cima para baixo" ou psiconeurótico), embora não menos real para ele. Dada a extrema debilidade orgânica de sua visão — a instabilidade de seus sistemas visuais *e* da identidade visual neste momento —, era muito difícil, por vezes, saber o que se passava, distinguir entre o "fisiológico" e o "psicológico". Sua visão era tão marginal, tão próxima dos limites, que tanto uma sobrecarga neural como um conflito de identidade podiam empurrá-la para além deles.[12]

Marius von Senden, repassando em seu livro clássico *Space and sight* (1932) todos os casos publicados num período de trezentos anos, concluiu que todo adulto que acaba de recobrar a visão passa, mais cedo ou mais tarde, por uma "crise de motivação" — e que nem todo paciente consegue superá-la. Fala de um paciente que se sentia tão ameaçado pela visão (o que significava ter de deixar o instituto de cegos e sua noiva lá) que ameaçou arrancar os próprios olhos; cita caso após caso de pacientes que "se comportam como cegos" ou "se recusam a ver" após uma operação, e outros que, temendo o que a visão pode acarretar, recusam a operação (um desses relatos, intitulado "L'aveugle qui refuse de voir", foi publicado já em 1771). Tanto Gregory como Valvo estendem-se sobre os perigos emocionais de se impor um novo sentido a um cego — como, após uma exaltação inicial, pode seguir-se uma depressão devastadora (e até mesmo letal).

Foi exatamente essa depressão que tomou o paciente de Gregory: no hospital, S. B. mostrava grande excitação e progresso perceptivo. Mas a promessa não se cumpriu. Seis meses após a operação, Gregory relata,

> ficamos com uma forte impressão de que, para ele, sua visão era quase que inteiramente decepcionante. Ela lhe permitia fazer algumas coisas a mais [...] mas ficou claro que as oportunidades que lhe oferecia eram menores do que ele havia imaginado. [...] Em grande parte, continuava vivendo a vida de um cego, por vezes nem se dando ao trabalho de acender as luzes à noite. [...] Não se dava bem com os vizinhos [agora], que o achavam "esquisito", e seus colegas de trabalho [antes tão respeitosos] pregavam peças nele e o provocavam por não conseguir ler.

Sua depressão aumentou, ele ficou doente e, dois anos após a operação, S. B. morreu. Tivera uma saúde perfeita, havia desfrutado da vida no passado; tinha apenas 54 anos.

Valvo nos fornece seis histórias exemplares, e uma profunda discussão, sobre os sentimentos e o comportamento de pessoas cegas desde a infância quando confrontadas com a "dádiva" da visão e com a necessidade de renunciar a um mundo, a uma identidade, por outro.[13]

Um dos maiores conflitos de Virgil, como em todos os que acabam de recobrar a visão, era a incômoda relação entre tato e visão — sem saber quando tocar ou olhar. Isso era óbvio em Virgil desde o dia da operação e muito evidente no dia em que o vimos, quando mal conseguia ficar com as mãos longe do brinquedo de formas para crianças, ansiava tocar os animais e desistiu de cortar sua comida. Seu vocabulário, toda a sua sensibilidade e sua imagem do mundo eram expressos em termos táteis — ou, pelo menos, não visuais. Ele era, ou tinha sido até a operação, uma pessoa inteiramente tátil.

Foi demonstrado que em surdos de nascença (especialmente se sempre se comunicaram pela linguagem dos signos) algumas das partes auditivas do cérebro são relocadas para uso visual. Também ficou provado que em cegos que lêem em braile o dedo leitor tem uma representação excepcionalmente grande nas partes táteis do córtex cerebral. É de se suspeitar que as partes táteis (e auditivas) do córtex são alargadas nos cegos e podem até se expandir para o que normalmente é o córtex visual. O que sobra do córtex visual, sem o estímulo visual, pode ficar em grande parte sem se desenvolver. Parece provável que tal diferenciação do desenvolvimento cerebral acompanhe a perda de um sentido na infância e a intensificação compensatória de outros sentidos.

Se este fosse o caso de Virgil, que poderia acontecer se a função visual se tornasse subitamente possível, passasse a ser exigida? Podia-se esperar certamente *algum* aprendizado visual, algum desenvolvimento de novos caminhos nas partes visuais do cérebro. Nunca houve nenhuma documentação sobre o despertar da atividade no córtex visual de um adulto, e tínhamos a esperança de fazer tomografias de emissão de pósitrons especiais do córtex visual de Virgil para mostrar essa atividade enquanto ele aprendia a ver. Mas com que se pareceria esse aprendizado, essa ativação? Seria como um bebê aprendendo a ver pela primeira vez? (Era o que Amy pensava de início.) Mas a pessoa que começa a enxergar não está na mesma linha primordial, neurologicamente falando, dos bebês, cujos córtices cerebrais são eqüipotenciais — igualmente prontos para se adaptar a qualquer forma de percepção. O córtex de um adulto cego desde a infância, como Virgil, já se tornou altamente adaptado a percepções organizadas no tempo e não no espaço.[14]

Uma criança de colo apenas aprende. É uma tarefa enorme, sem fim, mas que não está carregada de um conflito sem solução. Um adulto que recobra a visão, em contrapartida, tem que fazer uma mudança radical de um modo seqüencial para outro visual-espacial e essa mudança desafia a experiência de toda uma vida. Gregory enfatiza isso, mostrando como conflito e crise são inevitáveis se "os hábitos e as estratégias perceptivos de toda uma vida" têm que mudar. Tais conflitos são erguidos no âmago do próprio sistema nervoso, uma vez que o adulto cego de infância, que passou a vida adaptando e especializando seu cérebro, tem que pedir a este que inverta tudo agora. (Além disso, o cérebro de um adulto não tem mais a maleabilidade do de uma criança — esta é a razão por que se torna mais difícil aprender novas línguas ou habilidades com a idade. Mas, no caso de um homem previamente cego, aprender a ver não é como aprender outra língua; é, segundo Diderot, como aprender uma língua pela primeira vez.)

Nos que acabam de ganhar a visão, aprender a ver exige uma mudança radical no funcionamento neurológico e, com isso, uma mudança radical no funcionamento psicológico, no eu, na identidade. A mudança pode ser experimentada literalmente em termos de vida e morte. Valvo cita um de seus pacientes que diz: "É preciso morrer como uma pessoa que vê para poder renascer como um cego", e a recíproca é igualmente verdadeira: é preciso morrer como um cego para renascer como uma pessoa que vê. É o ínterim, o limbo — "entre dois mundos, um morto,/ O outro impotente a nascer" —, que é tão terrível. Embora a cegueira possa a princípio ser uma terrível perda e privação, isso pode atenuar-se com o passar do tempo, já que se dá uma profunda adaptação, ou reorientação, pela qual o cego reconstitui e se reapropria do mundo em termos não visuais. Ela se torna então um estado *diferente*, uma forma diferente de ser, com suas próprias sensibilidades, coerência e sentimentos. John Hull a chama de "cegueira profunda" e a vê como "uma das ordens do ser humano".[15]

No dia 31 de outubro, a catarata do olho esquerdo de Virgil foi removida, revelando uma retina, e uma acuidade, semelhante à do direito. Foi uma grande decepção, já que havia esperança de que este olho pudesse estar bem melhor que o outro — o suficiente para fazer uma diferença crucial em sua visão. Sua vista de fato melhorou um pouco: conseguia fixar melhor os objetos, os movimentos dos olhos à procura das coisas tornaram-se menos freqüentes e estendeu-se seu campo visual.

Agora com os dois olhos em funcionamento, Virgil voltou ao trabalho, mas passou a achar, cada vez mais, que havia outro lado da visão, que muito dela era atordoante e parte absolutamente chocante. Tinha trabalhado contente na ACM por trinta anos, ele dizia, e pensava *conhecer* todos os corpos de seus clientes. Agora ficava espantado ao ver os corpos e as peles que antes conhecera apenas pelo toque; ficava estupefato com a gama de cores de pele e ligeiramente enojado com manchas e "nódoas" em peles que suas mãos haviam sentido como perfeitamente lisas.[16] Sentia um alívio, ao fazer massagens, quando fechava os olhos.

Continuou melhorando, visualmente, nas semanas seguintes, em especial quando ficava livre para determinar seu próprio ritmo. Fez tudo para viver a vida de um homem com visão, mas também ficou mais atormentado nesse período. Expressava ocasionalmente o temor de ter que jogar a bengala fora e sair, atravessar as ruas, só com a visão; e, certa vez, falou do medo de que "tivessem a expectativa" de que ele viesse a dirigir e conseguisse um trabalho inteiramente "baseado na visão". Este foi, portanto, um tempo de muita luta e sucessos reais — mas alcançados, sentia-se, a um custo psicológico, um custo de profundo esforço e cisões interiores.

Numa de suas saídas, na semana anterior ao Natal, ele e Amy foram a um balé. Virgil gostou de *O quebra-nozes*: sempre adorara música e agora, pela primeira vez, também via alguma coisa. "Pude ver as pessoas saltando sobre o palco. Mas não dava para ver a roupa que usavam", disse. Pensou que gostaria de ver um jogo de beisebol ao vivo e ficou esperando a abertura da temporada na primavera.

O Natal foi uma data particularmente festiva e importante — o primeiro Natal após seu casamento, o primeiro com visão — e ele voltou, com Amy, à fazenda da família no Kentucky. Viu a mãe pela primeira vez em mais de quarenta anos — mal tinha conseguido vê-la, ou qualquer outra coisa, na época do casamento — e a achou "realmente bonita". Viu novamente a velha casa da fazenda, as cercas, o córrego no pasto, que também não via desde criança; nunca havia deixado de acalentá-los na imaginação. Algumas de suas visões haviam sido muito decepcionantes, mas não a da casa e da família — foi puro júbilo.

Não menos importante foi a mudança na atitude da família em relação a ele. "Parecia mais alerta", disse sua irmã. "Caminhava, andava pela casa, sem apalpar as paredes — levantava-se e ia." Ela sentiu que houvera "uma grande diferença" desde que havia sido operado pela primeira vez, e a mãe e o resto da família acharam o mesmo.

Telefonei-lhes na véspera do Natal e falei com sua mãe, sua irmã e os outros. Convidaram-me para me juntar a eles, e eu gostaria de ter podido ir, porque parecia um momento alegre e positivo para todos eles. A oposição inicial da família à visão de Virgil (e talvez também a Amy, por ter insistido nisso) e a descrença deles no fato de que *pudesse* realmente enxergar foi algo que ele internalizou, algo que podia literalmente aniquilar sua visão. Agora que a família tinha se "convertido", era de se esperar que um dos principais bloqueios psicológicos se dissolvesse. O Natal foi o clímax, mas também a resolução, de um ano extraordinário.

O que aconteceria, fiquei pensando, no próximo ano? O que ele poderia esperar, na melhor das hipóteses? Quanto de um mundo visual, de uma vida visual, ainda o esperava? Não tínhamos, francamente, nenhuma certeza nesse ponto. Ainda que as histórias de tantos pacientes fossem soturnas e assustadoras, alguns, pelo menos, superaram o pior de suas dificuldades para sair com uma nova visão relativamente não conflitante.

Valvo, normalmente cauteloso ao expressar-se, deixa-se levar um pouco ao descrever alguns dos resultados mais felizes de seus pacientes:

> Uma vez que nossos pacientes adquirem modelos visuais, e conseguem trabalhar com eles de forma autônoma, parecem experimentar uma grande alegria no aprendizado visual [...] um renascimento da personalidade. [...] Começam a pensar em áreas totalmente novas da experiência.

"Um renascimento da personalidade" — era justamente o que Amy queria para Virgil. Era difícil, para nós, imaginarmos tal renascimento nele, já que se mostrava tão fleumático, tão assentado em suas maneiras. E ainda assim, a despeito de uma quantidade de problemas — retinianos, corticais, psicológicos, possivelmente médicos —, tinha se saído de certa forma muito bem, mostrando um aumento constante em sua capacidade de apreender o mundo visual. Com sua motivação predominantemente positiva, e o óbvio prazer e vantagens que podia tirar do ato de ver, parecia não haver razão para que não progredisse ainda mais. Não poderia nunca esperar uma vista perfeita, mas certamente uma vida radicalmente ampliada pela visão.

A catástrofe, quando veio, foi muito repentina. No dia 8 de fevereiro, recebi um telefonema de Amy: Virgil desfalecera e fora levado, cinza e letárgico, para o hospital. Tinha uma pneumonia lobar, uma consolidação extensa de um dos pulmões, e estava na UTI, com oxigênio e antibióticos na veia.

Os primeiros antibióticos usados não surtiram efeito: ele piorou; seu estado ficou crítico; e por alguns dias oscilou entre a vida e a morte. Depois de três semanas, a infecção foi finalmente dominada e o pulmão começou a reexpandir. Mas Virgil continuou seriamente doente, já que, embora a pneumonia se dissipasse, deixou-o com uma deficiência respiratória — quase uma paralisia do centro respiratório do cérebro, que o impossibilitava de responder adequadamente aos níveis de oxigênio e dióxido de carbono no sangue. Os níveis de oxigênio no sangue começaram a cair — abaixo da metade do normal. E o nível de dióxido de carbono começou a subir — até quase três vezes o normal. Precisava constantemente de oxigênio, mas só podiam lhe dar um pouco, temendo que seu centro respiratório combalido ainda ficasse pior. Com seu cérebro privado de oxigênio e intoxicado pelo dióxido de carbono, a consciência de Virgil flutuava e se apagava, e nos piores dias (quando o oxigênio em seu sangue estava mais baixo e o dióxido de carbono mais alto) não podia ver nada: ficava completamente cego.

Muita coisa contribuiu para a continuidade dessa crise respiratória: os próprios pulmões de Virgil estavam compactos e fibrosados; estava com uma bronquite avançada e enfisema; não tinha movimento do diafragma de um dos lados, em conseqüência da poliomielite na infância; e, para culminar, estava extremamente obeso — o suficiente para causar uma síndrome de Pickwick (cunhada a partir do menino gordo e sonolento, Joe, em *As aventuras do sr. Pickwick*). Nela, há uma séria depressão respiratória, impossibilitando a oxigenação completa do sangue, associada a uma crise do centro respiratório do cérebro.

Virgil provavelmente já vinha ficando doente havia alguns anos; vinha engordando desde 1985. Mas entre seu casamento e o Natal ganhou mais dezoito quilos — chegando, em duas semanas, a 127 quilos —, em parte por retenção de líquidos em decorrência da deficiência cardíaca, e em parte por não parar de comer, o que costumava fazer sob estresse.

Agora tinha que passar três semanas no hospital, com o oxigênio no sangue ainda despencando a níveis assustadoramente baixos, apesar de estar recebendo oxigênio — e a cada vez que o nível ficava muito baixo ele se tornava letárgico e totalmente cego. Amy sabia no momento em que abria a porta que tipo de dia era aquele — em que nível estava o oxigênio no sangue —, dependendo se ele usava os olhos, olhava em volta, ou se ficava atrapalhado, apalpando as coisas, "agindo como um cego". (Nós nos perguntamos, em retrospectiva, se as estranhas flutuações apresentadas por sua visão desde praticamente o dia da operação não teriam também sido causadas, ao menos em parte, por flutuações de oxigênio no sangue, com conseqüente hipóxia retiniana ou cerebral. Provavelmente, Virgil tivera uma leve síndrome de Pickwick por anos, e podia ter chegado perto de uma crise respiratória e de uma hipóxia mesmo antes de sua enfermidade aguda.)

Havia um outro estado, intermediário, que Amy achou muito intrigante; em tais momentos, ele *dizia* não ver nada de nada, mas ia na direção dos objetos, evitava obstáculos, e *se comportava* como se enxergasse. Amy não conseguia entender esse estado singular, em que ele manifestamente reagia aos objetos, podia localizá-los, estava vendo, e contudo negava toda consciência da visão. Esse estado — chamado de visão implícita, inconsciente, ou de visão cega — ocorre quando as partes visuais do córtex cerebral estão desativadas (como pode ocorrer em caso de falta de oxigênio, por exemplo), mas os centros visuais na região subcortical permanecem intatos. Os sinais visuais são percebidos e recebem respostas adequadas, mas nada dessa percepção chega à consciência.

Por fim, Virgil pôde deixar o hospital e voltar para casa, mas como um aleijado respiratório. Foi ligado a um torpedo de oxigênio e não podia nem se mover de sua cadeira sem ele. Parecia improvável a esta altura que se recuperasse algum dia o bastante para sair e voltar a trabalhar, e a ACM sentiu que era preciso acabar com seu trabalho. Alguns meses depois, foi forçado a deixar a casa onde tinha vivido como funcionário da ACM por mais de vinte anos. Essa era a situação naquele verão: Virgil perdera não apenas a saúde, mas o emprego e a casa também.

Em outubro, entretanto, ele já estava se sentindo melhor e podia largar o oxigênio por uma hora ou duas a cada vez. Não tinha ficado inteiramente claro para mim, ao falar com Virgil e Amy, o que finalmente acontecera com sua visão depois de todos esses meses. Amy disse que esta havia "quase desaparecido", mas que agora sentia que ela estava voltando conforme ele melhorava. Quando telefonei para o centro de reabilitação visual onde Virgil fora avaliado, contaram-me outra história. Virgil, pelo que me disseram, parecia ter perdido toda a visão que recuperara no ano anterior, sobrando-lhe apenas alguns traços. Kathy, sua terapeuta, achava que ele via as cores, mas pouco além disso — e às vezes cores sem objetos: assim, podia ver uma auréola ou névoa rosa em torno de um frasco de Pepto-Bismol sem enxergar claramente o próprio frasco.[17] Essa percepção da cor, ela disse, era a única visão constante; em relação ao resto, ele se mostrava quase cego, não via objetos, tateava, parecia visualmente perdido. Estava de novo com os velhos movimentos dos olhos, cegos e ao acaso. E, no entanto, às vezes tinha, espontaneamente, sem mais nem menos, momentos repentinos e surpreendentes de visão, em que via até os menores objetos. Mas em seguida essas percepções desapareciam tão repentinamente quanto haviam aparecido, e normalmente ele não conseguia recuperá-las. Na prática, ela disse, Virgil agora estava cego.

Fiquei chocado e perplexo quando Kathy me disse isso. Esses fenômenos eram radicalmente diferentes de tudo o que ele havia mostrado antes: o que estava acontecendo agora com seus olhos e seu cérebro? À distância, eu não podia saber ao certo o que estava acontecendo, especialmente porque Amy, do seu lado, sustentava que a visão de Virgil estava melhorando. Com efeito, ficava furiosa quando alguém dizia que Virgil era cego, e retrucava que na realidade o centro de reabilitação visual estava "ensinando-o a ser cego". Assim sendo, em fevereiro de 1993, um ano após o início de sua doença devastadora, trouxemos Virgil e Amy para Nova York para nos encontrarmos mais uma vez e submetê-lo a alguns exames fisiológicos especializados das funções retinianas e cerebrais.

Assim que me deparei com Virgil no portão de desembarque do aeroporto de LaGuardia, pude ver por mim mesmo que tudo tinha dado terrivelmente errado. Estava agora quase vinte quilos mais gordo do que quando o conheci em Oklahoma. Carregava um torpedo de oxigênio amarrado num dos ombros. Tateava, seus olhos erravam, parecia totalmente cego. Amy o guiava, com a mão sob seu cotovelo, onde quer que fossem. E todavia, enquanto atravessávamos a ponte da rua 59 em direção à cidade, por vezes ele notava algo — uma luz na ponte —, não numa tentativa de adivinhar, mas vendo-a com a maior precisão. Mas não conseguia nunca manter a visão ou recuperá-la, e portanto ficava visualmente perdido.

Quando o examinamos em meu consultório — primeiro usando grandes alvos coloridos, e em seguida amplos movimentos e lanternas —, ele não enxergou nada. Parecia completamente cego — *mais cego do que havia sido antes de suas operações*, porque na época pelo menos podia detectar a luz coerentemente, mesmo através das cataratas, a direção da luz e a sombra de mãos movendo-se diante de si. Agora não conseguia detectar nada de nada, parecia não ter mais nenhum receptor fotossensível: era como se suas retinas tivessem acabado. Ainda que não completamente — o que era mais estranho. Vez por outra conseguia ver algo com precisão: uma vez, ele viu, descreveu e pegou uma banana; em duas ocasiões, foi capaz de acompanhar o movimento casual de uma barra de luz com suas mãos numa tela de computador; e por vezes tentava alcançar objetos, ou "adivinhava-os" corretamente, mesmo se continuasse dizendo que não via "nada" nessas ocasiões — a visão cega primeiro observada no hospital.

Ficamos consternados com sua deficiência quase uniforme, e ele estava afundando num estado desmoralizado, derrotado — já era hora de interrompermos os testes e fazermos uma pausa para almoço. Quando lhe passamos uma cumbuca de frutas, e ele as tocou com dedos ágeis, habilidosos e sensíveis, seu rosto se iluminou, e ele recobrou a animação. Deu-nos, enquanto manuseava as frutas, uma admirável descrição tátil, mencionando o aspecto encerado, lustroso da casca da ameixa, a penugem suave do pêssego e a maciez das nectarinas ("como as bochechas de um bebê"), e a casca áspera e enrugada das laranjas. Pesava as frutas na mão, falava do peso e da consistência, das sementes e dos caroços; e depois, levando-as ao nariz, de seus diferentes cheiros. Sua apreciação tátil (e olfativa) parecia muito mais apurada que a nossa. Incluímos uma pêra de cera extremamente verossímil entre as frutas de verdade; com sua forma e coloração realistas, tinha enganado completamente pessoas com visão. Virgil não caiu nem por um minuto: bastou tocá-la para explodir numa gargalhada. "É uma vela", disse imediatamente, de certa maneira perplexo. "Com a forma de um sino ou de uma pêra." Podia ter sido de fato, nas palavras de Von Senden, "um exilado da realidade espacial", mas sentia-se profundamente em casa no mundo do tato, no tempo.

Mas se seu sentido do tato tinha sido perfeitamente preservado, sobraram, o que era evidente, apenas alguns lampejos de sua retina — centelhas raras, momentâneas, de retinas que agora pareciam 99% mortas. Bob Wasserman, que não via Virgil desde nossa visita a Oklahoma, também ficou aterrado pela degradação da vista e quis reexaminar as retinas. Ao fazê-lo, constatou que estavam exatamente como antes — manchadas, com áreas de maior e menor pigmentação. Não havia qualquer evidência de uma nova doença. Ainda que o funcionamento mesmo das áreas preservadas da retina tenha caído para zero. Os eletrorretinogramas, concebidos para registrar a atividade elétrica da retina quando estimulada pela luz, eram completamente planos, e os potenciais visuais evocados, concebidos para mostrar a atividade nas partes visuais do cérebro, também eram inexistentes — não havia mais nada, eletricamente, acontecendo em ambas as retinas ou no cérebro que pudesse ser registrado (pode ser que tenha havido centelhas de atividade raras, momentâneas, mas se houve não conseguimos captá-las). Essa inatividade não podia ser atribuída à doença original, retinite, havia muito inativa. Algo mais tinha surgido no ano anterior e extinguido, efetivamente, o que lhe restava do funcionamento da retina.

Lembramos como Virgil tinha se queixado constantemente de clarões, mesmo em dias relativamente pouco luminosos, nublados — como a luz parecia por vezes ofuscá-lo, de forma que precisava dos óculos mais escuros. Seria possível (como sugeriu meu amigo Kevin Halligan) que, com a remoção de suas cataratas — que talvez tivessem protegido suas frágeis retinas por décadas —, a luz natural tenha se mostrado fatal, inutilizando suas retinas? Dizem que pacientes com outros problemas de retina, como degeneração macular, podem ser intolerantes em demasia à luz — não apenas ultravioleta, mas de todos os comprimentos de onda — e que esta pode acelerar a degeneração de suas retinas. Seria isso o que tinha acontecido com Virgil? Era uma possibilidade. Será que devíamos tê-lo previsto e racionado de alguma maneira a vista de Virgil, ou a luz ambiente?

Outra possibilidade — mais verossímil — dizia respeito à hipóxia contínua de Virgil, ao fato de não ter oxigenado o sangue adequadamente por um ano. Tivemos indícios muito claros de sua visão aumentando e decaindo no hospital conforme os gases no sangue aumentavam ou diminuíam. Será que a indigência repetida e continuada de oxigênio em suas retinas (e talvez também nas áreas visuais do córtex) foi o fator que as matou? Cogitou-se, a essa altura, se aumentando a oxigenação do sangue para 100% (que teria requerido uma prolongada respiração artificial com oxigênio puro) não poderíamos restaurar parte do funcionamento retiniano e cerebral. Mas foi decidido que esse procedimento seria muito arriscado, já que podia causar uma depressão permanente ou de longo prazo do centro respiratório do cérebro.

Esta é, portanto, a história de Virgil, a história da recuperação "milagrosa" da visão por um homem cego, uma história basicamente semelhante à do jovem paciente de Cheselden, em 1728, e de um punhado de outros nos últimos três séculos — mas com uma estranha e irônica reviravolta final. O paciente de Gregory, tão bem adaptado à cegueira antes da operação, primeiro ficou encantado com a visão, mas logo esbarrou em esforços e dificuldades intoleráveis, vendo a "dádiva" ser transformada em maldição, ficando profundamente deprimido, para morrer pouco depois. Quase todos os primeiros pacientes, de fato, após a euforia inicial, foram esmagados pelas imensas dificuldades de adaptação a um novo sentido, embora uns poucos, como salienta Valvo, tenham se adaptado e se saído bem. Será que Virgil poderia ter superado essas dificuldades e se adaptado à visão quando tantos outros sucumbiram no meio do caminho?

Nunca saberemos, já que o curso da adaptação — e, de fato, da vida como a conhecera — foi subitamente atravessado por uma trapaça gratuita da sorte: uma doença que, de um só golpe, roubou-lhe trabalho, casa, saúde e independência, deixando-o seriamente comprometido, incapaz de sustentar-se por conta própria. Para Amy, que tanto insistira na operação, e que investira tão apaixonadamente na visão de Virgil, era um milagre perdido, uma calamidade. Virgil, por sua vez, mantém-se filosófico: "Essas coisas acontecem". Mas foi estraçalhado por esse golpe, e deu vazão a ataques de raiva: raiva de sua incapacidade e de sua doença; raiva de uma promessa e um sonho despedaçados; e subjacente a isso, e mais fundamental que tudo, uma raiva que foi sendo alimentada nele quase desde o início — raiva de ter sido empurrado para uma batalha que não podia nem abandonar, nem vencer. No começo, houve certamente espanto, admiração e por vezes júbilo. Houve também, é claro, uma grande coragem. Foi uma aventura, uma excursão para dentro de um novo mundo, do tipo que é dado a poucos. Mas então surgiram os problemas, os conflitos, de ver mas não ver, de não ser capaz de criar um mundo visual, e ao mesmo tempo ser obrigado a abrir mão do seu próprio mundo. Viu-se entre dois mundos, exilado em ambos — um tormento ao qual não parecia ser possível escapar. Mas aí, paradoxalmente, veio uma libertação, na forma de uma segunda e derradeira cegueira — uma cegueira que ele recebeu como uma dádiva. Agora, por fim, a Virgil é permitido não ver, escapar do mundo ofuscante e atordoante da visão e do espaço, para retornar ao seu próprio e verdadeiro ser, o mundo íntimo e concentrado de todos os outros sentidos que havia sido seu lar por quase cinqüenta anos.

A PAISAGEM DOS SEUS SONHOS

CONHECI FRANCO MAGNANI no verão de 1988, quando o Exploratorium de San Francisco promoveu um simpósio e uma exposição sobre a memória. A exposição incluía cinqüenta pinturas e desenhos dele — todos representando Pontito, a pequena cidade no alto de um morro na Toscana em que nascera, mas onde não havia pisado por mais de trinta anos. Ao lado deles, em espantosa justaposição, havia fotografias de Pontito tiradas pela fotógrafa do Exploratorium, Susan Schwartzenberg, exatamente dos mesmos pontos de vista de Magnani, sempre que possível. (O que nem sempre era, porque Magnani por vezes visualizava e pintava Pontito de um ponto de vista aéreo e imaginário, quinze ou 150 metros acima do solo; Schwartzenberg por vezes tinha que içar sua câmera no alto de um mastro e certa vez chegou a pensar em contratar um helicóptero ou um balão.) Magnani era apresentado como "Um Artista da Memória", e bastava dar uma olhada na exposição para ver que de fato ele possuía uma memória prodigiosa — uma memória que podia reproduzir com uma verossimilhança quase fotográfica cada prédio, rua, cada pedra de Pontito, de longe, de perto, de qualquer ângulo possível. Era como se Magnani guardasse em sua cabeça um modelo tridimensional infinitamente detalhado de seu vilarejo, que ele podia virar e examinar, ou explorar mentalmente, e em seguida reproduzir na tela com total fidelidade.

Meu primeiro pensamento quando vi a semelhança entre as pinturas e as fotografias foi que estava diante daquele raro fenômeno, um artista eidético: capaz de guardar na memória, por horas ou dias (talvez anos), toda uma cena vista num piscar de olhos; senhor (ou escravo) de um prodigioso poder inato de memória e representação. Mas um artista eidético dificilmente se restringiria a um único tema ou modelo; pelo contrário, exploraria sua memória, ou a exibiria, numa vasta gama de assuntos, para mostrar que nada lhe escapa — enquanto Magnani aparentemente queria concentrá-la exclusivamente em Pontito. Essa era portanto uma exposição não de "pura" memória, mas de uma memória represada num motivo único e avassalador: a lembrança de seu vilarejo de infância. E, agora me dou conta, não se tratava apenas de um exercício de memória; era, igualmente, um exercício de saudade — e não apenas um exercício, mas uma compulsão, e uma arte.

Alguns dias depois, conversei com Franco e combinei de encontrá-lo em sua casa. Ele mora numa pequena comunidade a alguns quilômetros de San Francisco. Tendo achado sua rua, nem precisei procurar o número da casa, porque ela se destacava imediatamente em relação às demais. No pequeno jardim havia uma cerca de pedra baixa, parecida com as de suas pinturas de Pontito; seu carro, um velho sedã com "Pontito" gravado na placa da frente, estava estacionado na rua; a garagem fora transformada em ateliê, e sua porta estava completamente aberta, revelando o próprio artista, absorto em seu trabalho.

Franco era alto e magro, com enormes óculos de aro de chifre de boi que aumentavam seus olhos. Tinha cabelos castanhos e cheios, cuidadosamente repartidos do lado; um passo elástico e um ar de grande exuberância e vitalidade — tinha 54 anos, mas parecia bem mais jovem. Convidou-me a entrar e me mostrou a casa. Todos os quartos tinham pinturas em todas as paredes, e todas as gavetas e armários pareciam entupidos de pinturas — lembrava menos uma casa e mais um museu ou um arquivo, totalmente dedicado à lembrança, à reprodução de Pontito.

Conforme avançávamos dentro da casa, cada pintura prendia sua atenção, levantava uma onda de reminiscências: o que aconteceu aqui, ali, e como tal coisa ficava ali em certa época. "Veja este muro aqui — foi aqui que o padre me pegou pulando para dentro do jardim atrás da igreja. Ele me perseguiu até a rua. Ah, ele sempre expulsava todos os garotos dali." Cada reminiscência engatilhava outras, e assim sucessivamente, de forma que em minutos tínhamos sido carregados por uma torrente, sem qualquer direção ou centro preciso, mas com tudo se relacionando a sua vida de criança — à Pontito que ele havia conhecido quando pequeno. Pulava de uma história para outra, sem que eu pudesse discernir qualquer conexão. Esse tipo de perambulação a esmo — obcecada e intensa, mas incoerente e dispersa — parecia própria de Franco: mostrava a qualidade de sua obsessão, o fato de pensar em Pontito dia e noite, à exclusão de todo o resto.

Enquanto Franco falava, tive a impressão de que suas reminiscências o estavam subjugando, que essas memórias emergentes o carregavam, dominavam-no, exerciam uma força gigantesca e irresistível. Ele fazia gestos, imitações, respirava pesado, olhava fixo — parecia completamente possuído. E aí, num sobressalto, voltava a si, sorria um pouco sem graça, e dizia: "Era assim".

Essa verborragia incessante, essa reminiscência de episódios concretos parecia se dar num registro completamente diferente do de sua pintura. Quando ficava sozinho, ele disse, a tagarelice e a algazarra das memórias apagavam-se e ele podia guardar uma impressão tranqüila de Pontito: sem gente, sem incidentes, sem temporalidade; uma Pontito em paz, suspensa num "então" fora do tempo, o "então" da alegoria, da fantasia, do mito e do conto de fadas.

Pelo meio da manhã, fui cativado mais uma vez pelas pinturas de Franco, mas não agüentava mais suas reminiscências. Ele só tinha um assunto — não conseguia falar de mais nada. O que poderia ser mais estéril, mais chato? E ainda assim podia criar, a partir dessa obsessão, uma arte tranqüila, cativante e verdadeira. O que tinha servido para transformar suas memórias — para retirá-las da esfera pessoal, trivial e temporal, e elevá-las ao domínio do universal e do sagrado? É possível encontrar chatos que não param de falar ou de lembrar, e nenhum deles será um artista de verdade, como Franco. Logo, não apenas sua vasta memória ou sua obsessão eram cruciais para torná-lo um artista, mas algo mais profundo.

* * *

Franco nasceu em Pontito em 1934. Um vilarejo de cerca de quinhentas almas, ficava encarapitado nos montes de Castelvecchio, na província de Pistóia, cerca de 65 quilômetros a oeste de Florença. Como todos os vilarejos nos montes da Toscana, possuía uma linhagem ancestral e ainda uma boa quantidade de túmulos etruscos, assim como uma tradicional cultura agrícola, com técnicas de plantação em terraços, de oliveiras e vinhas, que remontavam a mais de 2 mil anos. Seus edifícios de pedra, suas ruas íngremes e serpenteadas, atravessadas apenas por vigorosos burros montanheses ou pés humanos, continuam iguais há séculos, assim como a vida simples e metódica de seus habitantes. O vilarejo era dominado, no ponto mais alto, pela torre da antiga igreja, ao lado da qual ficava a casa de Franco — e de fato, quando criança, ele podia quase tocar seu telhado se se debruçasse bem para fora da janela do seu quarto. Um tanto isolados e fechados sobre si mesmos, os aldeões formavam quase que uma única grande família: os Magnani, os Papi, os Vanucci, os Tamburi, os Sarpi, todos ligados por laços de sangue. A maior eminência da cidade era Lazzaro Papi, um comentador da Revolução Francesa, do século XVIII; ainda há hoje uma estátua dele na praça principal.

Isolada, sem modificações, tradicional, Pontito era uma cidadela contra o fluxo da mudança e do tempo. A terra era fértil, os habitantes industriosos; suas fazendas e pomares os sustentavam sem luxo ou privação. A vida era boa e segura para Franco, para todos os aldeões, até a deflagração da guerra.

Aí surgiram horrores e problemas de todo tipo. O pai de Franco morreu num acidente em 1942, e o ano seguinte testemunhou a entrada dos nazistas, que tomaram o vilarejo e expulsaram os habitantes. Quando os aldeões voltaram, muitas de suas casas haviam sido desfiguradas. A vida nunca mais foi a mesma. A cidade fora saqueada, os campos e pomares destruídos e, talvez o mais importante, os velhos modelos e costumes estavam alterados. Pontito se uniu e tentou reerguer-se com fibra após a guerra, mas não conseguiu recuperar-se totalmente. Desde então vem decaindo pouco a pouco. Seus pomares e campos, sua economia agrária, nunca foram completamente restaurados; o vilarejo deixou de ser auto-suficiente em termos econômicos, e os rapazes e moças tiveram de sair dali para outros lugares. O vilarejo anteriormente próspero, com quinhentos habitantes antes da guerra, agora tinha apenas setenta, todos velhos e aposentados. Não havia mais crianças, e apenas uns poucos adultos ativos. A cidade outrora vital está despovoada e morrendo.

Todas as pinturas de Franco representam Pontito e sua vida lá, antes de 1943; são todas lembranças de sua infância, do lugar onde viveu, brincou e cresceu, antes de seu pai ser morto, antes de os alemães chegarem, antes da ocupação da cidade e da destruição dos seus campos.

Franco morou em Pontito até os doze anos, em 1946, quando foi estudar em Lucca. Em 1949, foi para Montepulciano, como aprendiz de marceneiro. Era notável por sua memória "fotográfica" mesmo antes disso (assim como o haviam sido sua mãe e uma de suas irmãs, embora em menor grau): podia se lembrar de uma página após uma única leitura ou das orações na igreja após tê-las escutado uma única vez; podia guardar todas as inscrições das lápides do cemitério; podia recordar (e compreender) longas listas de figuras num piscar de olhos. Mas foi apenas em Lucca, longe de casa pela primeira vez, e manifestamente saudoso, que passou a experimentar outro tipo de memória: imagens que disparavam de repente em sua cabeça — imagens de grande repercussão e intensidade pessoal, aguçadas com prazer ou dor. Essas imagens eram completamente diferentes da memória "mecânica" que o distinguira até então; eram involuntárias e súbitas, como relâmpagos, prementes — quase alucinatórias em seus sons, estruturas, cheiros e texturas. Esse novo tipo de memória era, sobretudo, experiencial ou autobiográfico, já que cada imagem vinha acompanhada do contexto e afeto pessoais correspondentes. Cada imagem era uma cena, um *flashback*, de sua vida. "Ele sentia muita falta de Pontito", disse-me a irmã. "Era a igreja, a rua, os campos, que ele 'via' — mas até então não tinha a vontade de desenhar."

Franco voltou a Pontito em 1953, após seus quatro anos de aprendiz, mas achou que o vilarejo, já em declínio, não podia sustentar um marceneiro. Incapaz de ganhar a vida em Pontito, ou de seguir em seu ofício, foi para Rapallo, onde trabalhou como cozinheiro — embora continuasse insatisfeito e sonhasse com uma vida diferente e lugares distantes. No início de 1960 — estava agora com 25 anos — decidiu, um tanto impulsivamente, um tanto deliberadamente, abandonar o emprego e sair pelo mundo, trabalhar como cozinheiro num navio de cruzeiros. E enquanto se preparava para isso (sabendo, talvez, que nunca voltaria) redigiu uma autobiografia — mas atirou-a ao mar ao embarcar no navio. A necessidade de recordar, de fazer um retrato de sua infância, era claramente muito forte a essa altura; mas ainda não havia encontrado o meio. E assim ele zarpou. Ia e vinha entre o Caribe e a Europa, e acabou conhecendo bem o Haiti, as Antilhas e as Bahamas — passou, de fato, catorze meses em Nassau, entre 1963 e 1964. Nesse tempo, ele diz ter "esquecido" Pontito — lembranças do vilarejo quase nunca lhe vinham à mente.

Em 1965, quando tinha 31 anos, tomou uma decisão crucial: não voltaria à Itália, não voltaria a Pontito; se estabeleceria nos Estados Unidos, em San Francisco. Foi uma decisão difícil e perturbadora. Era uma ameaça de separação, talvez irrevogável, de tudo o que lhe era mais valioso e querido: seu país, sua língua, seu vilarejo, sua família, os costumes e as tradições que mantiveram seu povo unido por centenas de anos. Mas uma decisão que prometia, ou parecia prometer, a liberdade e talvez a riqueza, uma nova vida num novo país, a liberdade de ser ele mesmo, independente, cujo gosto havia sentido a bordo do navio. (Quando jovem, seu pai também fora para a América e fez negócios por uns poucos anos, mas depois cansou e voltou para Pontito.)

Mas com a decisão perturbadora veio uma estranha doença, que por fim o levou a um sanatório. Não se sabe que doença era. Houve uma crise de decisão, esperança e temor, mas também uma febre alta, perda de peso, delírios, talvez convulsões; sugeriu-se que podia ser tuberculose, ou psicose, ou algum estado neurológico. Nunca ficou definido o que se passava, e a natureza da doença continua um mistério. O que é claro é que no pico da doença, com seu cérebro talvez estimulado pela excitação e pela febre, Franco começou a ter, todas as noites, sonhos avassaladoramente nítidos. Sonhava toda noite com Pontito, não com sua família, atividades ou eventos, mas com as ruas, as casas, as construções, as pedras — sonhos com os detalhes mais microscópicos e verídicos, detalhes para além de tudo de que podia conscientemente se lembrar. Uma excitação estranha e intensa o possuía nesses sonhos: a sensação de que algo tinha acabado de acontecer, ou estava prestes; uma sensação de uma significação imensa, prodigiosa, porém enigmática, acompanhada por uma saudade insaciável, uma nostalgia agridoce. E quando acordava parecia-lhe que não estava acordado de todo, porque os sonhos continuavam presentes, diante de seu olho interior, sendo pintados na roupa de cama, no teto e nas paredes a sua volta, ou de pé a sua frente, como modelos, sólidos nos mínimos detalhes.

No hospital, com essas imagens oníricas se impondo sobre sua consciência e vontade, foi tomado por um novo sentimento — o sentimento de que estava sendo "chamado". Embora sua capacidade imaginativa tivesse sempre sido grande, nunca havia visto imagens com tamanha intensidade antes — imagens que ficavam suspensas no ar, como aparições, e prometiam-lhe uma "retomada" de Pontito. Agora pareciam lhe dizer: "Pinte-nos. Torne-nos reais".

Fica a dúvida (e Franco nunca deixou de se perguntar) sobre o que pode ter acontecido naqueles dias e noites no hospital, aquele período de crise, delírio, febre e convulsões. Será que fora subjugado pelo esforço de sua decisão, passando por uma cisão "freudiana" do ego, e tornara-se a partir de então uma espécie de histérico hipermnésico? ("Os histéricos sofrem principalmente de reminiscências", Freud escreveu.) Será que uma parte cindida dele buscava fornecer com a memória ou fantasia aquilo de que tinha sido separado e a que não podia retornar na realidade? Seriam esses sonhos, essas imagens da memória, invocados por ele em resposta a uma profunda necessidade emocional? Ou seriam impostos a ele por algum estranho bombardeio fisiológico do cérebro, um processo com que ele (como pessoa) nada tinha a ver, mas ao qual não podia deixar de reagir? Franco considerou essas possibilidades "médicas", mas rejeitou-as (e nunca permitiu que fossem devidamente exploradas), voltando-se, em vez disso, para uma mais espiritual.[1] Sentia que uma dádiva, um destino, tinha-lhe sido concedida, e era seu papel obedecer, não questionar. Foi então com esse espírito religioso que Franco, após um breve conflito, aceitou suas visões e passou a dedicar-se a torná-las uma realidade palpável.

Embora pouco tivesse pintado ou desenhado antes, sentiu que podia tomar uma caneta ou um pincel para traçar os contornos que pairavam tão claramente no ar diante de si ou se projetavam, como através de uma câmara lúcida, sobre as paredes brancas do seu quarto. Sobretudo nas primeiras noites da crise, vieram-lhe imagens da casa onde nascera, imagens incrivelmente belas, mas carregadas também de um aspecto ameaçador.

A primeira pintura que Franco fez de Pontito era, efetivamente, de sua casa, uma pintura que, a despeito de sua falta de estudo, tinha uma surpreendente destreza e clareza de contornos, e uma estranha e sombria força emocional. O próprio Franco ficou estupefato com sua pintura, pelo fato de que pudesse pintar, exprimir-se nesse maravilhoso novo meio. Ainda hoje, 25 anos depois, ele continua maravilhado. "Fantástico", diz. "Fantástico. Como pude fazer isto? E como era possível que eu tivesse esse dom e não soubesse antes?" Eventualmente, quando criança, tinha se imaginado como um artista, mas era apenas um capricho, e nunca foi além de brincar com uma caneta ou pincel — desenhar um navio num cartão-postal, talvez, ou uma cena caribenha. Também tinha medo do poder que agora sentia — um poder que o tomou e carregou, mas que talvez pudesse controlar e expressar. E a expressão de suas pinturas, seu estilo, estava presente desde o início, mesmo — ou sobretudo — nas primeiras pinturas que fez. "As duas primeiras são completamente diferentes das seguintes", disse-me seu amigo Bon Miller. "Há algo sinistro nelas — você pode ver algo profundo e significativo acontecendo."

Que Franco não tenha começado a pensar obsessivamente em Pontito — não tenha sonhado com Pontito noite e dia — até essa data é algo corroborado por seu cunhado, que não o viu entre 1961 e 1987. "Em 61, Franco conversava sobre qualquer coisa", ele me disse. "Não era obcecado — era normal. Mas quando o vi em 87 parecia possuído. Tinha visões de Pontito constantemente, e não falava de outra coisa."

Miller diz: "Suas pinturas tiveram início nesse período de crise. Estava no hospital, à beira de um colapso mental, e as pinturas pareciam ser uma espécie de solução, ou cura. Às vezes, ele diz: 'Tenho essas lembranças, tenho esses sonhos, não consigo agir', mas parece agir muito bem. Embora seja difícil entabular uma conversa normal com ele — é 'Pontito, Pontito, Pontito' o tempo inteiro. É como se tivesse esse constructo em três dimensões, essa maquete de Pontito, que ele pode erigir — vira a cabeça, dá meia-volta, para 'ver' diferentes aspectos. Ele parecia achar que esse tipo de 'visão' era normal, e foi apenas no fim dos anos 70, quando Gigi, uma amiga, voltou com fotos de Pontito, que ele se deu conta pela primeira vez de como isso era extraordinário. [...] Tudo está fresco, vivo, como se acabasse de ser lembrado. Não é nem um pouco uma coisa fixa, de repertório. Ele recorda cenas, e as materializa, revive a coisa toda. É uma memória muito concreta e particular, que se organiza em histórias e cenas — uma lembrança de quem disse o que e quando". Por vezes, tem-se a impressão de que há algo teatral nas pinturas e, até certo ponto, o próprio Franco as vê assim.

O estado de espírito que se anunciara em sonhos durante a noite se aprofundou e intensificou na mente de Franco. Começou a ter "visões" de Pontito durante o dia — visões emocionalmente avassaladoras, mas com uma qualidade minuciosa e tridimensional que ele compara à holografia. Essas visões podem ocorrer a qualquer hora — quando está comendo ou bebendo, dando uma volta, debaixo do chuveiro. Para ele, não há dúvida quanto à sua realidade. Ele pode estar falando com você tranqüilamente e de repente inclina-se para a frente, com os olhos fixos e arregalados, num arroubo: uma aparição de Pontito está se erguendo diante dele. "Muitas das pinturas de Franco", escreve Michael Pearce (numa análise fascinante publicada no *Exploratorium Quarterly* por ocasião da exposição), "começam com o que ele descreve como uma espécie de lembrança instantânea, onde uma cena particular surge de repente em sua cabeça. Freqüentemente, sente grande premência de colocar a cena logo no papel, e tem a fama de poder sair de um bar no meio de um drinque para dar início ao desenho. [...] Aparentemente, o 'instantâneo' que Franco recebe da cena não é uma vista estática ou fotográfica. [...] Ele pode fazer esquadrinhar toda a área e 'ver' em várias direções. Para fazê-lo, precisa reorientar seu corpo fisicamente, virando-se para a direita para enquadrar o que estaria à direita na cena pontitiana, para a esquerda para 'ver' o outro lado. [...] com os olhos direcionados à distância, como se pudesse enxergar os edifícios de pedra, arcos e ruas."

Tais aparições não são apenas visuais. Franco pode ouvir os sinos da igreja ("como se eu estivesse lá"); pode tocar o muro do cemitério; e sobretudo pode sentir o cheiro do que vê — a hera na parede da igreja, os odores misturados de incenso, do humo e da umidade, e, mesclado a estes, o cheiro distante dos bosques de nogueiras e oliveiras que cercavam a Pontito de sua infância. A visão, a audição, o tato e o olfato nesses momentos são quase inseparáveis para Franco, e o que lhe aparece é como as experiências complexas e coenestésicas da primeira infância — "o registro instantâneo de situações totais", como as definiu certa vez o psiquiatra Harry Stack Sullivan.

Parece provável haver uma mudança súbita e profunda no cérebro de Franco sempre que fica "inspirado" ou "possuído". Certamente, quando o vi pela primeira vez tomado por uma visão, e notei seus olhos vidrados, suas pupilas dilatadas, o arrebatamento de sua atenção, não pude deixar de pensar que estivesse tendo uma espécie de acesso psíquico. Esses acessos foram diagnosticados pela primeira vez há um século pelo grande neurologista John Hughlings Jackson, que ressaltou as alucinações dominantes, o fluxo de "reminiscência" involuntária, o sentido de revelação e o estranho e semimístico "estado onírico" que podia caracterizá-los. Eles são associados com a atividade epiléptica nos lobos temporais do cérebro.

No século passado, Hughlings Jackson, entre outros, suspeitava que alguns pacientes com acessos psíquicos freqüentes pudessem apresentar estranhas alterações de pensamento e personalidade com o início do distúrbio. Mas foi apenas nos anos 50 e 60 do século XX que essa "síndrome de personalidade intercrises", como passou a ser chamada, recebeu maior atenção. Em 1956, o neurologista francês Henri Gastaut escreveu uma importante dissertação sobre Van Gogh, na qual defendia que o pintor sofrera não apenas de convulsões do lobo temporal, mas de uma mudança de personalidade característica com o início destas, intensificando-se gradualmente durante o resto de sua vida. Em 1961, um dos mais talentosos neurologistas americanos, Norman Geschwind, discorreu sobre o possível papel da epilepsia do lobo temporal na vida e nos escritos de Dostoievsky, e no início dos anos 70 ficou convencido de que um número considerável de pacientes com epilepsia do lobo temporal apresentava uma intensificação peculiar (mas também restritiva) da vida emocional, "uma crescente preocupação com questões filosóficas, religiosas e cósmicas". Uma notável produtividade foi observada em muitos pacientes: a redação de autobiografias e de diários intermináveis, uma obsessão em desenhar (naqueles com inclinação gráfica) — e um sentimento geral de iluminação, de "missão" e "destino", mesmo nos que não tinham cultura, gente "não intelectual" que antes não havia demonstrado qualquer pendor nessas direções.

Os primeiros textos de Geschwind sobre a incidência e a natureza da síndrome foram publicados em 1974 e 1975, com seu colega Stephen Waxman, e eletrizaram o mundo neurológico. Pela primeira vez, toda uma constelação de sintomas e comportamentos tradicionalmente sugestivos tanto de doença mental como de inspiração era atribuída a uma causa neurológica específica, em particular (como ressaltaria outro colega, David Bear) uma "hiperconectividade" entre as partes sensórias e emocionais do cérebro, resultando em percepções, lembranças e imagens muito intensificadas e emocionalmente carregadas. "A mudança da personalidade na epilepsia do lobo temporal", observou Geschwind, "pode bem ser a chave mais importante que possuímos para decifrar os sistemas neurológicos subjacentes às forças emocionais que guiam o comportamento."

Essas mudanças, enfatizou Geschwind, não podiam ser consideradas nem negativas, nem positivas em si mesmas; o que importava era o papel que acabavam desempenhando na vida da pessoa, que podia ser criativo ou destrutivo, adaptável ou inadaptável. Ele estava, porém, especialmente interessado na situação (relativamente rara) de um uso altamente criativo da síndrome. "Quando essa doença trágica acomete um homem de gênio", escreveu sobre Dostoievsky, "ele é capaz de extrair dela um conhecimento profundo [...] uma resposta emocional aprofundada."[2] Era sobretudo a conjunção da doença, ou disposição biológica, com a criatividade individual que excitava Geschwind.[3]

A definição mais propriamente seca de "síndrome de personalidade intercrises" viria a se tornar "síndrome de Waxman-Geschwind", ou por vezes simplesmente "síndrome de Dostoievsky". Eu tinha de pensar que a doença que Franco teve em 1965, com seus sonhos intensamente nítidos, suas alucinações convulsivas, suas iluminações místicas e arrebatamentos, pudesse ser de fato a inauguração de um tipo de síndrome de Dostoievsky.

Hughlings Jackson fala de uma "duplicação da consciência" que costuma ocorrer em tais acessos. E é o que acontece com Franco: ele é tomado por uma visão, um sonho acordado, uma reminiscência de Pontito, é arrebatado — em certo sentido, ele está lá. Suas reminiscências surgem de repente, sem avisar, com a força de uma revelação. Embora tenha aprendido, ao longo dos anos, a controlá-las até certo ponto, a evocá-las e invocá-las — como de fato o aprendem todos os artistas —, elas permanecem em essência involuntárias. É precisamente essa característica que Proust considera a mais valiosa: a seu ver, a lembrança voluntária é conceitual, convencional e insípida — somente a lembrança involuntária, irrompendo ou evocada das profundezas, pode transmitir a totalidade da experiência da infância, em toda a sua inocência, encantamento e terror.

A duplicação da consciência pode ser perturbadora para Franco: a visão de Pontito, do passado, compete com o aqui e agora, e pode chegar a esmagar completamente o presente, de maneira que ele fica desorientado, sem saber mais onde está. E a duplicação da consciência levou a uma estranha duplicação da vida. Franco age, vive e trabalha na San Francisco de hoje, mas uma boa parte dele — talvez a maior — vive no passado, em Pontito. E com essa acentuação e intensificação da vida no passado veio certo empobrecimento e depreciação do aqui e agora. Franco quase nunca sai, ou viaja, nunca vai ao cinema ou ao teatro; tem poucas diversões ou interesses além de sua arte; costumava ter muitos amigos, mas perdeu a maioria com sua conversa interminável sobre Pontito. Trabalha várias horas por dia como cozinheiro em North Beach, em San Francisco; passa o dia de um lado para o outro, desligado do mundo, aturdido com Pontito; e todos os seus relacionamentos foram atenuados com sua obsessão — todos à exceção de sua mulher, Ruth, em grande parte por ela compartilhar da obsessão dele. Assim, foi ela quem abriu uma galeria em North Beach e a chamou de Pontito Gallery, quem arrumou a placa com a inscrição "Pontito" para o carro. O preço da nostalgia e da arte de Franco, à época, tinha sido sua redução a uma espécie de semi-existência no presente.

O psicanalista Ernest Schachtel, falando de Proust, via-o "pronto a renunciar a tudo o que as pessoas normalmente consideram uma vida ativa, a renunciar à atividade, ao prazer do momento presente, à preocupação com o futuro, à amizade, às relações sociais" em sua busca pela "recordação das coisas passadas". O tipo de lembrança que Proust buscava, e que Franco busca, é esquivo, arisco, noturno; não pode competir com a luminosidade, a animação do dia; por isso, elas precisam ser invocadas, evocadas, como sonhos, na calma e no escuro, num quarto à prova de som, ou num estado mental semelhante ao transe ou devaneio.

E ainda assim seria reducionista, absurdo, supor que a epilepsia do lobo temporal, os acessos de "reminiscência", mesmo constituindo o detonador definitivo das visões de Franco, pudessem ser os únicos determinantes de sua lembrança e de sua arte. O caráter do indivíduo — sua ligação com a mãe, sua tendência à idealização e à nostalgia; a história real de sua vida, incluindo a perda repentina do paraíso de sua infância e do pai; e, não menos, o desejo de ser conhecido, de vencer, de representar toda uma cultura —, tudo isso, por certo, é igualmente importante. O que parecia ter acontecido, por um simples acaso, foi a co-ocorrência, a concorrência, de uma necessidade aguda e de um estado psicológico. Porque se o seu sentimento de exílio, perda e nostalgia exigiam um tipo de mundo, um substituto para o mundo real que havia perdido, seus acessos experienciais agora forneciam o que precisava, um infinito suprimento de imagens do passado — ou melhor, um "modelo" quase infinitamente detalhado e tridimensional de Pontito, todo um teatro ou simulacro em que podia andar e explorar, capturando novos aspectos, novas vistas, para onde quer que olhasse; isso dependia claramente também de suas prodigiosas e preexistentes capacidades de memorização e imaginação.

Conforme ia juntando os acontecimentos de 1965, lembrava-me da reminiscência epiléptica que "atacara" (embora servindo-lhe tão profundamente) minha paciente, a sra. O'C. — e que lhe proveu, enquanto durou, com memórias do seu passado havia muito esquecidas, memórias do tipo mais precioso e significativo. Mas no caso da sra. O'C., a reminiscência epiléptica regrediu em poucas semanas, fechando essa estranha porta que tinha sido fisiologicamente aberta para o passado, e deixando-a, para o bem ou para o mal, novamente "normal". Para Franco, entretanto, a reminiscência não cessaria, mas, se tanto, se dilataria em intensidade e volume, de forma que, a partir daí, ele nunca mais seria realmente "normal" de novo. Tal avassalamento, uma possessão ou despossessão, ocorre num número considerável de pessoas com epilepsia do lobo temporal — por vezes intensificando tremendamente (mas perturbando ou destruindo com maior freqüência) suas vidas. No caso de Franco — e aqui mais uma vez por um acaso singular —, havia a capacidade nunca antes percebida de pintar suas visões, de transmitir a visão de uma criança com os poderes da maturidade e de transformar sua patologia, sua nostalgia, em arte.

Uma das irmãs mais velhas de Franco, Antonietta, agora na Holanda, lembra-se de quando a família voltou para casa em Pontito, após os alemães a terem ocupado, e encontrou as coisas desfiguradas e mudadas. A mãe de Franco ficou profundamente transtornada, assim como Franco. Essa criança de dez anos, órfã de pai, disse à mãe: "Hei de fazer Pontito de novo para você, hei de criá-la de novo para você". E quando realizou a primeira pintura — da casa em que tinha nascido — mandou-a para ela; em certo sentido, estava cumprindo sua promessa de reconstruir Pontito para ela.

Sua mãe era sempre vista por ele, e por outros, como uma figura de um poder peculiar. "Ela tem o poder de curar as crianças — ensinou o segredo a minha irmã Caterina", Franco me contou. "Ela também tem o poder de ferir o corpo com o olhar." Tal pensamento mágico era comum em Pontito. Franco sempre foi muito próximo da mãe, o predileto, e ficou ainda mais com a morte do pai, quando parecem ter entrado numa espécie de intimidade e proximidade pós-edipianas, quase simbióticas. Franco lhe enviava cópias de todas as suas pinturas, e quando ela morreu, em 1972, ficou arrasado. Com isso, disse, "parei completamente com a pintura". Sentiu que era o fim para ele, de sua vida, de sua arte. Ficou sem pintar por nove meses. Depois, conforme se recuperava, surgiu a necessidade urgente de encontrar outra mulher, de se casar, e então conheceu sua futura esposa, uma jovem artista irlandesa-americana. "Quando conheci Ruth, queria voltar para a Itália. Ruth me puxou de volta. Eu dizia:

'Não há mais razão para pintar agora'. Mas Ruth substituiu minha mãe. Se não fosse por ela, nunca mais teria pintado."

Franco tinha uma fantasia permanente de voltar a Pontito; falava constantemente sobre "uma reunião" e "um retorno ao lar", e por vezes da mãe, como se ainda estivesse misteriosamente viva, esperando-o em casa, esperando sua volta. E contudo, embora tivesse muitas oportunidades de voltar, acabava por sabotá-las todas. "Algo o impede de voltar a Pontito", disse Bob Miller. "Uma força, um medo — não sei o que é." Franco ficou chocado ao ver as fotografias de Pontito no fim dos anos 70 — o desaparecimento dos campos e pomares, invadidos por plantas daninhas, o deixou aterrado — e mal suportava olhar as fotografias que Susan Schwartzenberg tirou em 1987. Nada disso era a sua Pontito, a Pontito de sua juventude, a Pontito que ele havia alucinado, com que havia sonhado e que pintara por mais de vinte anos.

Havia nisso uma ironia e um paradoxo: Franco pensava em Pontito o tempo inteiro, via-a em fantasia, pintava-a, como algo infinitamente desejado — e todavia relutava profundamente em retornar. Mas é precisamente tal paradoxo que reside no coração da nostalgia — uma vez que ela trata de uma fantasia que nunca acontece, e se mantém por não ser realizada. E, no entanto, essas fantasias não são apenas devaneios ou caprichos vãos; elas impelem para uma espécie de realização, embora indireta — a realização da arte. Esses, pelo menos, são os termos que o dr. Geahchan, o psicanalista francês, utilizou. Referindo-se em particular ao maior de todos os nostálgicos, Proust, o psicanalista David Werman fala de uma "cristalização estética da nostalgia" — a nostalgia elevada ao nível de arte e mito.

Não há dúvida de que Franco é ao mesmo tempo vítima e possuidor de um repertório de imagens cujo poder nos é difícil conceber. Ele não está livre para ter equívocos de memória, nem para deixar de lembrar. Uma reminiscência com um poder e uma exatidão praticamente intoleráveis o martela dia e noite, quer queira, quer não. "Ninguém [...] sentiu o calor e a pressão de uma realidade tão infatigável como a que dia e noite convergia sobre o infeliz Irineu", escreve Borges no conto "Funes, o memorioso". Uma realidade tão nítida e intolerável converge sobre Franco também.

Pode-se nascer com o potencial para uma memória prodigiosa, mas não com uma disposição para a lembrança; esta surge apenas com as mudanças e as separações da vida — separações de pessoas, lugares, de acontecimentos e situações, sobretudo se foram de grande significado, se foram profundamente odiados ou amados. São, portanto, as descontinuidades, as grandes descontinuidades da vida que tentamos transpor, ou reconciliar, ou integrar, pela lembrança e, para mais além, pelo mito e pela arte. A descontinuidade e a nostalgia são mais profundas se, durante o crescimento, abandonamos ou perdemos o lugar onde nascemos e passamos nossa infância, se nos tornamos expatriados ou exilados, se o lugar, ou a vida, em que crescemos sofre uma mudança para além do reconhecimento, ou é destruído. Todos nós, afinal, somos exilados do passado. Mas isso é particularmente verdadeiro no caso de Franco, que se sente o único sobrevivente e recordador de um mundo perdido para sempre.

Quaisquer que sejam os dons pessoais e as patologias de Franco — sua memória, seu talento para a pintura, seus acessos (talvez), sua nostalgia —, ele também é estimulado, e tem sido desde sempre, por um sentimento e um motivo que transcendem o pessoal; por uma necessidade cultural de recordar o passado, de preservar seu sentido, ou lhe dar um novo, num mundo que o esqueceu. Resumindo, vemos no trabalho de Franco a arte do exílio. Grande parte da arte — e de fato da mitologia — brota do exílio.[4] O exílio (do Éden, do Sion) é um mito central na Bíblia, talvez em todas as religiões. O exílio — e talvez, embora amplamente transformada, uma espécie de nostalgia — é obviamente parte da dinâmica central da obra e vida joycianas. Joyce deixou Dublin, para nunca mais voltar, ainda muito jovem, mas a imagem de Dublin assombra tudo o que escreveu: primeiro como paisagem literal de *Stephen hero*, *Dublinenses* e *Exiles*, e daí em diante como o pano de fundo progressivamente mitologizado e universalizado de *Ulisses* e *Finnegans Wake*. A memória que Joyce tinha de Dublin era prodigiosa e foi continuamente amplificada e complementada por pesquisas meticulosas; mas foi a Dublin de sua juventude que o inspirou — tinha pouco interesse em seu desenvolvimento posterior. O mesmo, de forma mais modesta, acontece com Franco: Pontito serve de fundo para todos os seus pensamentos, desde as lembranças mais pessoais e cotidianas até visões alegóricas da cidade como o centro de uma luta cósmica entre as eternas forças do Bem e do Mal.

Em março de 1989, fui a Pontito para ver o vilarejo por mim mesmo e falar com alguns dos parentes de Franco. Achei o próprio vilarejo, comparado às pinturas, ao mesmo tempo extraordinariamente parecido e completamente diferente. Há uma fidelidade quase fotográfica, uma espantosa e microscópica capacidade de reprodução, na forma como Franco recorda, trinta anos depois, os detalhes de Pontito. E ainda assim, simultaneamente, fiquei impressionado pelas diferenças: Pontito é bem menor do que se deduz a partir de suas pinturas — as ruas são mais estreitas, as casas mais irregulares, a torre da igreja mais baixa e acocorada. Há muitas razões para isso, uma delas sendo que Franco pinta o que viu com olhos de criança, e para uma criança tudo é maior e mais espaçoso. A exatidão da visão desse olho infantil me levou a pensar se, por intermédio de alguma prestidigitação do cérebro, Franco não era capaz ou mesmo se não estivesse sendo forçado a reexperimentar Pontito exatamente como o fez quando criança; se não teria acesso, um acesso convulsivo, às memórias de criança dentro dele.

Precisamente esse acesso ao passado — um passado preservado tal qual nos arquivos do cérebro — foi descrito a Wilder Penfield, ou assim ele achava, por alguns de seus pacientes com epilepsia do lobo temporal. Essas memórias podiam ser evocadas, durante uma cirurgia, pela estimulação da parte afetada dos lobos temporais com um eletrodo; enquanto os pacientes permaneciam perfeitamente conscientes de estar na sala de operação, questionados pelo cirurgião, também se sentiam transportados para um tempo no passado, sempre o mesmo tempo, a mesma cena, para cada um dos indivíduos. As experiências reais evocadas durante esses acessos variavam imensamente de paciente para paciente: um deles podia reexperimentar um tempo em que "escutava música", outro em que "olhava para a porta de um salão de baile", ou em que "estava no berçário após o nascimento", ou em que "olhava as pessoas entrando na sala com neve na roupa". Já que as reminiscências permaneceram constantes em cada paciente a cada acesso ou estímulo, Penfield as chamou de "acessos experienciais".[5] Ele imagina que a memória forma um registro contínuo e completo da experiência de vida e que um segmento dela é evocado e repassado convulsiva e involuntariamente durante os acessos. Em grande parte, acha que memórias particulares ativadas dessa maneira são desprovidas de significação especial, segmentos meramente inconseqüentes ativados ao acaso. Mas chegou a admitir em algumas ocasiões que tais segmentos podem ser mais que isso — podem ser particularmente propensos à ativação por serem muito importantes e estarem maciçamente representados no cérebro. Seria isso, afinal, o que acontecia com Franco? Estaria sendo forçado a ver, convulsivamente, segmentos congelados de seu passado, "fotografias" de seu arquivo cerebral?

A noção de que memórias passadas são conservadas no cérebro, embora em uma forma algo menos literal e mecânica, é uma idéia que assombra a psicanálise — assim como os grandes autobiógrafos. Daí a imagem predileta que Freud tinha da mente como um sítio arqueológico, recheado, a cada camada, com os estratos soterrados do passado (mas que podem emergir à consciência a qualquer momento). E a imagem que Proust tinha da vida como a de "uma coleção de momentos", cujas memórias "não são informadas de tudo o que aconteceu desde então" e permanecem "hermeticamente fechadas", como potes de conserva na despensa da mente.[6] (Proust é apenas um dos grandes pensadores da memória — o questionamento sobre a memória remonta pelo menos até santo Agostinho, sem qualquer resolução, afinal, para o que a memória "é".)

Essa noção da memória como registro ou armazenamento nos é tão comum, tão simpática, que a aceitamos como certa sem nos darmos conta a princípio de como é problemática. E, no entanto, todos nós passamos pela experiência oposta, de memórias "normais", do dia-a-dia, que podem ser tudo menos fixas — escapando e deslocando-se, modificando-se sempre que pensamos nelas. Duas testemunhas nunca contam a mesma história, e nenhuma história, ou memória, permanece para sempre a mesma. Uma história é repetida, e muda a cada repetição. Foram experiências com esse tipo de relato em série, e com a lembrança de imagens, que convenceram Frederic Bartlett, nos anos 20 e 30, de que não existe tal entidade, "a memória", mas apenas o processo dinâmico da "recordação" (ele passa todo o seu formidável livro *Remembering* se esforçando para evitar o substantivo e usar o verbo). Ele escreve:

> Relembrar não é a reexcitação de inumeráveis traços fixos, inanimados ou fragmentários. Trata-se de uma reconstrução, ou construção, imaginativa, erguida a partir da relação de nossa atitude com toda uma massa ativa de reações ou experiências passadas, e com um pequeno detalhe importante que aparece normalmente em forma de imagem ou linguagem. Portanto, nunca é realmente exato, mesmo nos casos mais rudimentares de uma recapitulação mecânica, o que não tem a menor importância.

A conclusão de Bartlett encontra hoje o mais forte endosso no trabalho neurocientífico de Gerald Edelman, em sua visão do cérebro como um sistema ubiquamente ativo onde está em processo um deslocamento permanente, e tudo é continuamente reciclado e novamente relacionado. Não há nada de fotográfico, nada mecânico, na visão que Edelman tem do cérebro: cada percepção é uma criação, cada lembrança é uma recriação — toda recordação é relacionante, generalizante, recategorizante. Sob essa perspectiva não pode haver nenhuma lembrança fixa, nenhuma visão "pura" do passado, não contaminada pelo presente. Para Edelman, assim como para Bartlett, há sempre processos dinâmicos em ação, e lembrar é sempre reconstrução, não reprodução.

E ainda assim nos perguntamos se não haveria formas de memória extraordinárias, patológicas, em que essa perspectiva não pudesse ser aplicada. Que dizer, por exemplo, das lembranças aparentemente permanentes e completamente reproduzidas do "Mnemonista" de Luria, tão parecidas com as fixas e rígidas "memórias artificiais" do passado? Que dizer das memórias de arquivo altamente precisas encontradas nas culturas orais, onde histórias tribais inteiras, mitologias e poemas épicos são transmitidos fidedignamente através de dúzias de gerações? Que dizer da capacidade de *idiots savants** de lembrar-se de livros, músicas, imagens, literalmente, e de reproduzi-los, praticamente sem modificações, anos depois? Que dizer das memórias traumáticas que parecem retornar, insuportavelmente, sem mudar um único detalhe — a "repetição-compulsão" de Freud —, por anos ou décadas após o trauma? Que dizer das memórias neuróticas ou histéricas ou fantasias que também parecem imunes ao tempo? Em todas elas, aparentemente, imensos poderes de reprodução — mas bem menos de reconstrução — estão em jogo, como nas lembranças de Franco. Sente-se que há um elemento de fixação, fossilização ou petrificação em atividade, como se essas lembranças estivessem separadas dos processos normais de recategorização e revisão.[7]

Talvez tenhamos que apelar a ambos os tipos de conceito — a memória como dinâmica, constantemente revisada e reapresentada, mas também como imagens, ainda presente em sua for-

---

* Excepcionais com capacidades extraordinárias em campos específicos. (N. T.)

ma original, embora escrita e reescrita pelas experiências posteriores, como palimpsestos. Nesse sentido, com Franco, por mais exato e fixo que seja o original, há sempre também algum tipo de reconstrução em seu trabalho, particularmente nos quadros mais pessoais, como a vista da janela de seu quarto. Aqui, Franco traz para uma unidade estética intensamente pessoal uma fileira de prédios que não podiam ser vistos (ou fotografados) de uma só vez, e que ele observou, afetuosamente, em diversas ocasiões. Construiu uma vista ideal, com a verdade da arte transcendendo a realidade dos fatos. Qualquer que seja o poder fotográfico ou eidético que Franco lhe imprima, essa pintura também tem sempre uma subjetividade, um aspecto intensamente pessoal. Schachtel, falando como psicanalista, discute isso em relação às memórias de infância:

> A memória enquanto função da personalidade só pode ser entendida como uma capacidade de organização e reconstrução de experiências e impressões passadas a serviço das necessidades, temores e interesses presentes. [...] Assim como não há uma percepção impessoal, também não há uma memória impessoal.

Kierkegaard vai ainda mais além na introdução ao seu *Estágios no caminho da vida*:

> A memória é apenas uma condição mínima. Por meio da memória a experiência se apresenta para receber a consagração da recordação. [...] Já que a recordação é idealidade. [...] ela envolve esforço e responsabilidade, que o ato indiferente da memória não envolve. [...] Daí a recordação ser uma arte.

A Pontito de Franco é minuciosamente precisa, nos mínimos detalhes, e contudo também é serena e idílica. Há uma grande tranqüilidade nela, um sentido de paz, sobretudo por estar inabitada, seus prédios e ruas vazios; os transeuntes, em sua azáfama, foram removidos. Há algo de desolado, pós-nuclear. Mas há também uma tranqüilidade mais profunda e espiritual. É impossível não sentir algo estranho aqui, que o que está sendo recordado não é a realidade da infância, como em Proust, mas uma visão denegada e transfigurada da infância, com o local, Pontito, tomando o lugar das pessoas — os pais, os seres vivos — que devem ter sido tão importantes para a criança.[8] Franco tem consciência disso e poderá falar, dependendo de seu estado de espírito, da realidade de sua infância tal como a viveu — suas complexidades, seus conflitos, suas mágoas e sofrimentos. Mas tudo isso é cortado de sua arte, onde prevalece uma simplicidade paradisíaca. É possível observar a crença numa infância feliz "mesmo nos que passaram por experiências cruéis quando crianças", escreve Schachtel. "O mito da infância feliz toma o lugar da memória perdida da experiência [...] real."

E, no entanto, não podemos reduzir a visão de Franco a mera fantasia ou obsessão. Não há apenas uma supressão neurótica em suas pinturas de Pontito, mas um destaque imaginativo, uma intensificação. A filósofa Eva Brann costuma chamar a memória de "a despensa da imaginação", e (como Edelman) vê as lembranças, já de saída, como imaginativas, criativas:[9]

> A memória imaginativa não apenas armazena para nós os momentos passados da percepção; ela também transfigura, distancia, vivifica e descarta — dá nova forma a impressões anteriormente concebidas, transforma premências opressivas em perspectivas distantes [...] afrouxa a osbtinação por um desejo intenso, transformando-a em desígnio produtivo.

E é aí que os sentimentos pessoais e nostálgicos de Franco se tornam culturais, transcendentes. Pontito, segundo ele, é especial aos olhos de Deus e deve ser preservada da destruição e da corrupção. Também é especial por carregar uma preciosa cultura — um modo de construir, um modo de vida, que quase desapareceu da face da Terra. Ele vê sua missão como uma preservação: preservar Pontito exatamente como era, para além de todas as vicissitudes e contingências. Que esta seja uma dinâmica central de seu trabalho, ou a dinâmica central, fica demonstrado por uma série de formidáveis pinturas apocalípticas ou de "ficção científica", que ele parece realizar em períodos de aflição ou esgotamento mental. Nelas, a Terra é ameaçada por outro planeta ou cometa, por uma destruição iminente ou real, mas Pontito sobrevive: Franco mostra a velha igreja, ou um jardim, todo verde e dourado, radiante, transfigurado, sob um raio de sol, milagrosamente sobrevivendo à destruição circundante. (Em outro quadro alegórico, ele colocou uma antena parabólica sobre a igreja: uma antena apontada para as estrelas — e para Deus.) Essas pinturas apocalípticas têm títulos como *Pontito preservada para a eternidade no espaço infinito*.

Franco acorda todo dia cedo, sabendo o que tem a fazer. Tem uma tarefa, uma missão: recordar — consagrar a memória de Pontito. Suas visões, quando vêm, estão cheias de emoção e excitação — não menos que da primeira vez que lhe apareceram, 25 anos antes. E o ato de pintar — de caminhar novamente em lembrança pelas passagens e ruas adoradas, e de ser capaz de articular isso de um modo tão magistral, com tal riqueza de detalhes — lhe dá um sentido de identidade e de realização ao transformar suas visões numa forma controlada e artística.

"Não sinto que eu mereça o crédito por essas pinturas", Franco me escreveu numa carta. "Eu as fiz por Pontito. [...] Quero que o mundo inteiro saiba quão fantástica e bela ela é. Talvez assim ela não morra, embora esteja morrendo. Talvez minhas pinturas pelo menos guardem viva a sua memória."

Até o início de 1989, tinha me encontrado várias vezes com Franco e o visitado em sua casa em San Francisco; havia falado com seus amigos lá, me encontrado com duas de suas irmãs na Holanda e, mais importante, visitado Pontito, o que excitou e provocou Franco, já que pensava, mais que nunca nos últimos vinte anos, também ir a Pontito. Sua vida tivera, até então, uma estranha espécie de estabilidade, com seu dia-a-dia, sua alimentação e seu funcionamento — de certa forma desligado — no presente, mas com a mente e sua arte constantemente fixadas no passado. Nisso, fora ajudado imensamente por Ruth, que, embora sendo também ela uma artista, identificara-se da maneira mais profunda com a relação e a arte pontitiana de Franco e fez tudo o que pôde para cuidar das necessidades corriqueiras de sua vida e para dar-lhe a proteção e o isolamento de que precisava para persistir e trabalhar ininterruptamente em sua arte nostálgica. Mas em 1987, tragicamente, ela caiu doente e morreu, após uma luta penosa contra o câncer, apenas três meses antes da exposição de Franco no Exploratorium. Era sua primeira grande exposição e, junto com a morte de sua mulher, ela mexeu com sentimentos que não podia continuar levando como no passado — algo de novo precisava acontecer, precisava tomar novas decisões. Ele tocou nesses tópicos numa carta que me escreveu um mês depois:

> Devo me mudar em breve. Provavelmente para San Francisco, mas talvez de volta para a Itália, definitivamente. [...] Minha situação desde que minha mulher morreu ficou difícil. Não sei ao certo o que devo fazer. [...] Tenho que vender minha casa, procurar outra e um trabalho em San Francisco, ou no futuro voltar para Pontito. De forma que será o fim da memória de Pontito — mas não o da minha vida! Darei início a uma nova memória.

Fiquei impressionado pela maneira como ele igualava um retorno a Pontito ao fim de sua memória, sua identidade, o fim de sua reminiscência e arte singulares. Via-se agora por que tinha sabotado todas as oportunidades anteriores de voltar a Pontito. O conto de fadas, o mito, podia sobreviver à realidade?

Em março de 1989, falei sobre Franco e sua arte numa conferência em Florença. Começaram a chover convites para ele — queriam entrevistas, que enviasse *slides*, concordasse com uma exposição e, sobretudo, voltasse a Pontito. Pescia, a cidade grande mais próxima, programou uma exposição de suas pinturas para setembro de 1990. Seu antigo conflito interno foi acentuado por esse dado exterior; cresceu um estado de excitação e ambivalência. Por fim, naquele verão, ele decidiu ir.

Ele tinha pensado em ir a pé de Pescia — subir pela estrada sinuosa de montanha até Pontito, carregando nas costas uma cruz de madeira que havia feito e que colocaria na antiga igreja. Estaria só, absolutamente só, nessa caminhada consagrada. Pararia numa fonte, uma antiga fonte de água potável, logo à entrada de Pontito, e colocaria o rosto no jorro d'água. Depois que bebesse a água, pensou, talvez se deitasse no chão e morresse. Ou talvez, purificado, renascido, entrasse novamente em Pontito. Ninguém o reconheceria, o estrangeiro grisalho, até um cachorro velho — o mesmo que conhecera quando criança, agora tão velho que mal conseguia se mexer (o cão, efetivamente, deveria ter a mesma idade de Franco) —, o seu cachorro velho, reconhecendo-o, lambê-lo debilmente e aí, tendo chegado ao fim a sua espera, abanar o rabo e morrer. Era curioso ouvir essa elaborada fantasia de Franco, essa fantasia com elementos de Sófocles e Homero e também do Novo Testamento, já que nunca havia lido ou ouvido falar em Sófocles e Homero.

Na realidade, sua volta não foi nada disso.

Tinha me telefonado em pânico na noite anterior ao seu vôo. Inumeráveis pensamentos, desejos e temores se confrontavam em seu interior: devia ir ou não? Ficava mudando de idéia. Sendo sua arte baseada na fantasia e na nostalgia, numa memória não contaminada pelo ajuste do presente, estava aterrorizado com a idéia de perdê-la se voltasse a Pontito. Escutei atentamente, como um analista, sem emitir sugestões. "Você tem que decidir", eu disse por fim. Ele tomou o vôo de cara cheia mais tarde naquela noite.

Tivera a esperança de que, primeiro, pudesse ver o papa e benzer sua cruz antes de carregá-la a pé para Pontito. Mas o papa estava fora, na África. Assim como também não foi possível fazer sua via-crúcis até Pontito. Disseram-lhe que o prefeito de Pescia e outras autoridades o esperavam naquele momento em Pontito e foi carregado para lá num carro em alta velocidade.

Terminada a cerimônia, Franco saiu sozinho e foi até a casa de sua infância. Sua primeira impressão: "Meu Deus, era tão pequena que eu tinha que me agachar para olhar pela minha janela. Vejo modificações no exterior — mas para mim não há mudança". Conforme andava pela cidade, ela parecia-lhe sinistramente quieta, deserta, "como se todos tivessem ido embora, como se a cidade fosse minha". Saboreou, por um tempo, essa sensação de que ela era sua, e em seguida teve o sentimento de uma grave perda: "Senti falta das galinhas, das ferraduras dos burros. Como num sonho. Todos tinham ido embora. Você costumava ouvir muito barulho — as crianças subindo, as mulheres, os cascos dos burros. Tudo desapareceu". Ninguém o cumprimentou, ninguém o reconheceu, ninguém seria visto nas ruas durante esse primeiro passeio. Não viu cortinas nas janelas, nem roupa estendida, não ouviu sons de vida vindo das casas vazias e fechadas. Cruzou apenas com gatos semidomesticados esgueirando-se pelas passagens. Foi crescendo nele o sentimento de que Pontito estava de fato morta — e de que ele era uma alma penada voltando para uma cidade-fantasma.

Vagou para além das casas, e para dentro das áreas que costumavam ser exuberantes com campos e pomares bem tratados. O solo estava seco e rachado por toda parte, completamente negligenciado e com uma vasta proliferação de parasitas e ervas daninhas. Agora, parecia-lhe que não apenas Pontito, mas a totalidade do empreendimento humano estivesse em ruínas. Pensou em suas próprias visões apocalípticas: "Um dia tudo isto estará poluído, com um crescimento descontrolado. Haverá uma guerra nuclear. Por isso, eu a colocarei no espaço, a fim de ser preservada para a eternidade".

Mas aí, conforme o Sol surgia, a beleza absoluta da paisagem lhe tirou o fôlego: "Não posso acreditar, é tão bonito". Ali, erguendo-se em etapas sobre a montanha, estava Pontito, a sua Pontito, toda verde e dourada, com a torre da igreja no cume reluzindo agora ao sol do amanhecer — *sua* igreja, sem qualquer modificação. "Subi na torre. Toquei as pedras. Para mim é como se tivessem mil anos. Todas as diferentes cores — o cobre, o verde." Ao tocar as pedras, ao esfregá-las, acariciá-las, Franco colocou os pés no chão, voltou a sentir que Pontito era real. As pedras sempre tiveram um papel crucial em suas pinturas; são retratadas com a máxima exatidão — cada sombra, cada cor, cada convexidade ou rachadura, carinhosamente repisadas e delineadas. Há uma extraordinária qualidade tátil ou cinestésica nas pedras de Franco. Ao tocá-las, a realidade do "retorno ao lar" ressurgiu, e pela primeira vez desde sua chegada ele começou a se rejubilar. As pedras, pelo menos, não tinham mudado. Nem a igreja, os prédios ou as ruas. Sua aparência, pelo menos, continuava a mesma. E agora os aldeões, muitos deles parentes, saíram de suas casas, cumprimentando-o animadamente, bombardeando-o com perguntas. Todos estavam orgulhosos dele: "Vimos suas pinturas, temos ouvido falar de você — você vai voltar para a gente agora?". Sentiu-se como o filho pródigo. Mais tarde, ele diria que este tinha sido um dos pontos altos da viagem: "Quando era pequeno, em Pontito, eu pensava: um dia vou crescer, fazer alguma coisa, ser alguém, para a minha *madre*. Mostrar às pessoas em Pontito. Depois que meu pai morreu, eu não tinha sapatos, não tinha nem um tostão. Éramos desprezados".

Sua fantasia de infância estava se tornando realidade: Franco tinha realizado algo, se tornado alguém, e agora as pessoas — não apenas nos Estados Unidos ou na Itália, mas sua própria gente, os pontitianos — o amavam e admiravam. Foi tomado por um sentimento afetuoso pelas pessoas — "minha gente". Elas não podiam se lembrar do passado como ele — suas memórias não tinham o poder da dele ou foram atualizadas, apagando o passado. Isso ficava claro sempre que falava com elas. Nesses momentos, ele servia de arquivo para elas, era suas memórias: "Trago a memória de volta a essa gente". Mais tarde, disse ao prefeito: "Vou construir uma galeria, um pequeno museu, algo que traga as pessoas de volta à cidade".

Aparentemente, voltar a Pontito não foi uma experiência tão forte como na sua expectativa — não houve revelações místicas, nenhum êxtase no alto da montanha —, mas também não caiu morto, envenenado pela água ou após um ataque cardíaco, o que também havia imaginado com bastante ênfase. Foi só ao ir embora que realmente sentiu o impacto.

De volta a San Francisco, entrou em crise. Primeiro, houve uma confusão sensória esmagadora: parecia ver duas imagens de Pontito — dois "noticiários", como dizia — passando simultaneamente em sua cabeça, com a mais recente, a nova, tendendo a apagar a antiga. Não podia fazer nada para pôr um fim a esse conflito perceptivo, e quando tentou pintar Pontito descobriu que não mais sabia fazê-lo: "Fiquei confuso, vendo essas duas imagens de uma só vez", ele me disse. "Pensei que ia pintar Pontito como ela era, mas a 'vejo' como ela é agora. Pensei que ia enlouquecer. O que eu podia fazer? Talvez nunca mais pudesse pintar Pontito. Fiquei apavorado. Meu Deus, agora — começar tudo de novo?... Levei dez dias para voltar ao normal."

Foram necessários dez dias para que as nítidas imagens alucinatórias da nova Pontito sumissem, deixassem de competir com as da velha Pontito; dez dias para que esse conflito meramente sensorial se resolvesse; e, quanto às suas emoções, estavam tão confusas que ele mal ousava pensar nelas. A esta altura, à beira do desespero, ele disse: "Quisera nunca ter voltado. Trabalho melhor com minha fantasia. Agora não consigo trabalhar". Passou-se um mês antes de voltar a desenhar Pontito. Esses novos desenhos e pinturas, de apenas alguns centímetros quadrados, estavam revestidos de uma rara qualidade terna e íntima: esconderijos, cantos onde um menino podia se esconder, onde teria sentado e sonhado quando criança. Essas pequenas cenas, ainda que não contassem com a figura humana, passavam um sentimento intensamente humano, como se seus ocupantes tivessem acabado de partir ou estivessem prestes a chegar — algo muito diferente das cenas idealizadas, embora desertas, que costumava pintar.

Reconsiderando a experiência, Franco sentiu que as três semanas que passou lá tinham sido um período tanto prazeroso como estafante, mas, num nível mais profundo, uma concessão, porque não tivera tempo para si — passara o tempo todo acompanhado e sendo entrevistado, ficando sem tempo para desenhar ou pensar. Sentia a necessidade de voltar uma segunda vez, para confrontar as questões mais profundas, ficar sozinho em Pontito.

Em março de 1991, houve uma segunda exposição das pinturas de Franco na Itália — dessa vez no Palazzo Medici-Riccardi, em Florença — e eu o acompanhei na ocasião. Ficou embaraçado com os esplêndidos ambientes, ao ver seus quadros em enormes salas palacianas. "Sinto-me como um intruso", disse. "Eles não combinam." Sentia que estavam, ele e suas pinturas, enraizados no campo montanhoso da Toscana, sentia-se incômodo na grandiosidade cosmopolita de Florença.

Na manhã seguinte, saímos para Pontito; pela primeira vez, veríamos a cidade juntos. Passamos pelo Duomo e o Batistério, no centro de Florença, o antigo hospital de crianças, o Innocenti, atravessando de carro o centro antigo milagrosamente preservado, intato e agora deserto, próximo ao amanhecer de um domingo. Franco, ao meu lado, estava embevecido, absorto em seus pensamentos.

Passamos pela estrada de Pistóia e seguimos na direção de Montecatini, com as encostas de ambos os lados pontilhadas por velhas cidades montanhesas. "Existe no fundo da mente de todo artista algo como um modelo ou um tipo de arquitetura", escreveu G. K. Chesterton. "É algo como a paisagem dos seus sonhos; o tipo de mundo que ele gostaria de construir ou no qual gostaria de vagar; a estranha flora e fauna de seu próprio planeta secreto." Para Auden, essa paisagem eram minas de pedra calcária e de chumbo; para Franco, essa velha, retorcida e inalterável paisagem toscana.

Um sinal alertando os motoristas sobre a neve me levou a perguntar a Franco se alguma vez já havia nevado em Pontito, ou se alguma vez havia pintado uma Pontito coberta de neve. Sim, havia neve, ele disse, e certa vez chegou a iniciar uma paisagem de inverno, mas quase todas as suas telas eram de Pontito *in primavera*.

Ao chegarmos a Pescia, ao pé da montanha, embaixo de Pontito, Franco reconheceu locais e pessoas: a loja onde costumava comprar tintas quarenta anos atrás; um bar subterrâneo. Muito pouco havia mudado nessa cidade lenta. Reconheceu o carteiro dos anos 40: abraçaram-se na rua. Todo mundo era receptivo; havia sorrisos por toda parte para o filho pródigo que tornava à casa mais uma vez. Fomos até a prefeitura, onde Franco havia recebido as honras da cidade durante sua primeira visita. Um profeta era homenageado agora em sua própria terra. Isso lhe agradava, essa fama local; seu lugar era ali, e não em Florença.

A partir de Pescia, a estrada fica estreita e íngreme. Seguimos serpenteando morro acima em segunda, depois de termos quase caído numa vala na primeira curva, passando Pietrabuona, uma cidade cujo nome vem da qualidade de sua pedra, com a igreja e os prédios mais antigos encarapitados no monte mais alto. Passamos por suas escarpas em níveis, suavemente iluminadas, com oliveiras nodosas e vinhas; esses terraços eram antigos, remontando aos tempos etruscos. Continuamos sinuosamente por vários pequenos vilarejos — Castelvecchio, Stiappa, San Quirico. Por fim, após mais uma curva, tivemos nossa primeira vista de Pontito. "Meu Deus, veja isto!", Franco exclamou, para dentro. "Jesus Cristo! Posso ver minha casa. Não, não posso... Essa vegetação daninha é ruim, parasitas por todo lado. Antigamente, eram cerejeiras, pereiras, pomares. Castanheiros, trigo, milho, lentilhas." Ele me contou como, quando moço, esguio e com pernas compridas, costumava galgar de um vilarejo ao outro. Quando nos aproximamos de Pontito, seus olhos ficaram úmidos. Olhava fixamente e murmurava para si mesmo conforme íamos passando. "Esta é a ponte, o rio onde lavávamos as roupas. Continuando por esse caminho aqui, as mulheres caminhavam com seus cestos na cabeça."

Paramos o carro e Franco pulou para fora, cada vez vendo e se lembrando de mais detalhes. E, ao lado dessa memória puramente topográfica, havia também uma cultural. Descrevia como os aldeões colhiam cânhamo e o imergiam no rio por um ano, ancorado em pedras, para depois tirá-lo, secá-lo e tecê-lo em panos para lençóis e toalhas, ou para sacos de castanhas: toda uma indústria local, uma tradição praticamente esquecida por todos, à exceção de Franco. De repente, indignado com a vegetação recente obstruindo o caminho, ele a arrancou em amplas braçadas. Irritado com um prédio novo, contava-me exatamente como era antes: "Havia uma grande rocha ali, a água passava por aqui". Não havia dúvida de que cada pedra, cada centímetro, estava gravada em sua memória.

"*Come sta?*" Subindo a rua calçada e íngreme, Franco cumprimentou um homem de meia-idade, robusto e de casaco verde. ("O pai dele nos dava balas.") Franco tinha uma memória declamatória, mas o trivial e o momentoso, o pessoal e o mítico estavam indiscriminadamente misturados. Ele parou em frente à casa onde nascera sua mãe.

"Sabatoni!"

"Franco!" Surgiu um velho. ("É o meu tio.") "Você esteve na América. O que o traz de volta? Ouvi dizer que havia uma exposição em Florença." O velho comentou que os castanheiros estavam secando. Esquecia-se dos detalhes, mas Franco não. O velho salientou que as quatro casas vizinhas à sua, tão animadas no passado, agora estavam vazias. "Quando eu morrer, esta aqui também vai ficar vazia."

Visitamos a irmã de Franco, Caterina. Ela e o marido tinham se recolhido em Pontito, e Franco ficou angustiado ao vê-la com uma aparência mais velha do que a que tinha na cabeça. Caterina nos serviu um magnífico almoço toscano — queijo, pão, azeitonas, vinho, tomates em conserva de sua horta — e em seguida Franco me levou para conhecer a igreja. Era um belo local, no alto do morro, com a vista do resto do vilarejo. No cemitério, indicou os túmulos da mãe, do pai, deste e daquele parente. "Tem mais gente enterrada que na cidade", disse suavemente. Franco tinha planos de ficar em Pontito por mais três semanas, desenhando tranqüilamente. Ele disse: "Vou plantar minhas raízes aqui de volta". Mas, ao partir, minha última imagem foi a de Franco de pé no cemitério, olhando para a cidade despovoada, sozinho.

As três semanas de Franco em Pontito pareceram recarregá-lo; ao menos, não pára de trabalhar desde que voltou. Sua garagem-ateliê está pululando de vida. Há quadros por toda parte, antigos e novos — estes últimos, baseados em desenhos que fez em março, e os primeiros, iniciados em 1987, mas abandonados inacabados com a morte de Ruth e retomados agora com uma explosão de decisão e energia renovadas.

Ver Franco novamente trabalhando, com seu ímpeto renovado de uma energia rememorativa e criativa, levanta mais uma vez todas as questões que tinham sido abordadas em relação a seu empreendimento singular, o *sentido* de Pontito para ele. Suas "novas" pinturas não são realmente novas — podem acrescentar o novo aqui e ali (uma cerca, um portão, uma nova árvore talvez), mas permanecem essencialmente as mesmas. Seu projeto, num sentido fundamental, continua idêntico. Quando visitei Franco no verão passado, vi um par de tênis pendurados nos caibros de sua garagem, com uma nota amarrada a eles, dizendo, em italiano e numa caligrafia elaborada: "Com estes tênis, depois de 34 anos, pisei pela primeira vez no que havia sido a Terra Prometida". Agora, que pisou lá, ela perdeu parte do seu glamour, de sua promessa. "Às vezes gostaria de nunca ter voltado", disse ao me ver olhando os tênis. "A fantasia e a memória são o que há de mais belo." E então acrescentou, pensativo: "A arte é como o sonho".

Ver a atual realidade de Pontito foi muito perturbador para Franco, embora tenha conseguido se recuperar do descarrilamento que isso causou. Mas ficou com a sensação reforçada de que a Pontito de aqui e agora é uma ameaça à sua própria visão e que deve evitar maiores contatos com ela. Houve muitos convites posteriores, mas ele não voltou, nem para uma exposição de seu trabalho nas ruas da cidade. Outros artistas agora estão acorrendo em bandos para Pontito, mas para eles ela é apenas mais uma charmosa cidadezinha no alto de um morro da Toscana. Franco, fugindo de tudo isso, voltou à sua garagem e ao projeto que o ocupou durante 29 anos. É um projeto sem fim, que não pode chegar a uma conclusão ou ser completado, e por vezes tem-se a impressão de que agora ele pinta numa espécie de frenesi, mal terminando uma tela e já se atirando a outra. Também está experimentando outras formas de representação: modelos de Pontito em papel-cartão, que ele molda com seus dedos longos e ágeis, e vídeos de suas pinturas (acompanhados de música) para estimular um passeio pela cidade. Está fascinado com a idéia de simulações computadorizadas de Pontito e de poder usar um capacete e luvas não só para vê-la, mas também para *tocá-la* em sua realidade virtual.

Quando o conheci, Franco era apresentado como "Um Artista da Memória", sugerindo sua afinidade com Proust, "o poeta da memória". No começo, achei que havia de fato uma semelhança — ambos, como homens e artistas, retirando-se do mundo para recapturar o mundo perdido da infância. Mas vê-se agora, cada vez mais com o passar dos anos, como o projeto de Franco difere totalmente do de Proust. Proust também era assombrado pelo passado perdido, esquecido, e sua busca era por descobrir se a porta de acesso a ele podia ser aberta. Ao alcançar tal objetivo, em parte graças às "memórias involuntárias", em parte por um vasto esforço intelectual, o trabalho chegava ao seu acabamento e conclusão (um acabamento ao mesmo tempo psicológico e artístico).

Mas isso não é possível com Franco, que em vez de conseguir penetrar o âmago, o "sentido", de Pontito, faz uma vasta, infinita mesmo, enumeração de todos os seus aspectos externos — seus prédios, ruas, pedras, sua topografia —, como se pudessem compensar pelo vazio humano interior. Ele tem certa consciência disso, embora ao mesmo tempo não tenha, e de qualquer jeito não tenha escolha. Não tem tempo nem capacidade para a introspecção, não tem nenhum gosto por ela, e deve suspeitar que, efetivamente, ela pode ser fatal à sua arte.

Franco acredita ter vinte, trinta anos de trabalho pela frente, já que as mil e tantas pinturas que fez desde 1970 cobrem apenas uma parte da realidade que procura retratar. Precisa ter pinturas, ou simulações, de cada detalhe, de cada ponto de vista — do vilarejo ao longe, quando se vem pela estrada de Pistóia, até os menores detalhes das pedras liquenáceas da igreja. Ele imagina o prédio de um museu com a vista da cidade diante de si, em que seria alocado um vasto arquivo de Pontito, a sua Pontito — os milhares de quadros que pintou e os outros milhares que ainda pretende pintar. Será o ápice de sua obra, e a redenção de sua promessa à mãe: "Hei de criá-la de novo para você".

PRODÍGIOS

O *OBSERVER* DE FAYETTEVILLE DE 19 DE MAIO DE 1862 trazia uma carta incomum de seu correspondente Long Grabs, acampado em Camp Mangum:

> O preto cego Tom tem se apresentado aqui com casa cheia. É sem dúvida um milagre. [...] Parece com qualquer garoto preto de treze anos e é completamente cego e idiota em tudo, menos no que diz respeito à música, linguagem, imitação e talvez à memória. Nunca estudou música ou recebeu qualquer tipo de educação. Aprendeu a tocar piano ouvindo os outros, aprende letras e melodias de ouvido e é capaz de tocar qualquer coisa na primeira tentativa tão bem quanto o melhor dos instrumentistas. [...] Um de seus feitos mais notáveis foi a execução de três peças musicais de uma só vez. Tocou "Fisher's hornpipe" com uma mão, "Yankee doodle" com a outra e cantou "Dixie" ao mesmo tempo. Também tocou uma música de costas para o piano e com as mãos invertidas. Toca muitas composições próprias — uma delas, "Battle of Manassas", pode ser classificada de pitoresca e sublime, verdadeira obra de um gênio musical cego, apoiado apenas em seus próprios esforços. [...] Este pobre menino cego tem a infelicidade de possuir muito pouco da natureza humana; parece agir inconscientemente quando é levado a se apresentar, e sua mente lembra um receptáculo vazio onde a natureza guarda suas jóias para convocá-las ao seu bel-prazer.

Conhecemos mais do Cego Tom lendo Edouard Séguin, o médico francês cujo livro de 1866, *Idiocy and its treatment by the psychological method*, continha muitas descrições perspicazes de indivíduos mais tarde denominados *idiots savants*; e um descendente intelectual de Séguin, Darold Treffert, cujo livro *Extraordinary people: understanding "idiot savants"* foi publicado em 1989. Nascido praticamente cego, 14º filho de um escravo, vendido a um coronel Bethune, Tom era desde a infância, escreve Treffert, "fascinado por sons de toda espécie — chuva no telhado, a debulha do milho, mas acima de tudo música —, escutava atentamente as filhas do coronel praticando suas sonatas e minuetos ao piano".

"Até os cinco ou seis anos", escreve Séguin, "não era capaz de falar, mal andava e não mostrava nenhum outro sinal de inteligência além da sede insaciável pela música. Já aos quatro anos, se o tirassem do canto onde ficava jogado e o sentassem ao piano, tocava belas melodias; já com suas pequenas mãos tendo dominado o teclado e seu ouvido extraordinário, todas as combinações de notas que ouvira". Aos seis anos, Tom começou a improvisar por conta própria. A fama do "gênio cego" se espalhou, e aos sete anos deu seu primeiro concerto — e prosseguiu até ganhar 100 mil dólares aos oito. Aos onze, tocou para o presidente Buchanan na Casa Branca. Um painel de músicos, desconfiados de que ele houvesse ludibriado o presidente, testou sua memória no dia seguinte, tocando duas composições completamente novas para ele, com treze e vinte páginas de duração — ele as reproduziu com perfeição e aparentemente sem o menor esforço.

Ao descrever Tom escutando uma nova música, Séguin acrescenta detalhes ainda mais eletrizantes a respeito de suas expressões, posturas e movimentos:

> [Ele] demonstra sua satisfação pela fisionomia, uma risada, a curvatura dos ombros, esfregando as mãos várias vezes, alternando com um progressivo balanço lateral do corpo e alguns sorrisos toscos. Assim que tem início a nova melodia, Tom fica numa postura ridícula [com uma perna esticada, enquanto faz lentas piruetas com a outra] [...] longas rotações [...] ornamentadas por movimentos espasmódicos das mãos.

Embora Tom fosse freqüentemente chamado de idiota ou imbecil, tais posturas e estereótipos são mais característicos de autismo — mas o autismo só foi identificado nos anos 40 do século XX, e não era uma palavra, nem mesmo um conceito, na década de 1860.

O autismo é obviamente um estado que sempre existiu, atingindo ocasionalmente indivíduos em todas as épocas e culturas. Sempre atraiu, na mente popular, uma atenção espantada, amedrontada ou perplexa (e talvez tenha engendrado figuras míticas ou arquetípicas — o alienígena, a criança roubada, enfeitiçada). Foi descrito em termos médicos, e quase simultaneamente, nos anos 40, por Leo Kanner em Baltimore e Hans Asperger em Viena. Ambos, independentemente, denominaram-no "autismo".

Os relatos de Kanner e Asperger eram em vários aspectos impressionantemente (e por vezes assombrosamente) semelhantes — um bom exemplo de sincronicidade histórica. Ambos enfatizavam o "isolamento", isolamento mental, como o traço fundamental do autismo; esta era, com efeito, a razão por chamarem-no de autismo. Nas palavras de Kanner, esse isolamento "sempre que possível despreza, ignora e exclui tudo o que vem para a criança do mundo externo". Essa falta de contato, segundo ele, dizia respeito apenas às pessoas; os objetos, por outro lado, podiam ser normalmente desfrutados. O outro traço característico do autismo, para Kanner, era "uma insistência obsessiva na repetitividade", mais simplesmente na forma de movimentos e barulhos repetitivos e estereotipados, ou estereotipias; em seguida, na adoção de elaborados rituais e rotinas; finalmente, no aparecimento de preocupações estranhas e estreitas — fixações e fascinações altamente direcionadas e intensas. O surgimento de tais fascinações e a adoção de tais rituais, em geral antes dos cinco anos, não seriam encontrados, segundo Kanner e Asperger, em nenhum outro estado. Asperger destacou outros traços impressionantes, salientando que eles não olham diretamente para as pessoas [...] parecem absorver as coisas com olhadelas breves e periféricas [...] [há] uma escassez de expressões faciais e gestos [...] a utilização da linguagem parece anormal, forçada [...] as crianças seguem seus próprios impulsos, a despeito das exigências do meio em que se encontram.

Talentos singulares, normalmente surgindo na mais tenra idade e se desenvolvendo numa velocidade surpreendente, aparecem em cerca de 10% dos autistas (e em menor número entre os retardados — embora muitos desses prodígios sejam tanto autistas como retardados). Um século antes do Cego Tom, houve Gottfried Mind, um "cretino imbecil" nascido em Berna, em 1768, e que, desde pequeno, mostrou um espantoso talento para o desenho. Segundo o clássico de A. F. Tredgold *Text-book of mental deficiency* (1908), ele tinha "uma tal faculdade prodigiosa para desenhar gatos que era conhecido como 'O Rafael dos Gatos'", mas também desenhava e fazia aquarelas de cervos, coelhos, ursos e grupos de crianças. Logo sua fama correu a Europa e um de seus quadros foi comprado por George IV.

Calculadores prodigiosos chamaram a atenção no século XVIII — Jedediah Buxton, um trabalhador simplório, tinha talvez a memória mais tenaz de todos eles. Quando lhe perguntaram quanto custaria ferrar um cavalo com 140 cravos se o preço fosse de um *farthing** para o primeiro cravo e em seguida dobrasse a cada cravo restante, ele chegou ao resultado (quase correto) de 725958096074907868531656993638851106 libras, 2 xelins e 8 *pence*. E então, quando lhe pediam para elevar esse número ao quadrado (isto é, 2^{139} ao quadrado), ele chegava (após dois meses e meio) a uma resposta de 78 dígitos. Embora alguns cálculos de Buxton levassem semanas ou meses, ele era capaz de trabalhar, entabular conversas, viver sua vida normalmente, enquanto os fazia. Os cálculos prodigiosos se faziam quase que au-

---

* Um quarto de *penny* (N. T.)

tomaticamente, despejando seus resultados na consciência somente depois de terminados.

Crianças-prodígios não são, é óbvio, necessariamente retardadas ou autistas — também existiram calculadores itinerantes com inteligências normais. Um deles foi George Parker Bidder, que fez apresentações na Inglaterra e na Escócia na infância e na juventude. Podia determinar mentalmente o logaritmo de qualquer número de sete ou oito casas e, aparentemente por intuição, adivinhar todos os fatores de qualquer número grande. Bidder manteve seus poderes ao longo da vida (de fato lhe foram de grande utilidade em sua profissão de engenheiro) e tentou com freqüência esboçar o procedimento pelo qual calculava. Nisso, porém, foi malsucedido; conseguia dizer apenas, sobre seus resultados, que "eles parecem emergir com a rapidez de um relâmpago" em sua cabeça, mas que suas operações efetivas lhe eram em grande parte inacessíveis.[1] Seu filho, também dotado intelectualmente, foi como ele um calculador nato, embora não tão prodigioso.

Além dessas áreas principais de perícia intelectual, alguns desses *savants* têm capacidades verbais assombrosas — a última coisa que se espera num indivíduo intelectualmente deficiente. Assim, existem alguns que, aos dois anos de idade, são capazes de ler livros e jornais com a mais extrema facilidade, mas sem o menor entendimento (sua proficiência, sua decodificação, é inteiramente fonológica e sintática, sem qualquer noção de sentido).

Quase todos esses *savants* têm poderes prodigiosos de memória. O dr. J. Langdon Down, um dos maiores observadores nesse domínio, que criou o termo *idiot savant* em 1887, notou que "a memória extraordinária estava muitas vezes associada a deficiências muito grandes do poder de raciocínio". Ele diz ter dado a um de seus pacientes *Declínio e a queda do Império Romano*, de Gibbon. O paciente leu o livro inteiro e o gravou na memória com uma única leitura. Mas pulou uma linha em uma das páginas, um erro que detectou e corrigiu imediatamente. "Desde então", relata-nos Down, "quando recitava de cor os majestosos períodos de Gibbon, ele, ao chegar à terceira página, pulava a linha e voltava para corrigir o erro com tanta regularidade que aquilo parecia fazer parte do próprio texto". Martin A., um desses *savants* sobre quem escrevi em "A enciclopédia ambulante", podia recordar na totalidade os nove volumes do *Dictionary of music and musicians* (1954), de Grove. O texto lhe havia sido lido pelo pai, e era "repassado" com a voz do pai.

Há uma grande variedade de habilidades menores desses *savants*, freqüentemente descritas por médicos como Down e Tredgold, que atendiam em instituições para os "deficientes mentais". Tredgold cita J. H. Pullen, "o gênio do asilo de Earlswood", que por mais de cinqüenta anos construiu modelos extremamente intricados de navios e máquinas, assim como uma guilhotina bastante real, que por pouco não matou um de seus acompanhantes. Tredgold escreve sobre outro *savant* retardado que "sacava" um mecanismo complexo como um relógio e o desmontava e remontava com a maior rapidez, sem qualquer instrução prévia. Mais recentemente, os médicos têm descrito *idiot savants* como dotados de extraordinárias capacidades físicas, capazes de desempenhar movimentos acrobáticos e façanhas atléticas com a maior facilidade — e isso sem qualquer treino anterior. (Nos anos 60, eu mesmo vi, numa enfermaria, um desses *savants* — ele me havia sido descrito como "um Nijinski idiota").[2]

Enquanto, no início, os observadores médicos conceberam por vezes essas capacidades dos *savants* como a hipertrofia de uma única faculdade mental, não fazia muito sentido que os talentos excepcionais produzissem mais que um interesse anedótico. Uma exceção nesse ponto foi o excêntrico psicólogo F. W. H. Myers, que, em seu formidável livro da virada do século XIX para o XX, *Human personality*, tentou analisar os processos pelos quais os calculadores prodigiosos chegavam a seus resultados. Era incapaz de fazê-lo, tanto quanto os próprios calculadores, mas acreditava que um processo de mentalização ou computação "subliminar" entrava em ação, despejando seus resultados na consciência assim que terminado. Seus métodos de cálculo pareciam — à diferença dos métodos de fórmulas e tabuadas ensinados em cartilhas e escolas — idiossincráticos e pessoais, alcançados por cada calculador por meio de vias individuais. Myers foi um dos primeiros a escrever sobre os processos cognitivos inconscientes ou pré-conscientes e a antever que um entendimento dos *idiot savants* e de seus dons podia abrir não apenas para um entendimento geral da natureza da inteligência e do talento, mas para um vasto território que hoje chamamos de o inconsciente cognitivo.

Nos anos 40, quando o autismo foi definido pela primeira vez, tornou-se evidente que a maioria dos *idiot savants* eram na verdade autistas e que a incidência de "savantismo" entre estes — quase 10% — era praticamente duzentas vezes maior que na população de retardados e milhares de vezes maior que no resto dos homens. Além disso, tornou-se claro que muitos *savants* autistas tinham múltiplos talentos — musicais, mnemônicos, visuais e gráficos, de cálculo, e assim por diante.

Em 1977, a psicóloga Lorna Selfe publicou *Nadia: a case of extraordinary drawing ability in an autistic child*. Nadia começou a desenhar repentinamente aos três anos e meio, representando cavalos, e mais tarde uma variedade de outros temas, de uma maneira que os psicólogos consideraram "não ser possível". Seus desenhos, segundo eles, eram qualitativamente diferentes dos de outras crianças: ela tinha um senso de espaço, uma capacidade de retratar as aparências e sombras, um senso de perspectiva que a criança normal mais talentosa só poderia desenvolver com o triplo de sua idade. Vivia experimentando diferentes ângulos e perspectivas. Enquanto as crianças normais atravessam uma seqüência de desenvolvimento, passando de rabiscos casuais a formas esquemáticas e geométricas e em seguida a figuras "larvais", Nadia parecia ter pulado tudo isso, indo direto para desenhos figurativos altamente reconhecíveis e detalhados. O desenvolvimento do desenho na criança, como era visto na época, equiparava-se ao desenvolvimento das capacidades conceituais e de linguagem; mas Nadia, ao que parecia, apenas desenhava o que via, sem a necessidade habitual de "entendê-lo" ou "interpretá-lo". Ela não apenas apresentava imensos talentos gráficos, uma precocidade sem precedentes, mas desenhava de uma maneira que atestava um modo completamente diferente de percepção e intelecção.[3]

O caso de Nadia — tratado em extensão monográfica e minuciosamente documentado — provocou grande ebulição nas comunidades neurológicas e psicológicas e chamou de repente uma atenção tardia para os talentos *savants* e a natureza dos talentos e das capacidades especiais em geral. Onde, por um século ou mais, neurologistas tinham confinado suas atenções a deficiências e colapsos da função neural, havia agora um movimento na direção contrária, para a exploração da estrutura dessas capacidades, ou talentos, intensificadas e sua base biológica no cérebro. Nisto, os *idiots savants* forneciam oportunidades únicas, já que pareciam apresentar uma vasta gama de talentos inatos — expressões nuas e cruas do biológico: muito menos dependentes ou influenciadas por fatores ambientais ou culturais que os talentos das pessoas "normais".

Em junho de 1987, recebi um grande pacote de um editor inglês. Estava cheio de desenhos, desenhos que me deram o maior prazer, porque retratavam muitos dos lugares da minha infância em Londres: edifícios monumentais como a catedral de St. Paul, a St. Pancras Station, o Albert Hall, o Museu de História Natural; e outros, excêntricos, por vezes remotos, mas estimados e familiares, como o pagode em Kew Gardens. Eram muito precisos, mas nem um pouco mecânicos — ao contrário, estavam repletos de energia, espontaneidade, singularidade e vida.

No pacote, encontrei uma carta do editor: o artista, Stephen Wiltshire, era autista e mostrara capacidades *savants* desde pequeno. Seu *Alfabeto londrino*, uma série de 26 desenhos, foi feito quando tinha dez anos; um espantoso poço de elevador, com uma perspectiva vertiginosa, quando tinha oito. Um dos desenhos era uma cena imaginária da catedral de St. Paul envolvida em chamas durante o grande incêndio de Londres. Stephen não era apenas um *savant*, mas um prodígio. Sessenta dos seus desenhos, apenas uma fração do que havia feito, seriam publicados, segundo a carta; o artista tinha apenas treze anos.

Os desenhos de Stephen me lembraram, em vários aspectos,

os do meu paciente José — "O artista autista" que conheci e sobre quem escrevi anos antes —, com um talento e um olho extraordinários. Embora José e Stephen viessem de meios tão diferentes, a semelhança de seus desenhos era assombrosa, a ponto de me levar a perguntar se não existiriam uma forma de percepção e uma arte especificamente "autistas". Só que José, apesar de seus grandes talentos (talvez não tanto como os de Stephen, mas ainda assim absolutamente notáveis), definhava num hospital psiquiátrico público; Stephen, de certa forma, tivera mais sorte.

Poucas semanas depois, visitando parentes e amigos na Inglaterra, mencionei os desenhos de Stephen para o meu irmão, David, clínico geral no noroeste de Londres. "Stephen Wiltshire!", ele exclamou, bastante surpreso. "Ele é meu paciente — conheço Stephen desde que ele tinha três anos."

David me contou um pouco da história de Stephen. Nascera em Londres, em abril de 1974, e era o segundo filho de um funcionário de trânsito, oriundo das Índias Ocidentais, e de sua mulher. À diferença de sua irmã mais velha, Anette, nascida dois anos antes, Stephen mostrou certo atraso nas etapas motoras da vida infantil — sentar, ficar de pé, controlar as mãos, andar — e uma resistência a ficar no colo. No segundo e no terceiro ano de vida, surgiram outros problemas. Não brincava com outras crianças e costumava berrar ou se esconder num canto quando se aproximavam. Não olhava nos olhos de seus pais ou de quem quer que fosse. Por vezes, parecia surdo em relação às vozes das pessoas, embora sua audição fosse normal (e o trovão o aterrorizasse). Talvez o mais inquietante fosse ele não usar a linguagem; era praticamente mudo.

Pouco antes de seu terceiro aniversário, seu pai morreu num acidente de moto. Stephen era bastante ligado a ele e ficou muito mais perturbado após sua morte. Passou a gritar, balançando e batendo as mãos, e perdeu o pouco da linguagem que tinha. A essa altura, o diagnóstico de autismo infantil já havia sido feito, assim como os acertos para que freqüentasse uma escola especial para crianças com deficiências de desenvolvimento. Lorraine Cole, a diretora de Queensmill, observou que Stephen era muito distante quando entrou para a escola, aos quatro anos. Parecia não ter consciência das outras pessoas e não mostrava qualquer interesse pelo que o cercava. Simplesmente vagava sem objetivo e eventualmente saía correndo da sala. Assim escreve Cole:

> Ele não tinha praticamente nenhum entendimento ou interesse pelo uso da linguagem. As outras pessoas aparentemente não faziam qualquer sentido para ele, a não ser para satisfazer alguma necessidade imediata e não verbalizada; ele as usava como objetos. Não podia tolerar a frustração ou mudanças na rotina ou no meio, e reagia a todas elas com urros irados e desesperados. Não tinha o menor espírito de brincadeira, nem uma noção normal do perigo, e mostrava pouca motivação para empreender qualquer atividade além de rabiscar.

Posteriormente ela me escreveu: "Stephen subia numa bicicleta, pedalava furiosamente, depois se atirava dela, uivando com risadas e por vezes gritando".

Nessa mesma época surgiu o primeiro sinal de seu talento e preocupação visual. Era fascinado por sombras, formas, ângulos e, quando fez cinco anos, também por imagens. Corria "de repente para outras salas, onde ficava olhando atentamente para imagens que o fascinavam", escreve Cole. "Pegava lápis e papel e ficava rabiscando, absorto, por longos períodos."

Os "rabiscos" de Stephen eram em grande parte de carros e eventualmente de animais e gente. Lorraine Cole conta como ele fazia "caricaturas extremamente sagazes" de alguns professores. Mas seu interesse principal, sua fixação, que se desenvolveu quando tinha sete anos, era desenhar edifícios — prédios que tinha visto em Londres durante excursões com a escola ou na televisão e em revistas. A razão por que desenvolveu esse interesse e essa preocupação específicos, tão intensos e exclusivos que agora não tinha mais vontade de desenhar nenhuma outra coisa, não era de todo clara. Essas fixações são extremamente comuns entre autistas. Jessy Park, uma artista autista, é obcecada por anomalias meteorológicas e constelações no céu noturno;[4] Shyoichiro Yamamura, um artista autista japonês, desenhava quase que exclusivamente insetos; e Jonny, um garoto autista descrito pela psicóloga pioneira Mira Rothenberg, por um tempo desenhava apenas lâmpadas elétricas, ou prédios e pessoas compostos por lâmpadas. Desde bem pequeno, Stephen esteve quase que exclusivamente ligado em edifícios — de preferência, de grandes proporções e complexidade — e também em vistas aéreas e extremidades de perspectivas. Teve outro interesse aos sete anos: era fascinado por calamidades súbitas e sobretudo por terremotos. Sempre que os desenhava, ou os via na televisão ou em revistas, ficava estranhamente agitado e superexcitado — nada mais o perturbava dessa maneira. Fica a dúvida se sua obsessão por terremotos (como as fantasias apocalípticas de alguns psicóticos) representava um sentido de sua própria instabilidade interior, que podia tentar dominar quando desenhava.

Quando Chris Marris, um jovem professor, veio para Queensmill em 1982, ficou pasmo com os desenhos de Stephen. Vinha dando aulas para crianças deficientes havia nove anos, mas nada do que tinha visto o preparara para Stephen. "Fiquei assombrado com este menininho, que sentava no seu próprio canto da sala e ficava desenhando", ele me disse. "Stephen costumava desenhar e desenhar e desenhar e desenhar — a escola o chamava de 'o desenhista'. E eram quase desenhos de adultos, como a catedral de St. Paul, a Tower Bridge e outras atrações de Londres, tremendamente detalhadas, enquanto outras crianças da sua idade desenhavam apenas figuras desenxabidas. Foi a sofisticação de seus desenhos, seu domínio da linha e da perspectiva que me espantaram — e tudo isso já estava lá quando ele tinha sete anos."

Stephen fazia parte de um grupo de seis na classe de Chris. "Ele sabia os nomes de todos os outros", Chris me contou, "mas não havia nenhum sentido de interação ou amizade com eles. Era um pequeno camarada completamente isolado." Mas seu talento inato era tão formidável, segundo Chris, que ele não precisava "aprender", no sentido habitual. Aparentemente, tinha desenvolvido por si próprio as técnicas do desenho e da perspectiva — ou as possuía de forma inata. Além disso, mostrava uma prodigiosa memória visual, que era capaz de apreender os edifícios mais complexos, ou paisagens urbanas, em poucos segundos, e guardá-los na cabeça nos mínimos detalhes — ao que parecia, indefinidamente e sem o menor esforço aparente. Os detalhes também não precisavam ser coerentes, ou estar integrados em uma estrutura convencional; entre os primeiros desenhos mais surpreendentes, na opinião de Chris, estavam os de cenas de demolições e terremotos, com vigas por toda parte, explodidas em todas as direções, tudo na mais completa e quase casual desordem. E contudo Stephen se lembrava dessas cenas e as desenhava com a mesma fidelidade e facilidade com que havia desenhado modelos clássicos. Era como se não fizesse diferença se desenhava a partir da realidade ou de imagens em sua memória. Não precisava de nenhum lembrete, nenhum esboço ou notas — uma única olhadela de soslaio, por apenas alguns segundos, era suficiente.

Stephen também apresentava capacidades em outras esferas, além da visual. Era muito bom em mímica, antes mesmo de que pudesse falar. Tinha uma memória excelente para canções, que reproduzia com grande precisão. Podia copiar qualquer movimento com perfeição. Assim, aos oito anos, Stephen mostrava uma capacidade de apreender, guardar e reproduzir os modelos visuais, auditivos, motores e verbais mais complexos, aparentemente sem levar em conta seu contexto, importância ou sentido.

É característico da memória *savant* (em qualquer esfera — visual, musical, léxica) ser prodigiosamente retentiva de particulares. O grande e o pequeno, o trivial e o momentoso podem ser indiferenciadamente misturados, sem qualquer sentido de proeminência, de contraste entre primeiro plano e plano de fundo. Há pouca disposição de generalizar a partir desses particulares ou de integrá-los uns aos outros, num procedimento causal ou histórico, ou com o eu. Nessa memória há a tendência a uma inamovível conexão de cena e tempo, conteúdo e contexto (a chamada memória episódica ou concreto-situacional) — daí os assombrosos poderes de uma recordação literal tão comuns entre os autistas *savants*, acompanhados por uma dificuldade de extrair os traços proeminentes dessas lembranças particulares para construir uma memória e um sentido gerais. Assim, os gêmeos *savants*, calculadores de calendário que descrevi em *O homem que confundiu sua mulher com um chapéu*, se por um lado eram capazes de listar cada acontecimento de suas vidas desde quando tinham aproximadamente quatro anos, por outro não conseguiam ver qualquer sentido em suas vidas, em mudanças históricas, como um todo. Tal estrutura de memória é profundamente diferente da normal e tem tanto forças como fraquezas extraordinárias. Jane Taylor McDonnell, autora de *News from the border: a mother's memoir of her autistic son*, diz sobre seu filho: "Paul não consegue passar num ritmo natural e ininterrupto do particular ao geral em sua experiência, como muitas pessoas (a maioria) fazem. Cada momento parece se destacar distintamente, e quase sem conexões com os outros, em sua mente. Por isso, nada parece se perder, ou ser recalcado, no processo". O mesmo ocorria, eu imaginava freqüentemente, com Stephen, cuja experiência de vida parecia consistir em momentos isolados e nítidos, desconectados entre si ou dele, e assim destituídos de qualquer continuidade ou desenvolvimento mais profundos.

Embora Stephen desenhasse incessantemente, não parecia demonstrar qualquer interesse pelos desenhos prontos, e Chris podia achá-los na cesta de lixo ou simplesmente abandonados sobre uma carteira. Stephen não parecia se concentrar em seu tema nem enquanto o desenhava. "Certa vez", Chris me relatou, "Stephen estava sentado em frente ao Albert Memorial: estava fazendo um desenho fabuloso dele, mas ao mesmo tempo olhava para todos os lados — para os ônibus, o Albert Hall, qualquer coisa."

Embora não achasse que Stephen precisasse "aprender", Chris dedicou-se ao máximo a ele e seus desenhos, fornecendo-lhe modelos, encorajando-o. Nem sempre era fácil, porque Stephen não demonstrava muito sentimento pessoal. "De certa forma, ele se comunicava conosco, os adultos — dizia 'Oi, Chris' ou 'Oi, Jean'. Mas era difícil alcançá-lo, saber o que tinha em mente." Parecia não entender diversas emoções e ria quando alguma das crianças tinha um acesso de raiva ou gritava. (O próprio Stephen raramente tinha dessas crises na escola, mas, quando pequeno, às vezes as tinha em casa.)

Chris foi uma figura central na vida de Stephen entre 1982 e 1986. Com freqüência, levava-o, junto com sua classe, em excursões por Londres, para ver a catedral de St. Paul, dar comida aos pombos em Trafalgar Square, ver a Tower Bridge ser levantada e abaixada. Essas excursões finalmente incitaram Stephen às palavras aos nove anos. Reconhecia todos os prédios e lugares por onde passavam, no ônibus da escola, e gritava seus nomes na maior excitação. (Aos seis anos, ensinaram-lhe a pedir "papel" quando precisasse — por anos não soubera como pedir o que quer que fosse, nem mesmo gesticulando ou apontando. Esta, portanto, foi não apenas uma de suas primeiras palavras, mas a primeira vez que entendeu como usar palavras para se dirigir aos outros, o uso social da linguagem, algo alcançado normalmente no segundo ano de vida.)

Temia-se que, se passasse a usar a linguagem, Stephen pudesse perder seus assombrosos talentos visuais, como acontecera, talvez por coincidência, com Nadia. Mas tanto Chris como Lorraine Cole achavam que tinham que fazer o máximo para enriquecer a vida de Stephen, para trazê-lo de seu isolamento sem palavras para um mundo de interação e da linguagem. Esforçaram-se por tornar a linguagem mais interessante e relevante para Stephen, associando-a a prédios e lugares que ele amava, e o levaram a desenhar toda uma série de edifícios baseada nas letras do alfabeto ("A" de Albert Hall, "B" do Palácio de Buckingham, "C" de County Hall e assim por diante, até "Z", de Zoológico de Londres).

Chris se perguntava se os outros achariam os desenhos de Stephen tão extraordinários quanto ele achava. No começo de 1986, inscreveu dois deles na National Children's Art Exhibition; ambos foram expostos e um deles, premiado. Por essa época, Chris também procurou a opinião de especialistas sobre as capacidades de Stephen, com Beate Hermelin e Neil O'Connor, psicólogos conhecidos por seu trabalho com autistas *savants*. Acharam Stephen um dos *savants* mais talentosos que já haviam examinado, imensamente capaz tanto no reconhecimento visual como em desenhar a partir da memória. Por outro lado, saiu-se mal em testes de inteligência geral, alcançando um QI verbal de apenas 52.

A fama dos talentos extraordinários de Stephen começou a se espalhar e foram feitos contatos para filmá-lo como parte de um programa da BBC sobre *savants*, intitulado "The foolish wise ones". Stephen se mostrou muito calmo durante as filmagens, nem um pouco intimidado pelas câmeras e pela equipe — possivelmente até gostando um pouco de tudo aquilo. Pediram-lhe para desenhar a St. Pancras Station ("um prédio tipicamente 'stepheniano'", como enfatizava Lorraine Cole, "elaborado, detalhado e incrivelmente complicado"). A exatidão de seu desenho é confirmada por uma fotografia tirada na época. (Há, no entanto, um erro curioso: Stephen desenhou o relógio e todo o alto do edifício invertidos, como se refletidos num espelho.) Sua precisão era assombrosa, assim como a velocidade com que desenhava, a economia da linha, o charme e o estilo dos desenhos — foi o que ganhou o coração do público. O programa da BBC foi ao ar em fevereiro de 1987 e despertou uma tempestade de interesse — choviam cartas, perguntando onde podiam ser vistos os desenhos de Stephen, e editores fizeram ofertas. Logo uma coletânea de seu trabalho, que seria simplesmente chamada *Drawings* [Desenhos], foi listada para publicação; e eram dela as provas que recebi em junho de 1987.

Com apenas treze anos, Stephen agora era famoso por toda a Inglaterra — mas mais autista, mais incapacitado, do que nunca. Podia desenhar, com a maior facilidade, qualquer rua que tivesse visto; mas não podia, sem ajuda, atravessá-la sozinho. Podia ver Londres inteira na imaginação, mas os aspectos humanos da cidade lhe eram ininteligíveis. Não conseguia manter uma conversa de verdade com ninguém, embora cada vez mais mostrasse uma espécie de conduta pseudo-social, falando com estranhos de uma maneira indiscriminada e esquisita.

Chris esteve fora por alguns meses, na Austrália, e ao voltar encontrou seu jovem aluno famoso — mas, segundo ele, sem qualquer alteração. "Sabia que tinha aparecido na TV, e que havia publicado um livro, mas não ficou entusiasmado, como ficaria qualquer criança. Não tinha sido afetado; era ainda o mesmo Stephen que conheci." Stephen não parecia ter sentido muitas saudades de Chris durante sua ausência, mas se mostrou alegre ao vê-lo de volta; disse "Oi, Chris!" com um grande sorriso no rosto.

Nada disso fazia muito sentido para mim. Aqui estava Stephen sendo exposto como um artista de peso — o antigo presidente da Royal Academy of Arts, sir Hugh Casson, chamou-o de "possivelmente o melhor artista mirim da Grã-Bretanha" —, mas Chris e outros, mesmo os mais simpáticos ao caso, pareciam vê-lo como alguém amplamente desprovido tanto de intelecto como de identidade. Os testes por que passou pareciam confirmar a gravidade de sua deficiência emocional e intelectual. Haveria nele, contudo, uma dimensão mental e pessoal, uma profundidade e sensibilidade, que pudesse emergir (pelo menos) em sua arte? Não seria a arte, em sua essência, uma expressão da visão pessoal, do eu? Será que alguém podia ser artista sem um "eu"? Todas essas questões ficaram na minha cabeça desde que vi pela primeira vez os desenhos de Stephen, e eu estava ansioso por conhecê-lo.

A ocasião surgiu em fevereiro de 1988, quando Stephen veio a Nova York, acompanhado por Chris, para fazer outro documentário para a televisão. Ficou uns dois dias na cidade, vendo e desenhando as vistas, e — sua maior vibração — voando de helicóptero. Pensei que gostaria de conhecer City Island, a pequena ilha à saída de Nova York onde moro, e o convidei a vir à minha casa. Ele e Chris chegaram no meio de uma tempestade de neve. Stephen era um menininho negro recatado e sério, embora com um lado travesso manifesto. Pareceu-me jovem, mais próximo de dez anos que de treze, com uma cabeça bem pequena, inclinada para o lado. Lembrou-me, de certa forma, as crianças autistas que eu havia visto antes, com um maneirismo ou tique de balançar a cabeça e uns movimentos esquisitos de bater as mãos. Nunca me encarava diretamente, mas parecia me olhar de relance, rapidamente, pelo canto dos olhos.

Perguntei-lhe o que estava achando de Nova York, e ele respondeu "Muito legal" com um carregado acento *cockney*. Não me lembro de ele ter dito mais muita coisa; ficava muito quieto, quase mudo. Mas sua linguagem tinha se desenvolvido bastante desde os primeiros tempos, e havia momentos, dizia Chris, em que ele se animava e quase tagarelava. Ficou muito excitado no avião — nunca tinha voado antes — e, segundo Chris, "conversou com a tripulação e outros passageiros, mostrando seu livro durante o vôo".[5]

Stephen queria me mostrar seus desenhos mais recentes, de Nova York — estavam todos numa pasta que Chris carregava —, e eu os admirei (em especial os aéreos que ele havia feito do helicóptero) quando os dispôs para mim. Ele balançava a cabeça enfaticamente ao expô-los, definindo alguns como "bons" e "legais". Parecia não ter nenhum sentimento nem de vaidade, nem de modéstia, mostrando-me os desenhos, e comentando-os, de uma forma ingênua e sem qualquer embaraço.

Após ele os ter mostrado, perguntei-lhe se desenharia algo para mim, minha casa talvez. Fez que sim com a cabeça e fomos para fora. Nevava, estava frio e úmido, não era um dia para ficar do lado de fora. Stephen conferiu um olhar rápido e indiferente à minha casa — mal parecia haver uma atitude de atenção —, em seguida passou os olhos pelo resto da rua e o mar ao fundo, e pediu para entrar. Quando pegou sua caneta e começou a desenhar, prendi o fôlego. "Não se preocupe", interrompeu Chris, "você pode falar aos brados se quiser. Não vai fazer a menor diferença — você não pode interrompê-lo —, ele poderia concentrar-se até se a casa estivesse caindo." Stephen não fez nenhum esboço ou delineamento, apenas começou num dos cantos do papel (tive a sensação de que podia ter começado em qualquer lugar) e foi avançando resoluto, como se transcrevesse uma visualização ou imagem interior persistente. Quando estava colocando a balaustrada da varanda, Chris notou: "Não vi nada disso lá".

"Não", disse Stephen, com uma expressão insinuante, "não, você não teria visto."

Ele não havia estudado a casa, não havia feito esboços, não a desenhou a partir da realidade, mas tinha, num rápido passar de olhos, apreendido tudo, extraído sua essência, visto cada detalhe, guardado tudo na memória, e em seguida, numa única linha veloz, desenhado. Eu não duvidava de que, se o deixássemos, podia ter desenhado a rua inteira.

O desenho de Stephen era exato em certos aspectos, mas tomava muitas liberdades em outros — deu à minha casa uma chaminé onde não havia, mas omitiu os três abetos na frente da casa, a cerca de madeira à sua volta e as casas vizinhas. Tinha se concentrado na casa à exclusão de tudo mais. Diz-se com freqüência que os *savants* têm memórias fotográficas ou eidéticas, mas ao fazer a fotocópia do desenho de Stephen pensei no quanto ele era *diferente* de uma máquina de xerox. Seus desenhos não se pareciam em nada com cópias ou fotografias, algo mecânico e impessoal — havia sempre acréscimos, subtrações, revisões e, é claro, o estilo inconfundível de Stephen. Eram figuras que nos mostravam algo dos processos neurais imensamente complexos e necessários para se criar uma imagem gráfica ou visual. Os desenhos de Stephen eram construções individuais, mas será que podiam ser vistos, num sentido mais profundo, como criações?

Seus desenhos (como os do meu paciente José) tinham uma proximidade da realidade, uma literalidade e uma ingenuidade. Clara Park, mãe de uma artista autista, chamou isso de uma "capacidade incomum de representar o objeto tal como percebido" (não *con*cebido). Ela escreve ainda sobre uma "capacidade incomum de representação retardada" como característica dos artistas *savants*; de fato, isso era muito impressionante em Stephen, que, após um simples passar de olhos num edifício, retinha-o sem esforços por dias ou semanas, e então o desenhava como se ainda estivesse diante dele.

Sir Hugh Casson escreveu em sua introdução a *Drawings*:

> À diferença da maioria das crianças, que costumam desenhar menos a partir da observação direta do que de símbolos ou imagens vistos em segunda mão, Stephen Wiltshire desenha exatamente o que vê — nem mais, nem menos.

Os artistas estão cheios de símbolos e imagens vistos em segunda mão e trazem para seus desenhos não apenas as convenções da representação adquiridas quando eram crianças, mas toda a história da arte ocidental. Pode ser necessário deixar tudo isso para trás, até mesmo a categoria primordial de "objeto". Como diz Monet,

> sempre que você sair para pintar, tente esquecer os objetos que tem à sua frente — uma árvore, uma casa, um campo ou qualquer outra coisa. [...] Pense apenas: aqui está um pedacinho de azul, aqui um retângulo de rosa, aqui um traço de amarelo, e os pinte assim como lhe parecem, a cor e a forma exatas, até lhe darem a sua própria impressão ingênua da cena à sua frente.

Mas Stephen (se Casson estiver correto) e José, e Nadia e outros *savants* talvez não precisem fazer essas "desconstruções", ou abrir mão desses constructos, porque (em vários níveis, do neural ao cultural) em primeiro lugar nunca os possuíram, ou os criaram com um alcance bem menor. Nesse sentido, sua situação é radicalmente diferente da dos "normais" — o que não significa que também não possam ser artistas.

Também comecei a me perguntar sobre os relacionamentos na vida de Stephen: qual sua importância, até que ponto se desenvolveram, diante de seu autismo (e da perda devastadora na infância). Sua relação com Chris Marris, talvez a mais importante durante os últimos cinco anos que passou em Queensmill, foi ameaçada quando, em julho de 1987, Stephen teve de deixar a escola e passar ao segundo grau. Por um tempo, Chris continuou vendo Stephen nos fins de semana, levando-o para desenhar em passeios por Londres, e mesmo acompanhando-o em suas primeiras viagens a Nova York e Paris. Mas em maio de 1989 essas expedições tiveram de acabar, e a Stephen parecia faltar a iniciativa de fazer grande parte de seus desenhos por conta própria. Parecia precisar de outra pessoa que o empurrasse, que "facilitasse" seu desenho. Não dava para saber se sentia falta de Chris ou lamentava sua perda de uma forma mais pessoal. Quando lhe falei posteriormente sobre Chris, respondia (sempre chamando-o de "Chris Marris" ou "senhor Marris") de uma maneira muito insípida e factual, sem qualquer emoção aparente. Uma criança normal teria ficado profundamente perturbada pela perda de alguém que lhe havia sido tão próximo por tantos anos, mas não havia qualquer sinal dessa aflição em Stephen. Perguntei-me se não estaria reprimindo sentimentos dolorosos, ou distanciando-se deles, mas nesse ponto não estava certo nem mesmo se, à sua maneira autística, ele tinha alguma emoção pessoal. Christopher Gillberg escreve sobre um autista de quinze anos cuja mãe morreu de câncer. Ao lhe perguntarem como estava, o menino respondeu: "Ah, eu estou bem. Você sabe, tenho síndrome de Asperger, o que me torna menos vulnerável que a maioria à perda das pessoas queridas". É claro que Stephen nunca teria sido capaz de articular seu estado interior dessa maneira, e contudo ficava a dúvida se tinha percebido a perda de Chris com algo da mesma indiferença do jovem paciente de Gillberg — e se tal indiferença não podia caracterizar a maioria dos relacionamentos humanos em sua vida.

Nesse vácuo irrompeu Margaret Hewson. Ela era a agente literária de Stephen desde o programa da BBC dois anos antes e havia desenvolvido um crescente interesse pessoal e artístico por ele. Eu a conheci em 1988, quando erramos por Londres, com Stephen, numa excursão de desenho. Margaret e Stephen, ficou claro para mim, davam-se muito bem. Stephen, embora talvez incapaz a essa altura de qualquer profundidade de sentimento ou desvelo, demonstrava fortes reações instintivas a diferentes pessoas. Tinha se afeiçoado a Margaret desde o início — atraído, eu creio, pela enorme energia e ímpeto, o clima de animação e movimento que ela parecia criar a sua volta e por seus sentimentos óbvios em relação a ele e a sua arte. Margaret parecia conhecer todo mundo e tinha estado por toda parte, e talvez isso tenha dado a Stephen o sentido de um mundo maior, de horizontes para além do estreito mundinho que havia confinado sua vida até então. Ainda por cima, Margaret era uma conhecedora de arte, um conhecimento que se estendia da história da arte a detalhes técnicos do desenho.

No outono de 1989, Margaret passou a receber encomendas de desenhos para Stephen e a sair com ele todo fim de semana para desenhar, acompanhada por seu marido e sócio na agência literária, Andrew. Na mesma hora, ela aboliu o uso do papel vegetal e de réguas (que ele havia empregado em alguns dos desenhos de seu segundo livro, *Cities*, publicado em 1989) e insistiu que desenhasse à mão livre e com tinta. "Só se pode aprender o valor de uma linha passando direto à tinta e cometendo erros", ela declarou. Sob o ímpeto e a direção de Margaret, Stephen voltou a desenhar regularmente e de uma forma mais arrojada do que nunca. (E, contudo, mesmo em *Cities* havia algumas extraordinárias improvisações à mão livre — cidades imaginárias, que Stephen concebera, combinando os traços de várias cidades reais.)

Após uma manhã de trajetos e desenhos, todos voltavam à casa dos Hewson para o almoço, de que também participava freqüentemente a filha Annie, apenas alguns anos mais velha que Stephen. Ele parecia ansiar por essas saídas e ficava excitado nas manhãs de domingo, esperando Margaret e Andrew irem buscá-lo. No que diz respeito a eles, sentiam uma afeição real por Stephen, mesmo não estando certos de que ele tivesse qualquer afeto por eles. Passaram a levá-lo eventualmente em excursões mais longas — uma ida a Salisbury, e dois fins de semana na Escócia.

O óbvio apego de Stephen aos efeitos visuais da água — morava perto de um canal em Londres e por vezes caminhava por suas margens com a mãe ou a irmã, fazendo pequenos desenhos de barcos e eclusas — sugeriu a Margaret o tema para um novo livro. Juntos, visitariam cidades construídas entre canais, "cidades flutuantes" — Veneza, Amsterdã e Leningrado —, para desenhá-las.

No final do outono de 1989, Margaret, num gesto impulsivo, telefonou para a sra. Wiltshire sugerindo que Stephen e sua irmã Annette os acompanhassem a Veneza no Natal. A viagem transcorreu extremamente bem. Stephen, agora com quinze anos, parecia enfrentar bem as indefinições próprias das viagens, que o teriam abalado alguns anos antes. Retratou, como Margaret esperava que o fizesse, a basílica de São Marcos, o Palácio dos Doges, os grandes monumentos da cultura veneziana, e obviamente se empolgou ao desenhá-los. Mas quando lhe perguntavam o que achava de Veneza, após uma semana nesse ponto alto da civilização européia, podia dizer simplesmente: "Prefiro Chicago" (e não por causa dos edifícios, mas pelos carros americanos — Stephen era apaixonado por eles e podia identificar, nomear e desenhar qualquer modelo do pós-guerra produzido nos Estados Unidos).

Poucas semanas depois, foi planejada sua viagem seguinte, para Amsterdã. Stephen concordou com a viagem por uma razão muito específica: tinha visto fotografias da cidade, e disse: "Prefiro Amsterdã a Veneza, porque tem *carros*". Mais uma vez, Stephen capturou perfeitamente o sentimento da cidade, dos seus desenhos formais da Westerkerk e da Begijnhof aos pequenos e charmosos esboços de uma estranha estátua com um realejo. Em Amsterdã, Stephen parecia muito animado, e no melhor dos humores, e começou a mostrar novos aspectos de si mesmo. Lorraine Cole, que tomava parte na viagem, ficou particularmente surpresa com as mudanças que viu:

> Quando era pequeno, não se divertia com nada. Agora, acha tudo engraçado e sua risada é incrivelmente contagiante. Voltou a fazer caricaturas das pessoas a sua volta, e tem o maior prazer em observar as reações de suas vítimas.

Certa noite em Amsterdã, quando Stephen devia dar uma entrevista num programa de televisão, Margaret sofreu uma grave crise de asma e teve de ficar no quarto do hotel. Stephen ficou muito abalado, recusou-se a ir ao programa de TV e a sair do pé da cama de Margaret. "Vou ficar ao seu lado até você melhorar", ele declarou. "Você não vai morrer." Margaret e Andrew ficaram muito tocados com isso.

"Foi a primeira vez que vimos que ele se preocupava", ela me disse.[6]

Seria possível que Stephen estivesse começando a apresentar algum desenvolvimento pessoal tardio, a despeito de seu autismo? Intrigado pelo relato de Margaret sobre a viagem a Amsterdã, combinei participar da viagem seguinte, a Moscou e Leningrado, planejada para maio de 1990. Fui a Londres, onde encontrei Margaret e Stephen, e o submeti a alguns testes. Estes, concebidos por Uta Frith e seus colegas, requeriam reações a vários cartuns, alguns deles trazendo simples seqüências de acontecimentos, enquanto outros não podiam ser entendidos sem a atribuição de diferentes intenções, perspectivas, crenças ou estados de espírito (e por vezes dissimulações) em relação aos personagens envolvidos. Ficou claro que Stephen tinha uma capacidade muito limitada para imaginar os estados de espírito dos outros. (Frith escreve que um pesquisador "fez uma sondagem informal nos Estados Unidos usando cartuns da *The New Yorker*. Autistas muito capazes e com grau cultural elevado não conseguiram entendê-los, ou achá-los engraçados".)

Também lhe dei um grande quebra-cabeça, que ele montou com muita rapidez. Dei-lhe em seguida um segundo quebra-cabeça, desta vez *virado para baixo*, de forma que não tivesse o auxílio da figura. Ele o montou tão rápido quanto o primeiro. Ao que parecia, não precisava da figura — do sentido; preeminente, e espetacular, era sua capacidade de apreender uma grande quantidade de formas abstratas, e de ver num átimo como se encaixavam todas.

Esses desempenhos são característicos dos autistas, que também se sobressaem em testes com desenhos de blocos e sobretudo em detectar figuras ocultas. Assim, a psicóloga Lynn Waterhouse, examinando um *savant* visual, J. D. (que, quando criança, segundo seus pais, era capaz de montar um quebra-cabeça de quinhentas peças em cerca de dois minutos, obrigando-os posteriormente a comprar quebra-cabeças de 5 mil peças), concluiu que ele se saía "fenomenalmente bem" em quase todos os testes de percepção visual que pôde lhe dar: nos testes de orientação linear, de *gestalt* visual, de desenhos de blocos e assim por diante, ele obteve resultados quase perfeitos, saindo-se, em cada caso, de maneira muitas vezes superior à normal. Stephen, assim como J. D., tinha um poder prodigioso de reconhecimento de formas abstratas e de análise visual. Mas isso não era suficiente para explicar seu desenho — J. D., apesar de sua capacidade perceptiva, não era especialmente dotado para o desenho.

Stephen, portanto, invocava uma outra capacidade, de uma nitidez de representação — representação que criava uma forma exterior de suas percepções, e que trazia um estilo pessoal muito reconhecível. Agora, se esse poder de representação acarretava alguma profundidade de repercussão ou resposta internas era algo que permanecia completamente incerto.

Dado o poder de Stephen para a análise visual abstrata, que importância teria o "sentido" para ele? Quanto de sentido conseguia perceber no que desenhava? E o quanto importava se percebesse ou não? Mostrei-lhe um retrato feito por Matisse e pedi que o desenhasse. (Margaret e Andrew adoram Matisse, e foi uma reprodução deles que mostrei a Stephen.) Ele o desenhou, a partir da reprodução, rapidamente e com convicção; não havia uma exatidão total ou literal, mas parecia-se muito com um Matisse. Quando lhe pedi que o repetisse, de memória, uma hora mais tarde, desenhou-o diferente e, uma hora depois, mais diferente ainda; mas todos os desenhos (fez cinco no total), embora distintos nos detalhes, eram surpreendentemente evocativos em relação ao original. Em certo sentido, portanto, Stephen tinha extraído a "matissidade" do desenho, permutando-a de várias formas e fazendo dela sempre o mais importante em todas as cópias. Seria isso puramente formal e cognitivo, uma questão de apreender o "estilo" de Matisse à maneira de uma fórmula — ou estaria ele reagindo, num nível mais profundo, à visão de Matisse, a sua sensibilidade e a sua arte?

Perguntei a Stephen se ele se lembrava da minha casa, que havia visitado mais de dois anos antes, e se podia desenhá-la de novo para mim. Ele aquiesceu e desenhou-a mais uma vez, mas com várias revisões. Dessa vez, deu-lhe uma janela embaixo em vez de duas; removeu uma coluna da varanda e tornou os degraus mais proeminentes. Manteve a chaminé fictícia, e agora acrescentou também uma fictícia bandeira americana e um mastro alto — acho que os sentiu como ingredientes para a fórmula de uma casa "americana". Assim, o Matisse e a minha casa foram criados, e representados, em diversas versões. Em ambos os casos, ele apreendeu o estilo de imediato, e seus desenhos posteriores foram improvisações dentro desse estilo.

Após todos esses testes, eu continuava perplexo. Stephen parecia ao mesmo tempo tão deficiente e tão dotado; estariam suas deficiências e seus talentos totalmente separados ou, num nível mais profundo, integralmente relacionados? Haveria qualidades, como a literalidade e a concretude autistas, que pudessem ser talentos em certos contextos e deficiências em outros? Os testes também me deixaram com um sentimento de inquietação, como se tivesse passado dias reduzindo Stephen a deficiências e talentos, sem poder vê-lo como um ser humano, como um todo. Acabara de ler o livro de Uta Frith *Autism: explaining the enigma*, e lhe escrevi: "Amanhã, vou com Stephen para a Rússia. [...] Vi um pouco de suas estranhas habilidades e deficiências — agora falta vê-lo como uma mente e uma pessoa. Talvez o consiga passando uma semana ao lado dele".

Com isso em mente, portanto, embarquei com Stephen para a Rússia. Fiquei impressionado com sua profunda concentração enquanto esperávamos por nosso vôo no aeroporto de Gatwick.

Estava sentado, fascinado pela revista *Classic Cars*. Olhava para as imagens com uma atenção extraordinária — passou mais de vinte minutos sem levantar a cabeça da revista. Por vezes, chegava mais perto para inspecionar um detalhe — o que via, eu pensei, ficaria para sempre gravado em seu córtex. Vez por outra, dava uma risada repentina. O que, nesse exercício abstrato, excitava seu divertimento?

No avião, Stephen mergulhou num desenho de Balmoral, após ficar estudando um cartão-postal do castelo. Estava desligado das conversas a sua volta, das magníficas paisagens do continente e dos mares a seus pés.

No aeroporto de Moscou, Stephen, muito quieto, ficou observando os carros — táxis amarelos e Zils pretos com placas que começavam por MK. Um cheiro horrível de gasolina não refinada pairava sobre o aeroporto. Stephen inspirou e torceu o nariz; é extremamente sensível a cheiros. No caminho para a cidade, às duas da manhã, vimos bétulas altas e prateadas ao longo da estrada e uma lua imensa e baixa. Mesmo Stephen, até então aparentemente desligado do que o cercava, olhou encantado para a vasta paisagem sob a luz da lua, com o nariz esmagado contra a janela fria do ônibus.

Na manhã seguinte, enquanto caminhávamos pela praça Vermelha, Stephen se mostrou intensamente curioso, tirando fotos, perscrutando prédios, impressionado pela novidade. Outras pessoas viravam-se para olhá-lo na rua — aparentemente, negros eram raros em Moscou. Encontrou um lugar de onde queria desenhar a torre Spassky e fez Margaret armar seu banquinho exatamente ali. Não ali ou acolá, mas *aqui* — passivo em tantos aspectos, agora detinha inteiramente o comando. No meio da praça Vermelha, ele era uma figura pequenina, com um chapéu de pele e luvas de lã azul-marinho. Dúzias de turistas pululavam por todo lado sob o sol brilhante de maio; muitos davam uma espiada no desenho de Stephen. Ele os ignorava, ou não tinha consciência deles, e prosseguia desenhando impassível. Cantarolava para si mesmo enquanto desenhava, segurando a caneta, como lhe era característico, de forma desajeitada e infantil, entre o dedo médio e o anular. A certa altura, irrompeu em sacolejos e risadas — mas isso, acabou se revelando, era por causa de uma cena de *Rain Man* ("Não se *atreva* a dirigir!", ele disse) que ficava martelando sua cabeça. Margaret sentou-se a seu lado enquanto desenhava, encorajando-o — "Ótimo! Que menino de talento!" —, aconselhando-o sobre questões estéticas e detalhes arquitetônicos. Por sugestão dela, por exemplo, Stephen examinou as ameias da torre. Ela é de certa forma quase uma colaboradora, e embora o talento dele seja tão pessoal e inato, ele manifestamente procura nela comentários afetuosos e sempre afirmativos.

Mais tarde, visitamos o Museu de História, um prédio ecléticos de tijolo vermelho, desenhado por um arquiteto inglês. Margaret instruiu Stephen: "Dê uma boa olhada naquele prédio. Estude-o. Assimile agora o vocabulário daquele prédio — depois quero que você o desenhe de cabeça". Mas o que Stephen acabou desenhando mais tarde era diferente do Museu de História e tinha meia dúzia de cúpulas em forma de cebolas que não faziam parte do original.

Primeiro, perguntei-me se este era um defeito de memória e lhe pedi que desenhasse a igreja de São Basílio de cabeça. Ele o fez instantaneamente, um esboço muito preciso e charmoso, em apenas dois minutos. Mais tarde naquele dia, iniciou um desenho da grande galeria de arcadas do GUM,* que terminou sem pressa, tomando uma Coca-Cola no hotel. Tinha guardado até os letreiros das lojas, embora para ele fossem letras cirílicas ininteligíveis. De toda evidência, não havia qualquer falha em sua memória.

Margaret e eu tentamos pensar o que havia ocorrido com o Museu de História; Stephen estava distraído quando lhe pedimos que o memorizasse (a polícia na praça Vermelha o deixou nervoso) e quando lhe perguntamos o que pensava dele, respondeu apenas: "Não é mal" (o que significava que não tinha gosta-

---

* Loja de departamentos em Moscou. (N. T.)

do). Tentou torná-lo mais atraente, creio eu, coroando-o com domos em forma de cebolas, que, no entanto, destoavam tanto da base que o prédio final mal parecia possível.

No dia seguinte, ao nos encontrarmos no café-da-manhã, no restaurante do hotel, Stephen me saudou com um retumbante: "Oi, Oliver!", bramido num tom muito caloroso e afetuoso, ou pelo menos foi o que pensei. Mas depois fiquei sem saber ao certo se não era apenas um automatismo social. O grande neurologista Kurt Goldstein escreveu sobre outro menino autista:

> Ele se apega a algumas pessoas. [...] Ao mesmo tempo, porém, suas reações emocionais e ligações humanas permanecem superficiais e perfunctórias. Ao encontrá-lo com intervalos de vários meses, a pessoa é recebida e despachada com a mesma gentileza impessoal, como se o contato só pudesse ser real enquanto durasse a presença concreta [...] trata-se de uma presença sem conteúdo emocional.

Comprei um pedaço de âmbar numa loja da Intourist. Stephen olhou para aquilo com indiferença — para ele, não havia qualquer atrativo visual — até eu esfregar a peça e mostrar-lhe como ficava eletricamente carregada. Agora, atraía pequenos pedaços de papel, de forma que, quando coloquei o âmbar a alguns centímetros deles, todos voaram de repente em sua direção. Os olhos de Stephen ficaram arregalados no maior espanto; tirou o âmbar da minha mão e repetiu a eletrificação por si mesmo. Mas aí seu encantamento pareceu se esvaziar. Não perguntou o que havia acontecido ou por que, e mostrou-se desinteressado quando lhe expliquei. Fiquei animado ao ver seu espanto inicial — nunca o havia visto realmente espantado antes — mas ele logo se esvaziou, desapareceu. E, para mim, isso tinha um quê ameaçador.

Durante o jantar, Stephen desenhou, às gargalhadas, uma caricatura de todos nós à mesa, com ele me abanando (sou sensível ao calor e sempre levo comigo um leque japonês, que ele havia visto freqüentemente em uso). Retratou-me como que encolhendo-me sob o impacto do leque, e ele, grande, poderoso, no controle — esta era uma representação simbólica, a primeira que o vi fazer.

Viajando e vivendo com Stephen — já estávamos juntos havia cinco dias —, dei-me conta de como ele era fisiologicamente frágil, das profundas oscilações em seu estado. Havia momentos em que se animava, ficava interessado pelo que o cercava e podia fazer imitações e caricaturas brilhantes e engraçadas; e havia momentos em que voltava ao autismo mais profundo e reagia, quando muito, como um autômato, ecolalicamente. Essas oscilações, em geral durante umas poucas horas, raramente dias, são comuns em crianças com autismo clássico, embora sua causa não seja entendida. Foram bem piores, pelo que me disseram, quando Stephen era menor.

No dia seguinte, tomamos o trem para a viagem de um dia até Leningrado. Margaret havia feito uma grande cesta de provisões, mais que suficientes para nós e quaisquer outros passageiros que encontrássemos no compartimento. Assim que o trem entrou em movimento, demos início a um café-da-manhã madrugador — tínhamos deixado o hotel às cinco para pegar esse trem matinal. Enquanto Margaret abria a cesta, Stephen, meio convulsivamente, precipitava-se com sua cabeça para cheirar tudo o que ela tirava lá de dentro. Lembrou-me alguns dos meus pacientes pós-encefalíticos, e algumas pessoas com a síndrome de Tourette, que vi com comportamentos olfativos semelhantes. De repente, me dei conta de que o mundo olfativo de Stephen podia ser tão nítido quanto o seu mundo visual; mas não temos a linguagem, os meios, para transmitir tal mundo.

Stephen olhava incerto para os nossos ovos cozidos — seria possível que nunca tivesse descascado um? De brincadeira, peguei um e o quebrei em cima da minha cabeça; Stephen ficou encantado e explodiu numa risada. Nunca tinha visto um ovo cozido ser quebrado dessa maneira, e me deu outro para ver se eu o faria de novo; em seguida, com a confiança assegurada, quebrou um em sua própria cabeça. Havia algo espontâneo nesse quebrar de ovos, e acho que Stephen ficou mais à vontade comigo após esse episódio, porque lhe mostrei como eu podia ser bobo e brincalhão.

Depois do café, Stephen e eu brincamos de alguns jogos de palavras. Ele era muito bom em achar palavras que começam com determinada letra e quando lhe sugeri: "Estou vendo alguma coisa que começa com 'c'", ele rapidamente engatou "casaco, cachorro, café, copo, cigarro". Era muito bom em preencher com letras espaços vazios de palavras incompletas. E contudo, aos dezesseis anos, continuava incapaz, apesar de repetidas demonstrações, de julgar a constância do volume, a despeito de diferentes níveis, em diferentes recipientes — um conceito que, como mostrou Piaget, a maioria das crianças adquire aos sete.

O trem passou por vilarejos pequeninos com casas de madeira e igrejas pintadas, dando-me a sensação de um mundo tolstoiano, inalterado havia cem anos. Enquanto Stephen olhava tudo aquilo com atenção, eu pensava nas milhares de imagens que devia estar registrando, construindo — podendo transmitir todas em nítidos desenhos e vinhetas, mas sem que nenhuma, eu suspeitava, fosse sintetizada em uma impressão geral em sua mente. Eu tinha a impressão de que todo o mundo visível passava por Stephen como um rio, sem fazer sentido, sem ser apropriado, sem tornar-se parte dele em nada. Que ele pudesse entretanto reter tudo o que via era, em certo sentido, porque o retinha como algo externo, não integrado, nunca fundamentado, conectado, revisado, nunca influenciando ou influenciado pelo que quer que fosse. Para mim, sua percepção, sua memória eram quase mecânicas — como uma enorme despensa, biblioteca ou arquivo —, nem mesmo indexadas ou categorizadas, ou unificadas por associação, mas onde tudo podia ser acessado em um instante, como na memória de acesso casual de um computador. Vi-me pensando nele como uma espécie de trem, um míssil perceptivo, viajando pela vida, notando, gravando, mas nunca se apropriando, uma espécie de transmissor de todo aquele passado acumulado — mas com ele mesmo inalterado, não abastecido pela experiência.

* * *

Conforme nos aproximávamos de Leningrado, Stephen decidiu que era hora de desenhar. "Lápis, Margaret, queriida!", ele disse. Achei graça no "queriida", um margaretismo que ele havia adotado, e fiquei sem saber se era automático ou mais consciente, uma paródia humorada. O trem avançava aos solavancos e eu só conseguia fazer umas notas curtas. Mas Stephen desenhava sem o menor problema, com sua velocidade e fluência habituais; eu já me surpreendera com isso antes, no avião. (Ele tinha um aspecto desajeitado, mas, ao que parecia, adquiria certas habilidades motoras quase que instantaneamente, como o fazem alguns autistas. Em Amsterdã, não hesitou em andar sobre uma passarela estreita até um barco-casa, algo que nunca tinha feito antes, o que me fez lembrar outro jovem autista que conheci e que de repente andou sobre uma corda bamba, com habilidade e sem medo, um dia após ver alguém fazendo o mesmo no circo.)

Por fim, após onze horas viajando devagar — com a Rússia rural desfilando lentamente à nossa frente —, chegamos a uma grande estação em Leningrado, uma estação de um esplendor czarista, pré-revolucionário, desvanecido. Todo o panorama da cidade, com seus belos prédios baixos do século XVIII, seu sentido de civilização européia cosmopolita, podia ser visto das nossas janelas de hotel, cintilando na noite branca do norte. Stephen estava louco para vê-la de dia e resolveu que a primeira coisa que faria pela manhã seria desenhá-la. Eu não estava no quarto quando ele começou, mas Margaret me contou posteriormente que ele havia feito um interessante erro inicial. Havia um famoso e velho cruzador, o *Aurora*, atracado no Neva, e Stephen o tinha desenhado fora de proporção em relação aos prédios do outro lado. Quando percebeu o que tinha feito, disse: "Vou começar de novo. Não está bom. Não vai dar certo". Arrancou outra folha e recomeçou.

A incongruência flagrante, inicialmente, entre o barco e os prédios me fez pensar em outras incongruências menores em seu trabalho, o fato de que podia usar perspectivas múltiplas em seus desenhos e que essas nem sempre coincidiam com precisão.[7]

Mais tarde, naquele dia, fomos ao Monastério Alexandre Nevski e nos vimos, inesperadamente, no meio de um casamento russo ortodoxo. O coro consistia em uma turba sombria e rota, comandada por uma cega com olhos azuis resplendorosos. Mas suas vozes eram incríveis, quase além do tolerável, especialmente a do baixo profundo, que lembrava, a Margaret e a mim, um fugitivo do Gulag. Margaret não achou que Stephen fosse afetado por suas vozes, mas eu senti o contrário, que estava profundamente afetado — para se ter uma idéia de como era difícil, por vezes, saber *o que* ele estava sentindo.

O clímax de nossa estada em Leningrado foi uma visita ao Hermitage, mas Stephen teve uma reação de certa forma infantil às incríveis pinturas lá expostas. "Está vendo como ela é baseada em blocos?", disse Margaret em relação a um Picasso, uma mulher com a cabeça inclinada. Stephen simplesmente perguntou: "Ela está com dor?".

Margaret disse a Stephen para prestar atenção especial à *Dança*, de Matisse, e ele a olhou, sem maiores sinais de interesse, por no máximo trinta segundos. De volta a Londres, Margaret lhe sugeriu que a desenhasse, e ele o fez — sem hesitação e com brilho. Apenas posteriormente que uma curiosa combinação foi percebida (mais uma vez pelo observador sr. Williamson): Stephen usara as formas dos dançarinos da pintura do Hermitage, mas dando-lhes as cores de outra versão do quadro (exposta no Museu de Arte Moderna de Nova York). Descobrimos que sua irmã, Annette, tinha lhe dado um cartaz da *Dança* do MoMA anos antes, e agora ele passava as cores do quadro "americano" ao "russo". Fica a dúvida sobre se se tratava de um lapso de memória ou de uma confusão, mas Stephen, eu acho, estava brincando, e *decidiu* dar ao quadro do Hermitage as cores do quadro do MoMA, assim como havia decidido colocar cúpulas em forma de cebolas no Museu de História (ou, da mesma forma, uma chaminé na minha casa ou, em outro desenho, um pênis na estátua de Prometeu no Rockefeller Center).

Cansados de um dia de turismo e desenhos, deixamos o Hermitage e voltamos ao hotel para o chá. Notando que Stephen precisava de alguma distração, Margaret virou-se para ele: "Agora, *você é* o professor... E você, Oliver, o aluno".

Os olhos de Stephen brilharam. "Quanto é dois menos um?", perguntou.

"Um", respondi incontinenti.

"Muito bem! Agora vinte menos dez?"

Fingi que pensava por um instante, e aí disse: "Dez".

"Muito bem mesmo", disse Stephen. "Agora sessenta menos dez?"

Fiquei quebrando a cabeça, fiz uma careta. "Quarenta?", eu disse.

"Não", respondeu Stephen. "Errado. Pense um pouco!"

Tentei contar nos dedos em múltiplos de dez. "Já sei — cinqüenta."

"Certo", disse Stephen, com um sorriso de aprovação. "Muito bem. Agora, quarenta menos vinte."

Esta era bem difícil. Pensei por um minuto. "Dez?"

"Não", disse Stephen. "Você tem que se concentrar! Mas se saiu muito bem", acrescentou gentilmente.

O episódio foi uma esplêndida imitação de uma lição de aritmética tal como podia ser dada a uma criança retardada. A voz de Stephen e seus gestos imitavam com perfeição os de um professor com a melhor das intenções, porém condescendente, mais especificamente a minha voz e os meus gestos quando o examinei em Londres. Ele não havia esquecido. Foi uma lição para mim, para todos nós, nunca subestimá-lo. Stephen adorava inverter os papéis, exatamente como na caricatura dele me abanando.

A viagem à Rússia foi em alguns aspectos encantadora e excitante, em outros entristecedora, decepcionante e dissuasiva. Tive a esperança de atravessar o autismo de Stephen, ver a pessoa que ele encobria, e sua mente; mas houve apenas um mero indício disso. Tive a esperança, talvez sentimental, de perceber alguma profundidade de sentimento vindo dele; meu coração disparou com o primeiro "Oi, Oliver!", mas não houve continuidade. Queria ser gostado por Stephen, ou pelo menos ser visto por ele como uma pessoa específica — porém havia algo, não hostil, mas indiferente em sua atitude, mesmo em seu bom humor e em suas boas maneiras automáticas. Eu queria alguma interação; em vez disso, tive, talvez, uma leve sensação de como devem se sentir os pais de autistas quando confrontados com uma criança praticamente sem reações. Em certo sentido, eu continuava esperando uma pessoa relativamente normal, com certos talentos e certos problemas — agora tenho a sensação de um modo de pensamento e comportamento radicalmente diferente, quase alheio, funcionando a sua própria maneira, incompatível com as definições de quaisquer das minhas próprias normas.

E todavia houve momentos — o quebrar de ovos, o jogo do professor e do aluno — em que senti uma corrente entre nós, de forma que ainda nutria a esperança de alguma espécie de relacionamento com ele e me comprometi a visitá-lo sempre que fosse a Londres, em geral algumas vezes por ano. Em uma ou duas ocasiões só consegui dar uma caminhada com Stephen. Ainda tinha a esperança de que pudesse desenroscar-se, mostrando-me algo do seu eu "real" e espontâneo. Mas embora sempre me recebesse com seu festivo "Oi, Oliver", permanecia mais cortês, circunspecto e distante que nunca.

Havia, no entanto, um entusiasmo que compartilhávamos — um gosto por identificar automóveis. Stephen gostava especialmente dos grandes conversíveis dos anos 50 e 60. Os meus prediletos, ao contrário, eram os carros esportivos da minha juventude — Bristols, Frazer-Nashes, antigos Jaguares, Aston Martins. Juntos, podíamos identificar a maioria dos carros na rua, e Stephen, creio eu, passou a me ver como um aliado ou companheiro no jogo de identificar automóveis — mas foi o mais próximo que chegamos um do outro.

Floating cities foi publicado em fevereiro de 1991, e logo chegou ao topo da lista dos *best-sellers* na Inglaterra. Ao receber a notícia, Stephen disse: "Muito legal!". Parecia não ser afetado ou não compreender, e isso foi tudo. Nessa época, ele freqüentava uma nova escola técnica, aprendia a ser cozinheiro, tomava ônibus e metrôs, começava a adquirir algumas habilidades da vida independente. Mas os domingos continuavam sendo consagrados ao desenho, e seu trabalho, por encomenda ou não, multiplicava-se a cada fim de semana.

A questão dos talentos artísticos de Stephen freqüentemente me fazia pensar em Martin, um retardado *savant* em música e memória que atendi nos anos 80. Martin adorava óperas — seu pai tinha sido um célebre cantor lírico — e podia decorá-las após tê-las ouvido uma única vez ("Conheço mais de 2 mil óperas", me disse certa vez). Mas sua maior paixão era por Bach, e eu achava curioso que esse homem ingênuo pudesse ter tal paixão. Bach parecia tão intelectual, e Martin era um retardado. O que eu não percebia — até começar a trazer cassetes das cantatas, das *Variações Goldberg* e certa vez do *Magnificat* — era que, por maiores que fossem suas limitações intelectuais gerais, Martin tinha uma inteligência musical completa a ponto de apreciar todas as regras estruturais e as complexidades de Bach, todas as complicações da escrita do contraponto e da fuga; tinha a inteligência musical de um músico profissional.

Antes, eu nunca reconhecera adequadamente a estrutura cognitiva dos talentos *savants*. Tinha-os tomado, no geral, como a expressão de pouco mais que uma memória mecânica. Martin tinha efetivamente uma memória prodigiosa, mas era óbvio que essa memória, em relação a Bach, era estrutural e categórica (e especificamente arquitetônica) — ele *entendia* como a música era composta, como essa variação era uma inversão daquela, como diferentes vozes podiam tomar uma linha e combinar-se num cânone ou fuga, e ele mesmo era capaz de compor uma fuga simples. Sabia, com pelo menos alguns compassos de antecedência, o desenrolar de uma linha. Não podia formulá-lo, não era algo explícito ou consciente, mas havia um notável entendimento *implícito* da forma musical.

Tendo visto isso em Martin, agora podia detectar análogos também em *savants* na arte, nas datas e nos cálculos com quem eu havia trabalhado. Todos eles tinham uma inteligência genuína de uma espécie peculiar, confinada a territórios cognitivos limitados. De fato, os *savants* fornecem a principal prova de que pode haver diferentes formas de inteligência, cada uma potencialmente independente das outras. O psicólogo Howard Gardner exprime isso em *Frames of mind*:

> No caso do *idiot savant* [...] contemplamos a preservação única de uma capacidade humana particular contra um fundo de desempenhos humanos medíocres ou altamente retardados em outras áreas [...] a existência dessas pessoas nos permite observar a inteligência humana em relativo — e mesmo esplêndido — isolamento.

Gardner pressupõe um grande número de inteligências separadas e separáveis — visual, musical, léxica etc. —, todas autônomas e independentes, com suas próprias capacidades de apreender regularidades e estruturas em cada área cognitiva, suas próprias "regras" e provavelmente suas próprias bases neurais.[8]

No início dos anos 80, essa noção foi testada por Beate Hermelin e seus colegas, explorando as capacidades de várias formas diferentes de talentos *savants*. Descobriram que os *savants* visuais eram muito mais eficientes que as pessoas normais em extrair os traços essenciais de uma cena ou modelo, e em desenhá-los, e que sua memória não era fotográfica ou eidética, mas categórica e analítica, com o poder de selecionar e apreender os "traços significantes", usando-os para construir suas próprias imagens.

Também ficou claro que, uma vez extraída a "fórmula" estrutural, ela podia ser utilizada para produzir permutações e variações. Hermelin e seus colegas, junto com Treffert, também trabalharam com o cego, retardado e enormemente dotado prodígio musical Leslie Lemke, que, assim como o Cego Tom há um século, é célebre tanto por sua capacidade de improvisação como por sua incrível memória musical. Lemke capta o estilo de qualquer compositor, de Bach a Bartók, após ouvi-lo uma única vez, e pode posteriormente tocar qualquer obra ou improvisar, sem esforços, no mesmo estilo.

Esses estudos pareceram confirmar que havia de fato uma quantidade de capacidades cognitivas ou inteligências separadas e autônomas, cada uma com seus próprios algoritmos e regras, exatamente como Gardner havia suposto. Houve certa tendência anterior a ver as capacidades *savants* como extraordinárias, aberrantes; mas agora parecem ter sido trazidas de volta ao campo do "normal", diferindo das capacidades comuns apenas por serem isoladas e intensificadas em grau.

Mas será que as capacidades *savants* realmente se assemelham às normais? É impossível estabelecer contato com um Stephen, uma Nadia, um Martin ou qualquer outro *savant* sem sentir que ocorre algo profundamente diferente em ação. Não apenas porque os desempenhos *savants* estejam fora de proporção, estatisticamente, ou sejam incrivelmente precoces em suas primeiras manifestações (Martin podia cantar trechos de óperas antes de completar dois anos de idade), mas por parecerem desviar radicalmente dos modelos normais de desenvolvimento. Isso era muito claro com Nadia, que aparentemente havia pulado os estágios normais, "larvais" e esquemáticos, dos rabiscos para desenhar de uma maneira diversa de qualquer criança normal. O mesmo se dera com Stephen, que, aos sete anos, pelo que ouvimos de Chris, fez "os desenhos menos infantis" que ele já havia visto.

O outro lado da prodigiosidade e da precocidade, a não-infantilidade, dos talentos *savants* é que eles não parecem se desenvolver como os talentos normais. Já estão totalmente formados de saída. A arte de Stephen aos sete anos era claramente prodigiosa, mas aos dezenove, embora tenha se desenvolvido um pouco social e pessoalmente, seu talento em si não havia mudado muito. Os talentos *savants* lembram de certa forma mecanismos, preparados de antemão, predispostos e prontos para disparar. E é assim que Gardner se refere a eles: "Digamos que a mente humana consista em uma série de mecanismos computacionais altamente sintonizados [...] e que diferimos grandemente uns dos outros à medida que cada um desses mecanismos é 'instruído' a disparar".

Os talentos *savants*, além disso, têm uma qualidade mais autônoma, e mesmo mais automática, que os normais. Não parecem ocupar a totalidade da mente ou da atenção — Stephen fica olhando para os lados, ouvindo seu walkman, cantando ou até falando enquanto desenha; os enormes cálculos de Jedediah Buxton progrediam por conta própria, numa marcha imperturbável, enquanto ele seguia seu dia-a-dia. Os talentos *savants* não parecem estar ligados, como os normais, ao resto da pessoa. Tudo isso é muito sugestivo de um mecanismo neural diverso daquele que sustenta os talentos normais.

Pode ser que os *savant* tenham um sistema altamente especializado e imensamente desenvolvido no cérebro, um "neuromódulo", e que ele seja "sintonizado" em determinados momentos — quando o estímulo certo (musical, visual ou qualquer outro) atinge o sistema no momento certo — e comece a operar de imediato a todo vapor. Assim, para os gêmeos *savants* do calendário, ver um almanaque aos seis anos desencadeou sua extraordinária perícia cronológica — eram capazes de notar, de imediato, regularidades estruturais de grande escala no calendário, e talvez extrair regras inconscientes e algoritmos, ver como a coincidência entre datas e dias podia ser prevista, o que para nós, se fosse possível, o seria apenas a partir do cálculo consciente de algoritmos e de muito tempo e prática.

A conversão dessa súbita centelha ou despertar também pode ser observada, de quando em quando, no repentino desaparecimento de talentos *savants*, tanto em *savants* retardados como em autistas, ou indivíduos normais com capacidades excepcionais. Vladimir Nabokov possuía, além de seus muitos outros talentos, um dom prodigioso para o cálculo, que desapareceu súbita e completamente, ele escreveu, após uma febre alta, com delírios, aos sete anos. Nabokov achava que o dom para o cálculo, que surgiu e sumiu tão misteriosamente, tinha pouco a ver com "ele" e parecia obedecer a leis próprias — era qualitativamente diferente de suas outras capacidades.

Os talentos normais não vêm e vão dessa maneira; mostram desenvolvimentos, persistem, se expandem, ganham um estilo pessoal conforme estabelecem conexões e vão se embutindo progressivamente na mente e na personalidade. Falta-lhes o isolamento peculiar, a não-influenciabilidade e o automatismo dos talentos *savants*.[9]

Mas a mente não é apenas um conjunto de talentos. Não se pode manter uma visão puramente compositiva e modular dela, como o fazem atualmente muitos neurologistas e psicólogos. Isso elimina a qualidade geral da mente — chame-a de alcance, ou âmbito, ou dimensão, ou amplidão — que é sempre instantaneamente reconhecível nas pessoas normais. Trata-se de uma capacidade que parece ser supramodal, e que reluz independentemente dos talentos particulares presentes. É o que queremos dizer quando mencionamos que alguém tem uma "boa cabeça". Uma visão modular da mente também elimina, o que não é menos importante, o centro pessoal, a personalidade, o "eu". Normalmente, há uma faculdade unificadora e de coerência (Coleridge a chama de uma faculdade "esemplástica") que integra todas as faculdades separadas da mente, as integra também às nossas experiências e emoções, de forma a tomarem um feitio único e pessoal. É essa faculdade global ou integradora que nos permite generalizar e refletir, desenvolver a subjetividade e um eu consciente de si.

Kurt Goldstein tinha um interesse especial por essa capacidade global, a que se referia como a "capacidade abstrato-categórica" do organismo, ou "atitude abstrata". Parte do trabalho de Goldstein dizia respeito aos efeitos de lesões cerebrais, e ele descobriu que sempre que havia uma lesão extensa, ou que envolvesse os lobos frontais do cérebro, costumava haver, além da deterioração de capacidades específicas (lingüística, visual etc.), uma deterioração da capacidade abstrato-categórica — freqüentemente tão prejudicial quanto as deteriorações específicas, e por vezes ainda mais. Goldstein também pesquisou vários problemas de desenvolvimento e publicou (com seus colegas Martin Scheerer e Eva Rothmann) o mais profundo estudo jamais realizado sobre um *idiot savant*. Seu paciente, L., era um menino profundamente autista, com notáveis talentos musicais, "matemáticos" e de memória. Em seu artigo de 1945, "A case of 'idiot savant': an experimental study of personality organization", eles discorrem sobre as limitações de uma teoria multifatorial, ou compositiva, da mente:

[Se] existisse [...] apenas um compósito de aptidões tão independentes umas das outras [...] L. poderia teoricamente ter sido capaz de se tornar um exímio músico e matemático. [...] Já que isso contradiz os fatos do caso, temos que explicar [por que ele não o foi] [...] apesar de seus "interesses" e "preparo".

Ele não era capaz, eles concluíam, porque algo além de todos os seus talentos impressionantes e reais, algo global, estava irremediavelmente ausente:

L. sofre de uma deterioração da atitude abstrata que afeta a totalidade de seu comportamento. Ela se expressa na esfera lingüística por sua "incapacidade" de compreender ou usar a linguagem em seu sentido simbólico ou conceitual; de apreender ou formular abstratamente as propriedades dos objetos [...] de formular a pergunta "por quê?" em relação a acontecimentos reais, de lidar com situações fictícias, de compreender sua lógica [...] A mesma deterioração está por trás de sua falta de consciência social e curiosidade pelas pessoas, seus valores limitados; sua incapacidade de gravar ou absorver qualquer coisa da matriz sociocultural e inter-humana ao seu redor [...] A mesma deterioração do abstrato é evidenciada em seu desempenho [*savant*] [...] [que] não pode ser suspenso de seu contexto concreto para a reflexão e a verbalização [...] Devido a sua atitude abstrata deteriorada, L. não pode desenvolver seu talento ativa e criativamente [...] [Ele permanece] *anomalamente* concreto, específico e estéril; não pode ser integrado a um significado maior do assunto, nem a uma compreensão social [...] [Ele] se aproxima mais da caricatura de um talento normal.

Se as formulações de Goldstein sobre os *idiot savants* e o autismo forem válidas no geral, e se Stephen de fato estiver desprovido, ou relativamente desprovido, de uma atitude abstrata, que chances tem de adquirir uma identidade, um eu? Que grau de consciência reflexiva poderá alcançar? Até que ponto pode aprender ou ser influenciado pelo contato pessoal ou cultural? Quanto poderá desenvolver de uma sensibilidade ou estilo genuínos? Que chances tem de algum desenvolvimento pessoal (em oposição ao técnico)? Quais podem ser as repercussões de tudo isso para a sua arte? Estas e muitas outras questões, em que se esbarra diante do paradoxo de um talento imenso ligado a uma mente e uma identidade relativamente rudimentares, tornam-se mais pungentes à luz das considerações de Goldstein.

Em outubro de 1991, encontrei-me com Stephen em San Francisco. Fiquei impressionado como tinha mudado desde a última vez — agora com dezessete anos, estava mais alto, mais bonito e com a voz mais profunda. Mostrava-se animado por estar em San Francisco e ficava descrevendo as cenas do terremoto de 1989 que havia visto pela televisão, em pequenas frases, à maneira de haicais: "Pontes rachadas. Carros esmagados. Gás escapando. Hidrantes jorrando. Fendas abrindo. Gente voando".

No primeiro dia, subimos até o alto de Pacific Heights. Stephen começou a desenhar a Broderick Street, que serpenteia até o topo da colina. Olhava indistintamente para os lados enquanto desenhava, mas estava mais absorvido ouvindo seu walkman. Nós lhe havíamos perguntado antes por que a Broderick era cheia de curvas, em vez de subir de uma vez, numa reta. Não soube responder, ou ver, que era por causa da inclinação da encosta, e quando Margaret lhe disse "íngreme", ele apenas repetiu, ecolalicamente. Continuava claramente retardado ou cognitivamente deficiente.

Enquanto andávamos, deparamo-nos com uma vista encantadora e repentina da baía, pontilhada de navios e com Alcatraz disposta como uma jóia no meio. Mas, por um instante, não "vi" isso, não vi nada dessa cena, apenas uma intrincada configuração de várias cores, uma massa de sensações altamente abstrata e não categorizada. Seria isso o que via Stephen?

Seu prédio preferido em San Francisco era o Transamerica Pyramid. Quando lhe perguntei por que, ele disse: "Sua forma", e depois, com um ar incerto: "É um triângulo, um triângulo isósceles... Eu gosto disso!". Fiquei impressionado com o fato de que Stephen, com sua linguagem freqüentemente primitiva, pudesse utilizar o termo "isósceles" — embora seja típico de autistas, por vezes na mais tenra infância, adquirir muito mais conceitos e termos geométricos que pessoais ou sociais.[10]

Ele tem pouquíssima compreensão explícita do autismo — o que se revelou num incidente improvável na Polk Street. Tínhamos, por uma chance em um milhão, ficado atrás de um carro cuja placa dizia "autismo". Mostrei a Stephen. "O que está escrito ali?", perguntei. Ele soletrou, com dificuldade, "A-U-T-I-S-M-O-2".

"Isso", eu disse, "e como você lê aquilo?"

"U... U... Utismo", ele gaguejou.

"Quase, não é bem isso. Não é utismo — autismo. O que é autismo?"

"É o que está escrito naquela placa", ele respondeu, e eu não consegui passar daí.

Manifestamente, ele reconhece que é diferente, que é especial. Tem uma verdadeira paixão por *Rain Man* e pode-se suspeitar que se identifica com o personagem de Dustin Hoffman, talvez o único herói autista já amplamente retratado. Tem toda a trilha sonora do filme gravada e a escuta continuamente em seu walkman. Pode recitar efetivamente longos trechos dos diálogos, interpretando cada papel, com a entonação perfeita. (Sua preocupação com o filme e o fato de viver tocando aquela fita não o distraíram em nada de sua arte — pode desenhar maravilhosamente mesmo se sua atenção parece estar alhures —, mas o tornaram bem menos acessível à conversa e ao contato social.)

Ao lado de sua obsessão por *Rain Man*, havia um desejo ardente de conhecer Las Vegas. Quando chegamos lá, queria ficar no cassino, como o Rain Man, e não, como lhe era característico, ver os prédios da cidade. De forma que passamos uma única noite lá e depois seguimos pelo deserto, num Lincoln Continental 1991, até o Arizona. "Ele teria preferido um Chevrolet Impala 1972", Margaret me disse, o que, para a decepção de Stephen, eles não tinham naquele momento.

Paramos num estacionamento próximo ao Grand Canyon — parte do cânion era visível dali, mas a atenção de Stephen foi imediatamente capturada por outros carros estacionados. Quando lhe perguntei o que achava do cânion, ele disse: "É muito, *muito* legal, uma vista muito legal".

"O que ele lhe lembra?"

"Prédios, arquitetura", respondeu Stephen.

Achamos um lugar para Stephen desenhar a orla norte do Canyon. Ele começou, com menos fluência e segurança, talvez, do que quando desenhava um edifício; mas ainda assim parecia extrair a arquitetura básica das rochas. "Você é um gênio, Stephen", Margaret observou.

Ele aquiesceu, sorriu. "Sim, sim."

Conhecendo o amor de Stephen pelas vistas aéreas, decidimos sobrevoar o Grand Canyon num helicóptero. Ficou excitado, esticando o pescoço em todas as direções enquanto voávamos em rasante pelo cânion, roçando a orla norte, e depois cada vez mais alto, para ter uma vista aérea geral. O piloto discorria sobre a geologia e a história do cânion, mas Stephen o ignorava e, eu acho, via apenas formas — linhas, contornos, sombras, matizes, cores, perspectivas. E eu, sentado ao lado dele, acompanhando seu olhar, comecei a imaginar como era ver pelos seus olhos, renunciando ao meu próprio conhecimento intelectual das camadas de rochas lá embaixo para percebê-las em termos puramente visuais. Stephen não tinha qualquer interesse ou conhecimento científico, não podia, eu suspeitava, ter apreendido qualquer dos conceitos de geologia, e todavia era essa a força de sua capacidade perceptiva, sua inclinação visual, que pudesse captar, e posteriormente desenhar, os traços geológicos do cânion com absoluta precisão, e com uma seletividade impossível de se obter com qualquer fotografia. Ele apreendia o sentimento do cânion, sua essência, como havia feito com o Matisse.

Saímos de novo pelo deserto e, conforme subíamos em direção a Flagstaff, os *saguaros** iam se tornando mais raros — o último, um solitário destemido, podia ser visto a quase um quilômetro de distância. As desoladas montanhas Bradshaw, onde foram encontrados prata e ouro nos anos 80, se erguiam à nossa esquerda. Entramos numa planície coberta de tunas, com gado vagando esporadicamente. Cavalos e jumentos, e eventualmente antilocaprídeos, ainda erram por essas campinas. Os picos de San Francisco flutuavam altos, como grandes navios, no horizonte.

"Essa paisagem é muito legal para automóveis", observou Stephen. (Antes ele tinha desenhado um Buick verde com o Monument Valley como pano de fundo.) Achei graça — e uma afronta: diante da vista mais grandiosa e sublime do planeta, ele só pensava em enchê-la de carros!

Enquanto eu anotava, Stephen desenhou cactos; tinha se agarrado a eles como a um emblema do Oeste, assim como havia tomado as gôndolas como símbolo de Veneza e os arranha-céus, de Nova York. Um bicho, provavelmente um coelho, atravessou como uma flecha a estrada a nossa frente. Algo me tomou e eu gritei num impulso: "Um ratão-do-banhado!". Stephen foi seduzido pela palavra, seus contornos acústicos, e a repetiu algumas vezes com um prazer evidente.

A viagem ao Arizona nos mostrou que Stephen podia apreender o deserto, cânions, cactos, paisagens naturais, da mesma maneira misteriosa com que apreendia edifícios e cidades. O mais

---

* Cacto alto do Arizona. (N. T.)

surpreendente talvez tenha sido uma tarde no Canyon de Chelly, que Stephen desceu com um artista navajo, que lhe mostrou um lugar privilegiado para desenhar e o assediou com os mitos e a história de seu povo, como viveram no cânion séculos atrás. Stephen ficou indiferente a tudo isso, mas prosseguiu no seu modo desembaraçado — olhando para os lados, murmurando e cantarolando para si mesmo — enquanto o artista navajo, sentado, mal se mexendo, se entregava ao ato de desenhar. E contudo, apesar de suas atitudes tão diversas, o desenho de Stephen era nitidamente melhor e parecia (mesmo para o artista navajo) transmitir o estranho mistério e a santidade do local. O próprio Stephen parece quase destituído de qualquer sentimento espiritual; e no entanto captou, com seus olhos e mãos infalíveis, a expressão física do que nós denominamos "sagrado".

Teria Stephen de alguma forma assimilado um sentido do sagrado, projetando-o em seu desenho, ou será que éramos nós que, olhando para seu desenho, fazíamos essa projeção? Margaret e eu discordávamos com freqüência sobre o que Stephen sentia realmente, como no caso da música de casamento no monastério em Leningrado. Mas ali, no Canyon de Chelly, nossos papéis se inverteram: Margaret achou que Stephen tinha efetivamente reverenciado a santidade do local, enquanto eu permanecia cético. Essa profunda incerteza sobre o que Stephen sente e pensa na realidade aflora constantemente, com todos os que o conhecem.

Por vezes me pergunto se a "emoção" ou a "reação emocional" não poderiam ser radicalmente diferentes em Stephen; não menos intensas, mas de alguma forma mais localizadas que em nós — direcionadas pelo objeto, pela paisagem, por um acontecimento, sem jamais unir-se ou expandir-se em algo mais geral, sem tornar-se uma parte dele. Às vezes sinto que ele captou o espírito ou a atmosfera dos lugares, das pessoas, das paisagens, por uma espécie de arremedo ou simpatia instantâneos, mais do que pelo que seria normalmente chamado de sensibilidade. Assim, ele poderia ecoar, ou reproduzir, ou refletir, as belezas do mundo, sem contudo ter qualquer "senso estético". Poderia repercutir a atmosfera "sagrada" no Canyon de Chelly, ou do monastério, sem entretanto ter qualquer sentido "religioso" próprio.

De volta ao nosso hotel, em Phoenix, ouvi sons de instrumentos de sopro vindos do quarto de Stephen, ao lado. Bati em sua porta e entrei — ele estava sozinho, com as mãos em forma de concha na frente da boca. "O que foi aquilo?", perguntei.

"Um clarinete", ele disse, e então fez uma tuba, um saxofone, um trompete e uma flauta nasal, todos com uma assombrosa precisão.

Voltei ao meu quarto, pensando na disposição e na capacidade de Stephen para reproduzir, nos vários níveis dessa disposição, e em como isso dominava sua vida. Ainda pequeno apresentara ecolalia quando lhe falavam, ecoando a última ou duas últimas palavras do que os outros diziam, o que continuava ocorrendo, sobretudo quando estava cansado ou entrava em regressão. A ecolalia não traz nenhuma emoção, nenhuma intenção, nenhuma espécie de "tom" — é puramente automática e pode ocorrer até mesmo durante o sono. O "ratão-do-banhado" de Stephen, no dia anterior, havia sido mais complexo que isso, já que tinha degustado o som, a ênfase peculiar que eu lhe havia dado, mas o fez à sua própria maneira, numa imitação, com variações. Em seguida, num nível ainda mais alto, havia sua reprodução do *Rain Man*, em que refazia ou representava papéis inteiros, suas interações, conversas e vozes. Muitas vezes parecia alimentado e estimulado por eles, mas por outras era como se fosse tomado, possuído e despossuído, por eles.

Essa "possessão" pode ocorrer em diferentes níveis e ser observada em gente com síndromes pós-encefalíticas ou de Tourette. Uma imitação automática pode se dar nesses casos, reflexo de uma força fisiológica inferior dominando uma mente e uma personalidade normais. Essa força pode determinar também os aspectos mais automáticos da imitação autista. Mas pode haver igualmente, em níveis superiores, uma espécie de fome de identidade — uma necessidade de arremedar, assemelhar-se e incorporar outras pessoas. Mira Rothenberg comparou por vezes autistas, nesse sentido, a peneiras, constantemente absorvendo outras identidades mas incapaz de retê-las ou assimilá-las. Todavia, ela assinala que, após 35 anos de experiência, ainda acredita haver sempre um eu real com o qual se pode estabelecer um contato nos autistas.

Na nossa última manhã em Phoenix, eu estava de pé às sete e meia, olhando o nascer do sol da varanda do meu quarto de hotel. Ouvi um animado "Oi, Oliver!", e lá estava Stephen na varanda ao lado.

"Que dia maravilhoso", ele disse, e depois, segurando sua câmera amarela, tirou uma foto enquanto eu lhe sorria da minha varanda. Esse ato parecia tão afetuoso e pessoal — ficaria na minha cabeça como nossa despedida do Arizona. Quando saímos, ele foi em direção aos cactos: "Tchau, *saguaro*! Tchau, cactos-barril! Tchau, tuna, vejo vocês na próxima!".

O paradoxo da arte de Stephen, para mim, foi aguçado, porém não solucionado, com essa viagem. Margaret estava sempre encantada com seu trabalho, abraçava-o e dizia: "Stephen! Como você me dá prazer! Você não faz idéia do quanto!". Stephen dava seu sorriso apatetado e gargalhava — mas Margaret estava certa. Através de seus desenhos, ele dava aos outros um grande prazer, e contudo não ficava claro que estivessem associados a qualquer tipo de emoção nele, além do prazer de estar exercitando e usando uma faculdade.

A certa altura de nossa viagem pelo Arizona, ao pararmos num Dairy Queen, Stephen viu duas garotas sentadas numa mesa e ficou de fato tão fascinado por elas que se esqueceu de passar no banheiro. Em certos aspectos, ele é um adolescente normal; nem seu autismo, nem seu "savantismo" excluem isso. Depois, foi até as garotas — ele não é desprovido de graça à primeira vista. Mas falou-lhes de uma maneira tão inadequada e infantil que uma olhou para a outra, riram, e em seguida o ignoraram.

A adolescência, tanto física como psicológica, talvez um pouco atrasada, agora parecia avançar em disparada. De repente, Stephen desenvolveu um forte interesse por sua aparência, suas roupas, *rock* e garotas. Nunca parecia notar os espelhos quando era mais novo, disse Margaret, mas agora estava sempre se examinando, se arrumando na frente deles. Desenvolveu gostos muito decididos quanto às roupas: "Gosto de *jeans* à moda do Oeste, azul-claro, pré-lavado, e camisas... e botas de caubói pretas".

"O que você acha dos sapatos do Oliver?", perguntou Margaret certa vez, maliciosa.

"Sem graça", ele disse, dando uma olhadela.

Até agora, muito pouca vida social é possível para Stephen. Conhece gente, superficialmente, mas não sabe como se dirigir às pessoas e tem poucos amigos ou verdadeiros relacionamentos fora sua própria família e os Hewson. É muito próximo de sua irmã, Annette, e pode ser afetuoso com ela. Sente-se o homem da casa, o protetor de sua mãe; e vê em Margaret muito de um protetor para ele mesmo. Mas no geral fica entregue aos desenhos e a devaneios cada vez mais fortes e detalhados.

O mundo que realmente o excita a esta altura é o de "Beverly Hills, 90210", um seriado de televisão que ele adora. No ano passado, perguntei-lhe sobre o programa: "Amo Jennie Garth", ele disse. "Ela é a garota mais transada de Los Angeles. Usa batom vermelho... Tem 21 anos. É de Illinois. Ela está no 'Beverly Hills, 90210'. Fiquei apaixonado pela Jennie Garth. Começou em 1991, eu acho. Ela interpreta Kelly Taylor. Sempre usa *jeans* e camisas à moda do Oeste e colantes". Não é apenas por Jennie Garth, mas por todo o elenco do programa que Stephen está apaixonado, o qual ele incorpora em fantasias cada vez mais elaboradas. "Coleciono as fotos deles", ele disse. "Mandei vários desenhos para eles." Agora quer desenhar uma cobertura para eles na Park Avenue. Vão morar todos juntos, e ele com eles, como um "artista-visitante". Ele vai decidir quem pode visitá-los e quem não pode. À noite, depois de terem trabalhado o dia inteiro, vão sair para comer fora ou fazer um piquenique no terraço. Desenhou tudo isso.

Também vem fazendo desenhos *sexy* de garotas; Margaret descobriu isso um dia por acaso, numa viagem, quando andava pelo quarto de hotel dele e achou um desenho ao lado da cama. Ele é praticamente indiferente a seus outros desenhos, mesmo os maiores, que passou dias fazendo; podem se perder ou estragar, ele quase não liga. Mas os desenhos *sexy* são claramente diferentes; parece senti-los como se fossem propriedade sua e mantê-los na privacidade de seu quarto — não pensaria em mostrá-los a ninguém. São completamente diferentes de seus outros desenhos, seu trabalho de encomenda, porque são uma expressão de seus sonhos, suas necessidades e sua vida interior, de sua identidade pessoal e emocional; enquanto os desenhos arquitetônicos, por mais deslumbrantemente acabados que sejam, não têm a pretensão de ser nada além de verossímeis, reproduções.

O interesse de Stephen pelas garotas, suas fantasias em relação a elas, parece muito normal, muito adolescente em certo sentido, e no entanto está marcado por uma infantilidade, uma ingenuidade que reflete sua profunda falta de conhecimento humano e social. É difícil imaginá-lo namorando, mais ainda desfrutando de um relacionamento pessoal ou sexual. É de se imaginar que essas coisas nunca venham a ser possíveis para ele. Pergunto-me se ele se sente assim, ou se por vezes não fica triste em relação a isso.

Em julho de 1993, Margaret me telefonou, fora de si de tanta excitação. "Stephen manifestou capacidades musicais", ela anunciou. "Enormes capacidades! Você tem que vir vê-lo agora mesmo." Fiquei espantado com sua chamada; nunca a tinha visto tão excitada.

Os talentos musicais de Stephen remontavam claramente à tenra infância, assim como seus talentos artísticos. Lorraine Cole escreve que, mesmo quando ele mal falava, já era um artista e um mímico nato: "Seu retrato de um homem irritado num restaurante era tão vivo e engraçado, que somente ao vermos de novo o vídeo que havíamos feito nos dávamos conta de que não tinha se servido de palavras, mas apenas de um vasto espectro de barulhos rabugentos. Foi quando compreendemos sua capacidade de imitar sons". Isso foi particularmente impressionante após uma visita ao Japão — o som da língua o fascinou e quando Andrew foi buscar Margaret e ele em Heathrow, Stephen balbuciou pseudojaponês, acompanhado de gestos "japoneses", com tal eficácia que Andrew quase bateu o carro de tanto rir.

Estivera claro para todos nós, durante anos, que Stephen tinha uma imensa habilidade para reproduzir sons instrumentais, vozes, sotaques, entonações, melodias, ritmos, árias, canções — acompanhados de palavras ou das letras quando necessário —, uma memória auditiva natural, vasta e precisa. E, sugestivamente, ele também gostava de música, que o emocionava com um prazer quase físico, talvez mais, eu creio, que o desenho.

Mas Margaret, que conhecia tudo isso melhor que eu, estava obviamente se referindo a algo mais, a um salto totalmente novo e inesperado. O fator crucial, ela dissera, foi achar a professora de música certa para Stephen ("Ela é maravilhosa, querido!"), e eles iniciaram um relacionamento imediato. Programei uma viagem a Londres que coincidisse com uma das lições semanais de música e levei minha sobrinha Liz Chase, professora de música e pianista com um ouvido muito apurado, perita em improvisação, análise e teoria.

Liz e eu estávamos conversando havia alguns minutos com Evie Preston, a professora de música de Stephen, quando ele entrou, numa rajada, ao meio-dia em ponto. "Oi, Evie, tudo bem, eu vou bem", disse, e depois: "Oi, Oliver Sacks, tudo bem?", e quando apresentei minha sobrinha: "Oi, Liz Chase, tudo bem?". Em seguida, correu para o piano e, sob orientação de Evie, começou a tocar as escalas, a cantar os acordes, partindo das principais tríades. Fez tudo isso com a maior facilidade, e alegria. A noção de terceiras, quintas — esse sentido numeral pitagórico de intervalos musicais — parecia completamente natural em Stephen. "Nunca tive que ensiná-lo", Evie observou.

Ele parecia ávido por mais. "Vamos fazer as sétimas agora",

disse Evie; Stephen balançou a cabeça afirmativamente e riu como se lhe houvessem prometido um chocolate.

Em seguida, ela disse: "Agora, vamos tocar *blues* — você comanda e eu fico com o baixo". Com apenas três dedos (parecia desvantajoso mas funcionou brilhantemente), Stephen improvisava uma voz alta, cheia de complicações intrigantes e encantadoras. De início, confinou suas improvisações à metade mais baixa de uma oitava, mas a partir daí tornou-se mais vigoroso, com as improvisações resolutamente ficando mais amplas, mais complexas. Fez seis improvisações ao todo, chegando ao clímax na última. Mas, segundo Liz, "a improvisação é fácil, você faz por fazer". Se alguém tem a inteligência musical de captar a estrutura de variações, ela acrescentou, a capacidade de produzir variações é quase automática, uma qualidade determinante da própria inteligência. O que ela achou notável era como Stephen havia instilado emoções, algo de si mesmo, em suas improvisações; como as tornara "criativas, ousadas e dramaticamente interessantes".

Evie pediu a Stephen que cantasse "What a wonderful world". Seu canto pareceu carregado de um sentimento genuíno, e seus gestos enquanto cantava não eram afetados e cheios de tiques como de hábito. Assim que a canção terminou, Evie pediu a Stephen que a analisasse pela harmonia, que cantasse e numerasse todos os acordes. Ele o fez sem um instante de hesitação. "Está claro que ele possui capacidades completamente extraordinárias de identificação harmônica, análise e reprodução", Liz comentou. Então, Evie deu a ele um exercício de "interpretação", como o fazia toda semana, tocando para ele um tema que nunca tivesse ouvido antes, o "Träumerei", de Schumann. Stephen escutou atentamente e nos falou de suas "associações" enquanto ouvia: "É sobre... o ar no campo, narcisos na primavera... um rio... o sol... (Eu amo isso)... roseiras... uma brisa leve, fresca... as crianças saem para brincar com os amigos".

Será que Stephen — em grande parte tão desprovido de sentimentos ou alijado deles — estava realmente sentindo esses afetos e humores? Ou teria aprendido, sido ensinado de alguma maneira, a "decodificar" a música, que tais e tais formas são "pastoral" ou "vernal", e como tais teriam imagens apropriadas? Seria um tipo de artimanha, desempenhada sem qualquer sentimento real? Mencionei esse pensamento a Evie posteriormente e ela me disse que no início as associações que ele fazia com a música eram casuais ou egocêntricas, impressionantemente irrelevantes para a realidade do tom da obra. Ela explicou-lhe então que sentimentos ou imagens "casavam com" diferentes formas de música, e agora ele os aprendeu. Mas ela acha que ele também os sente.

Por fim, chegou a hora de Stephen escolher uma canção para interpretar. Queria "It's not unusual", uma canção bem ao gosto dele — uma música em que podia realmente deixar-se levar. Cantou com grande entusiasmo, balançando os quadris, dançando, gesticulando, imitando, segurando um microfone imaginário em sua boca, dirigindo-se, em sua imaginação, a uma vasta platéia. "It's not unusual" tornou-se o tema de Tom Jones e, em sua versão, Stephen incorporou a presença física exuberante de Jones com um toque de Stevie Wonder. Parecia completamente integrado à música, completamente possuído — e nessa hora não havia nada da postura torta de pescoço que lhe era habitual, nada da afetação, dos tiques, da aversão aos olhares. Ao que parecia, toda a sua *persona* autista tinha desaparecido por completo, substituída por movimentos livres, graciosos, emocionalmente adequados e ordenados. Muito surpreso com essa transformação, escrevi com enormes maiúsculas no meu caderno: "O AUTISMO DESAPARECE". Mas assim que a música acabou, Stephen retomou seu aspecto autista.

Até então, parecera fazer parte da natureza de Stephen, parte do estado autista, o fato de ser deficiente precisamente no âmbito das emoções e estados de espírito que definem um "eu" para nós. E contudo, na música, era como se os tivesse "recebido", como se tivesse "tomado emprestada" uma identidade — embora se perdessem com o fim da música.

Era como se, por um breve período de tempo, tivesse ficado verdadeiramente vivo.

A lição de música de Stephen foi, para mim, uma revelação

— não apenas de outros talentos (o que não é de todo inesperado em um autista *savant*), mas de um *modo de ser* que eu não teria imaginado ser-lhe acessível. Nada do que eu havia visto com ele antes, e nada em sua arte, havia me preparado para isso. Parecia estar usando a totalidade do seu eu, do seu corpo, com todo o seu repertório de movimentos e expressões, para cantar, encenar a canção — embora continuasse obscuro para mim se se tratava basicamente de um brilhante desempenho de pantomima ou de um verdadeiro mergulho nas palavras, nos sentimentos, nos estados interiores da canção. Fiquei (de forma ainda mais aguçada que com alguns de seus desenhos de Matisse) com a dúvida sobre se tratava os originais (pinturas ou canções) como representações de interioridades, de estados de espírito dos outros, ou como *objetos*. Será que ele penetrava, por assim dizer, a cabeça do pintor ou do compositor, compartilhava sua subjetividade, ou apenas tratava suas produções (como casas) como puramente físicas, como objetos? (Seria sua repetição de *Rain Man*, nesse caso, somente um arremedo literal, uma mímica ou ecolalia, ou estaria impregnada pela compreensão do significado do filme?) Será que seus dons, nas palavras de Goldstein, não passariam de "talentos amentes", desprovidos de intelecto, ou seriam conquistas genuínas da mente e da identidade?

Goldstein é o primeiro a igualar a "mente" ao abstrato-categórico, ao conceitual, e a ver qualquer outra coisa como patológica, estéril. Mas há outras formas de saúde, de mente, além do conceitual, embora neurologistas e psicólogos raramente o reconheçam. Existe a mimese — ela própria uma capacidade da mente, uma maneira de representar a realidade com o corpo e os sentidos, uma faculdade unicamente humana não menos importante que o símbolo ou a linguagem. Merlin Donald, em *Origins of the modern mind*, especulou que as capacidades miméticas da modelagem, da representação interior, de um tipo totalmente não verbal e não conceitual, podem ter sido o modo de cognição dominante por 1 milhão de anos ou mais em nosso predecessor imediato, o *Homo erectus*, antes do advento do pensamento abstrato e da linguagem no *Homo sapiens*.[11] Enquanto eu observava Stephen cantando e imitando, perguntei-me se não seria possível compreender pelo menos alguns aspectos do autismo e do "savantismo" em termos do desenvolvimento normal, mesmo da hipertrofia, dos sistemas de base mimética do cérebro, este antigo modo de cognição, associado a uma relativa deficiência no desenvolvimento de sistemas mais modernos, de base simbólica. E, no entanto, mesmo se algumas analogias podem ser estabelecidas aqui, são muito parciais e não devem nos iludir. Stephen não é nem um amente, nem um computador, nem um *Homo erectus* — todos os nossos modelos, todos os nossos termos, desmoronam diante dele.

O desenvolvimento de Stephen tem sido singular, qualitativamente diferente, desde o início. Ele constrói o universo de uma maneira diferente — e seu modo de cognição, sua identidade e seus dons artísticos se combinam. Não sabemos, por fim, como Stephen pensa, como constrói o mundo, como é capaz de desenhar e cantar. Mas sabemos que, embora possa faltar-lhe o simbólico, o abstrato, possui uma espécie de genialidade para representações concretas e miméticas, seja ao desenhar uma catedral, um cânion, uma flor, ou encenando uma situação, um drama, uma canção — uma espécie de genialidade para captar os traços formais, a lógica estrutural, o estilo, a "essência" (embora não necessariamente o "sentido") de tudo o que retrata.

A criatividade, como costuma ser entendida, acarreta não somente um "o que", um talento, mas um "quem" — fortes características pessoais, uma identidade forte, uma sensibilidade e um estilo próprios, que escoam para o talento, fundem-se com ele, dando-lhe corpo e forma pessoais. A criatividade, nesse sentido, envolve a capacidade de originar, de romper com as maneiras existentes de olhar as coisas, mover-se livremente no domínio da imaginação, criar e recriar mundos inteiros na cabeça da pessoa — enquanto supervisiona tudo isso com um olho crítico interior. A criatividade tem a ver com a vida interior — com o fluxo de novas idéias e sentimentos fortes.

Nesse sentido, a criatividade provavelmente nunca será possível para Stephen. Mas a apreensão da essência, seu gênio perceptivo, não é um talento qualquer; é tão raro e precioso quanto os dons mais intelectuais. Cheguei a me referir a José como alguém vivendo não num universo, mas no que William James chamou de "multiverso", formado de particulares inumeráveis e desconectados embora intensamente nítidos, e experimentando o mundo (nas palavras de Proust) como "uma coleção de momentos" — nítidos, isolados, sem antes ou depois. Imaginei José, que gostava de desenhar bichos e plantas, como um ilustrador de plantas e ervas (de fato, depois ouvi falar que um artista autista trabalhava no Royal Botanical Gardens, em Kew).

Será que o autismo é necessário para sua arte, ou um ingrediente dela? A maioria dos autistas não são artistas, como a maioria dos artistas não são autistas; mas, no caso de ambos coincidirem (como em Stephen ou José), deve haver, eu creio, uma interação entre os dois, de forma que a arte incorpora algo da força e da fraqueza do autismo, sua notável capacidade de reproduções e representações minuciosamente detalhadas, mas também sua repetição e estereotipia. Só não estou certo se se poderia falar de uma "arte autista" distinta.

Será que Stephen, ou seu autismo, é modificado por sua arte? Nesse ponto, creio que a resposta é não. Não sinto que sua arte se dissemine ou difunda, em qualquer sentido, no caráter dele, nem que altere o tom geral de sua mente. Mas talvez isso não seja tão surpreendente: há vários exemplos de artistas formidáveis, até sublimes em sua arte, mas cujas vidas pessoais são banais, incoerentes ou ignóbeis (existem, obviamente, outros cujas vidas se equiparam a sua arte).

Dos portadores de autismo clássico, 50% são mudos, nunca usam a fala; 95% levam vidas muito limitadas — Stephen, em certo sentido, escapou a essas estatísticas, em parte por sua arte, em parte graças àqueles que o apoiaram com tanto afinco. Os talentos e a arte, não reconhecidos, não apoiados, não bastam: José é quase tão dotado quanto Stephen, mas nunca foi reconhecido, ou apoiado, e continua definhando numa enfermaria; ao passo que Stephen vive uma vida variada e estimulante — viaja, sai para desenhar e freqüenta uma escola de arte. Margaret

Hewson, Chris Marris e outros tiveram um papel essencial, encorajando-o e incentivando seus talentos, tornando-lhe possível sua vida criativa atual. Mesmo assim, sua passividade permanece extrema e creio que ele continuará precisando desse apoio pessoal, assim como o Cego Tom precisava do apoio do coronel Bethune.

Os desenhos de Stephen podem nunca vir a se desenvolver, nunca chegar a uma obra maior, à expressão de um sentimento, teoria ou visão profundos do mundo. E *também ele* pode nunca vir a se desenvolver, ou alcançar o estado completo, a grandeza e a miséria de ser humano, do homem.

Mas isso não deve servir para diminuí-lo, ou para menosprezar seus dons. Suas limitações, paradoxalmente, podem servir como forças também. Sua visão é valiosa, ao que me parece, precisamente por transmitir um ponto de vista maravilhosamente direto e não conceitualizado do mundo. Stephen pode ser limitado, esquisito, idiossincrático, autista; mas lhe foi permitido alcançar o que poucos de nós conseguimos, uma significante representação e investigação do mundo.

UM ANTROPÓLOGO EM MARTE

EU ACABARA DE VOLTAR de alguns dias com Stephen Wiltshire em julho. Tinha ido a Massachusetts de carro visitar outra artista autista, Jessy Park (cuja mãe a descreve na mais bela e inteligente narrativa pessoal, "The siege"), e ver seus desenhos vivamente coloridos e salpicados de estrelas (muito diferentes dos de Stephen) e algo de seu mundo labiríntico e mágico de correlações (entre os números, as cores, a moral e o tempo). Tinha visitado rapidamente várias escolas para crianças autistas. Passara uma semana extraordinária num campo para crianças autistas, Camp Winston, em Ontário, tanto mais extraordinária por um dos conselheiros naquele verão ser um amigo meu, Shane, com síndrome de Tourette, que, com todas as suas arremetidas e toques, seus tiques e colisões, sua enorme vitalidade e impulsividade, parecia capaz de chegar ao mais profundo das crianças autistas, de uma maneira de que somos incapazes. Rumando para o oeste, visitara toda uma família autista na Califórnia — pai e mãe, altamente dotados, e suas duas crianças, todos com propensões (entre os assuntos sérios da vida) aos saltos em cama elástica, a bater as mãos e gritar. E agora, finalmente, eu estava a caminho de Fort Collins, no Colorado, para encontrar Temple Grandin, uma das mais notáveis autistas: a despeito de seu autismo, ela é Ph. D. em ciência animal, dá aulas na Colorado State University, e cuida de seus próprios negócios.

O autismo foi descrito quase que simultaneamente por Leo Kanner e Hans Asperger nos anos 40, mas o primeiro parecia vê-lo como um desastre consumado, enquanto o segundo achava que podia ter certos aspectos positivos e compensatórios —

uma "originalidade particular de pensamento e experiência, que pode muito bem levar a conquistas excepcionais na vida adulta".

Fica claro, mesmo nesses primeiros relatos, que existe uma vasta gama de fenômenos e sintomas no autismo — e muitos outros podem ser acrescentados aos que foram listados por Kanner e Asperger. A grande maioria das crianças examinadas por Kanner é retardada, em geral gravemente; uma proporção significativa tem convulsões e pode sofrer de sinais e sintomas neurológicos "suaves" — toda uma gama de movimentos automáticos ou repetitivos, como espasmos, tiques, balanços, giros, brincadeiras com os dedos ou batidas com as mãos; problemas de coordenação e equilíbrio; dificuldades peculiares, por vezes ao iniciar um movimento, semelhante ao que se vê no mal de Parkinson. Também pode haver, com muita proeminência, um amplo espectro de reações sensórias anormais (e com freqüência "paradoxais"), com algumas sensações intensificadas ou mesmo intoleráveis, outras (que podem incluir a percepção da dor) diminuídas ou aparentemente ausentes. Pode haver, se a linguagem for desenvolvida, distúrbios lingüísticos complexos e estranhos — uma tendência à verborragia, conversa vazia e um discurso dominado por clichês e fórmulas; a psicóloga Doris Allen descreve esse aspecto do autismo como uma "deficiência semântico-pragmática". Em contraposição, as crianças do tipo examinado por Asperger têm em geral uma inteligência normal (e por vezes muito superior) e menos problemas neurológicos.

Kanner e Asperger trataram o autismo clinicamente, fazendo descrições com tamanha riqueza e precisão que mesmo hoje, cinqüenta anos depois, é difícil superá-los. Mas foi apenas nos anos 70 que Beate Hermelin e Neil O'Connor e seus colegas em Londres, formados na nova disciplina da psicologia cognitiva, dedicaram-se à estrutura mental do autismo de uma maneira mais sistemática. Seu trabalho (e o de Lorna Wing, em particular) sugere que existe um problema essencial, uma tríade consistente de deficiências, em todos os indivíduos autistas: deterioração da interação social com os outros, da comunicação verbal e não verbal e das atividades lúdicas e imaginativas. O surgimento dessas três juntas, segundo eles, não é fortuito; todas são expressões de um distúrbio único e fundamental de desenvolvimento. Eles sugerem que os autistas não têm nenhum conceito verdadeiro, ou sentimento, em relação às outras mentes, ou às suas próprias; eles não têm, no jargão da psicologia cognitiva, qualquer "teoria da mente". No entanto, essa é apenas uma hipótese entre várias; nenhuma teoria, até agora, abarca a totalidade do conjunto de fenômenos vistos no autismo. Kanner e Asperger continuavam, nos anos 70, a refletir sobre as síndromes que tinham delineado mais de trinta anos antes, e todos os profissionais de ponta de hoje passaram vinte anos estudando-as. O autismo como tema toca nas mais profundas questões de ontologia, pois envolve um desvio radical no desenvolvimento do cérebro e da mente. Nossa compreensão está avançando, mas de uma maneira provocadoramente vagarosa. O entendimento final do autismo pode exigir tanto avanços técnicos como conceituais para além de tudo com o que hoje podemos sonhar.

O quadro do "autismo infantil clássico" é terrível. A maioria das pessoas (e, de fato, dos médicos), se questionada sobre o autismo, faz uma imagem de uma criança profundamente incapacitada, com movimentos estereotipados, talvez batendo com a cabeça, com uma linguagem rudimentar, quase inacessível: uma criatura a quem o futuro não reserva muita coisa.

É verdade que, curiosamente, a maioria das pessoas fala apenas de crianças autistas e nunca de adultos, como se de alguma maneira as crianças simplesmente sumissem da face do planeta. Mas embora possa haver de fato um quadro devastador aos três anos de idade, alguns jovens autistas, ao contrário das expectativas, podem conseguir desenvolver uma linguagem satisfatória, alcançar um mínimo de habilidades sociais e mesmo conquistas altamente intelectuais; podem se tornar seres humanos autônomos, aptos para uma vida pelo menos aparentemente completa e normal — mesmo se encobrindo uma singularidade autista persistente e até profunda. Asperger tinha uma idéia mais clara que Kanner sobre essa possibilidade; daí nos referirmos hoje a esses indivíduos autistas com "altos desempenhos" como portadores da síndrome de Asperger. A diferença definitiva talvez seja que as pessoas com a síndrome de Asperger podem nos falar de suas experiências, de seus sentimentos e estados interiores, ao passo que aquelas com autismo clássico não são capazes disso. Com o autismo clássico, não há janelas, e podemos fazer apenas inferências. Com a síndrome de Asperger, há uma consciência de si e ao menos algum poder de introspecção e relato.

Se a síndrome de Asperger é radicalmente diferente do autismo infantil clássico (numa criança de três anos, todas as formas de autismo podem parecer as mesmas), ou se há uma continuidade entre os casos mais graves de autismo infantil (acompanhados, talvez, por retardo mental e vários problemas neurológicos) e os indivíduos mais dotados e com altos desempenhos, ainda é motivo de discussão. (Isabelle Rapin, uma neurologista especializada em autismo, frisa que as duas condições podem ser diferentes a nível biológico mesmo se por vezes se assemelham a nível comportamental.) Também não está claro se essa continuidade deveria ser estendida para incluir a posse de "traços autistas" isolados — preocupações e fixações intensas e peculiares, em geral associadas a uma relativa distância e recuo social —, como se percebe em uma quantidade de pessoas convencionalmente chamadas de "normais" ou vistas, no máximo, como um pouco estranhas, excêntricas, pedantes ou reclusas.

A causa do autismo também tem sido motivo de discussão. Sua incidência é de um em mil, ocorrendo em qualquer lugar do mundo, com características notavelmente constantes até nas culturas mais diferentes. Em geral, não é detectado no primeiro ano de vida, mas costuma se tornar evidente no segundo e no terceiro ano. Embora Asperger o visse como uma deficiência biológica de contato afetivo — inata, congênita, análoga a uma deficiência física ou intelectual —, Kanner tendia a vê-lo como um distúrbio psicogênico, um reflexo de maus pais e, mais especialmente, de uma "mãe geladeira", distante, fria e, com freqüência, profissional. Naquela época, o autismo era freqüentemente visto como de natureza "defensiva", ou confundido com esquizofrenia infantil. Toda uma geração de pais — particularmente as mães — foi levada a se sentir culpada pelo autismo dos filhos. Apenas nos anos 60 é que essa tendência começou a ser revertida, e a natureza orgânica do autismo a ser totalmente aceita. (O texto de Bernard Rimland, *Infantile autism*, de 1964, teve um papel importante nisso.)

Que a disposição para o autismo seja biológica é algo que não está mais em questão, nem as provas cada vez maiores de que ele seja, em alguns casos, genético. Geneticamente, o autismo é heterogêneo — por vezes dominante, por outras recessivo. Ele é mais comum nos homens. A forma genética pode ser associada, no indivíduo ou na família afetada, a outros distúrbios genéticos, como dislexia, distúrbios de déficit de atenção, distúrbio obsessivo-compulsivo ou síndrome de Tourette. Mas o autismo também pode ser adquirido, o que foi percebido pela primeira vez nos anos 60, com a epidemia de rubéola, quando um grande número de bebês cujas mães tiveram a doença durante a gravidez acabaram desenvolvendo-o. Ainda não se sabe se as chamadas formas regressivas do autismo — por vezes com perdas abruptas de linguagem e comportamento social em crianças entre os dois e quatro anos que anteriormente vinham se desenvolvendo de uma forma relativamente normal — são causadas geneticamente ou pelo meio. O autismo pode ser uma conseqüência de problemas metabólicos (como a fenilcetonúria) ou mecânicos (como o hidrocefalia).[1] O autismo, ou as síndromes com características autistas, pode aparecer mesmo durante a vida adulta, embora raramente, em especial após certas formas de encefalite. (Alguns dos meus pacientes de *Tempo de despertar*, eu creio, também tinham elementos do autismo.)

E, no entanto, os pais de uma criança autista que vêem seu filho retrocedendo em relação a eles, ficando distante, inacessível, sem reações, podem continuar inclinados a assumir a culpa. Podem ver-se lutando para se relacionar e amar uma criança que, aparentemente, não lhes corresponde. Podem fazer esforços sobre-humanos para alcançar, agarrar uma criança que vive num mundo inimaginável e alheio; e ainda assim todos os seus esforços podem parecer vãos.

De fato, a história do autismo tem sido em parte uma busca desesperada, e uma promoção, de "avanços" de todo tipo. O pai de um menino autista me falou sobre isso com certa amargura: "Eles aparecem com um novo 'milagre' a cada quatro anos — primeiro foram as dietas por eliminação, depois magnésio e vitamina B, depois o direcionamento forçado, depois o condicionamento operante e a modificação de comportamento; agora toda a excitação se concentra na dessensibilização auditiva e a comunicação facilitada". Aos doze anos, esse menino continuava provocadoramente mudo e inalcançável, e sua condição havia desafiado toda forma de tentativa terapêutica — donde o pessimismo do pai e sua condenação obstinada. Os resultados parecem extremamente variados: certos indivíduos podem responder de maneira espetacular a alguns desses métodos, enquanto outros não mostram praticamente nenhuma reação.[2]

Não há duas pessoas com autismo que sejam iguais; sua forma precisa ou expressão é diferente em cada caso. Além disso, pode haver uma interação mais intrincada (e potencialmente criativa) entre os traços autistas e as outras qualidades do indivíduo. Assim, ainda que um simples passar de olhos possa ser suficiente para o diagnóstico clínico, será só levando em conta a totalidade da biografia do indivíduo que poderemos ter a esperança de compreender realmente o autista.

Minha primeira experiência com autistas foi numa enfermaria soturna de um hospital público em meados dos anos 60. Muitos desses pacientes, talvez a maioria, também eram retardados; muitos sofriam de convulsões; muitos tinham violentos comportamentos auto-agressivos, como bater com a cabeça; muitos tinham outros problemas neurológicos. Esses pacientes mais graves costumavam ter deficiências múltiplas além de seu autismo (e muitos haviam ficado traumatizados por abusos). E no entanto, mesmo entre essa população, havia por vezes "ilhas de capacidade", eventuais talentos espetaculares, brilhando em meio à devastação, exatamente como Kanner e Asperger haviam descrito — notáveis poderes numéricos ou gráficos, por exemplo. Eram esses talentos especiais, aparentemente isolados do resto da mente e da personalidade, e mantidos por uma fixação ou motivação apaixonada e intensamente concentrada — essas síndromes *savants* —, que atraíram em especial meu interesse e que explorei mais profundamente à época. E, mesmo dentre essa população de casos aparentemente perdidos, havia quem respondesse a uma atenção individual. Um jovem paciente, não verbal, reagia à música e dançava; outro, após algumas semanas, passou a jogar bilhar comigo e posteriormente, no jardim botânico, disse sua primeira palavra — "dente-de-leão". Muitos desses pacientes, nascidos nos anos 40 ou início dos 50, não foram diagnosticados como autistas quando crianças, sendo agrupados indiscriminadamente com retardados e psicóticos e colocados em enormes instituições desde a mais tenra idade. É assim provavelmente que os autistas graves foram tratados por séculos. Somente nas últimas duas décadas, mais ou menos, o quadro desses jovens se modificou decisivamente, com uma progressiva consciência médica e educacional sobre seus poderes e problemas especiais, e com a abrangente introdução de escolas especiais e campos para crianças autistas.[3]

Ao visitar alguns deles em agosto, eu vira uma variedade de crianças, algumas inteligentes, outras ligeiramente retardadas, algumas desembaraçadas, outras tímidas, todas com suas personalidades individuais. Numa dessas escolas, ao me aproximar, vira algumas crianças no pátio, no balanço e jogando bola. Tão normal, pensei — mas quando cheguei mais perto, vi que uma delas balançava obsessivamente em semicírculos aterradores, indo até o máximo do balanço; outra jogava uma bolinha na maior monotonia de uma mão para a outra; outra ainda girava num carrossel sem parar; e outra pegava tijolos não para construir, mas para alinhá-los infinitamente em fileiras certinhas e monótonas. Todas estavam empenhadas em atividades solitárias e repetitivas; ninguém estava realmente brincando, ou brincando com qualquer um dos outros. Algumas das crianças dentro da casa, quando não estavam nas aulas, ficavam se balançando para a frente e para trás; outras batiam com as mãos e tagarelavam ininteligivelmente. Vez por outra, disse-me um dos professores, algumas delas sofriam de pânicos repentinos ou de acessos de raiva e gritavam ou davam socos descontroladamente. Algumas crianças repetiam qualquer palavra que lhes fosse dita. Um garoto tinha decorado aparentemente todo um programa de televisão e o "repassava" o dia inteiro, na íntegra, com todas as vozes e gestos, e mesmo o barulho das palmas. Em Camp Winston, um menino bonito de seis anos ganhou uma tesoura e cortava "HH" minuciosos e perfeitos, com menos de dois centímetros de altura, de um pedaço de papel. A maioria das crianças parecia fisicamente normal — o sinistro era sua distância, sua inacessibilidade.

Alguns, já na adolescência, começavam a emergir — a falar fluentemente, a aprender habilidades sociais (muito mais difíceis para essas crianças do que qualquer outro aprendizado acadêmico), a criar aparências sociais que pudessem apresentar ao mundo.

Sem um ensino especial — que para muitos começara no berçário ou em casa —, esses jovens autistas, apesar de sua com freqüência boa inteligência e formação, poderiam ter permanecido profundamente isolados e incapazes. É certo que muitos deles tinham aprendido a "operar" a partir de um modo, a mostrar pelo menos um reconhecimento formal e externo das convenções sociais — e, contudo, a própria formalidade ou exterioridade de seus comportamentos era em si desconcertante. Senti isso especialmente em uma escola que visitei, onde as crianças esticavam as mãos duras e diziam com uma voz alta e não modulada: "Bom dia meu nome é Peter... Estou muito bem obrigado como vai você", sem qualquer pontuação ou entonação, sentimento ou tom, numa espécie de litania. Será que alguma delas, perguntei-me, conseguirá alcançar algum dia uma verdadeira autonomia? Usar seus automatismos sociais pragmaticamente, como uma forma de funcionamento no mundo, e, para além disso, alcançar uma interioridade verdadeira e própria, talvez uma vida interior profundamente diferente, de um tipo autista — talvez uma vida interior cujo conhecimento fosse dado somente a uns poucos?

Uta Frith escreveu em seu livro *Autism: explaining the enigma*: "O autismo [...] não vai embora. [...] Ainda assim, os autistas podem, e o fazem com freqüência, compensar num grau notável suas deficiências. [Embora] haja uma deficiência persistente, que se mantém [...] algo que não pode ser corrigido ou substituído". Ela também conclui, com espírito especulativo, que pode haver outro lado desse "algo", uma espécie de intensidade ou pureza moral ou intelectual, tão distante do normal a ponto de parecer nobre, ridícula ou temível para os outros. Ela se pergunta, a esse respeito, sobre os idiotas abençoados da velha Rússia, sobre o ingênuo irmão Junípero, um dos primeiros seguidores de são Francisco, e, curiosamente, sobre Sherlock Holmes, com sua esquisitice, suas fixações peculiares — sua "pequena monografia sobre as cinzas de 140 diferentes variedades de fumos de cachimbo, charuto e cigarro", seus "evidentes poderes de observação e dedução, revelados pelas emoções diárias de gente comum", e a maneira extremamente pouco convencional que, com freqüência, permite-lhe resolver um caso que a polícia, com suas mentes mais convencionais, é incapaz de solucionar. O próprio Asperger escreveu sobre uma "inteligência autista" e a viu como uma inteligência praticamente intocada pela tradição e pela cultura — pouco convencional, não ortodoxa, estranhamente "pura" e original, análoga à inteligência da verdadeira criatividade.

A dra. Frith, quando nos encontramos em Londres, estendeu-se sobre esses temas e disse que eu precisava conhecer uma das mais notáveis autistas de que ela tinha conhecimento — vê-la trabalhando e em casa, passar um tempo com ela. "Vá ver Temple", disse a dra. Frith quando eu saía de seu consultório.

É claro que eu tinha ouvido falar em Temple Grandin — qualquer um interessado em autismo já ouviu — e lido sua autobiografia, *Emergence: labeled autistic*, quando saiu, em 1986. Quando a li pela primeira vez, não pude deixar de ter certa desconfiança: a mente autista, como se supunha na época, era incapaz de um auto-entendimento e de compreender os outros e, portanto, de uma introspecção ou de um retrospecto autênticos. Como um autista podia escrever uma autobiografia? Parecia uma contradição em si. Quando notei que o livro tinha sido escrito em colaboração com um jornalista, fiquei na dúvida se algumas de suas grandes e inesperadas qualidades — sua coerência, mordacidade e tom freqüentemente "normal" — podiam ser de fato obra dela. Essas suspeitas continuaram a ser exprimidas, em relação ao livro de Grandin e às autobiografias de autistas em geral, mas ao ler os textos de Temple (e seus inúmeros artigos autobiográficos) me deparei com uma minuciosidade e uma consistência, uma franqueza, que mudaram minha opinião.[4]

Lendo sua autobiografia e seus artigos, tem-se uma idéia de como ela era estranha e diferente quando criança, como era distante do normal.[5] Aos seis meses, começou a ficar enrijecida nos braços da mãe, aos dez meses a arranhá-la "como um animal encurralado". O contato normal era praticamente impossível nessas circunstâncias. Temple descreve seu mundo como um mundo de sensações intensificadas, por vezes elevadas a um grau torturante (e por outras inibidas até o aniquilamento): fala de seus ouvidos, aos dois ou três anos, como microfones desamparados, transmitindo tudo, a despeito da relevância, no volume mais alto, ensurdecedor — uma ausência de modulação semelhante ocorria com todos os seus sentidos. Mostrava um forte interesse por cheiros e um olfato notável. Sofria de impulsos repentinos e, quando eram frustrados, de ataques de raiva violentos. Não observava nenhum dos códigos ou regras habituais do relacionamento humano. Vivia, por vezes encolerizada, numa desorganização inconcebível, num mundo desatinadamente caótico. Com três anos, tornou-se destrutiva e violenta:

> As crianças normais usam barro para modelar; eu usava minhas fezes e depois espalhava minhas criações por todo o quarto. Mascava quebra-cabeças e cuspia a papa de papel cartão no chão. Tinha um temperamento violento, e quando contrariada arremessava o que estivesse à mão — que fosse um vaso de museu ou minhas fezes. Gritava continuamente...

E, no entanto, como muitas crianças autistas, logo desenvolveu um enorme poder de concentração, uma seletividade de atenção tão forte que podia criar seu próprio mundo, um lugar de calma e ordem em meio ao caos e ao tumulto: "Podia ficar sentada na praia por horas, com areia escorrendo entre os dedos, fazendo montanhas em miniatura", ela escreve. "Cada grão de areia me intrigava como se eu fosse um cientista olhando num microscópio. Em outras ocasiões, examinava cada linha no meu dedo, seguindo-as como se fossem estradas num mapa". Ou então rodopiava, ou girava uma moeda, tão absorta que não via ou ouvia mais nada. "As pessoas a minha volta eram transparentes. [...] Nem mesmo um estrondo súbito me tirava do meu mundo." (Não está claro se esse hiperfoco de atenção — uma atenção tão estreita quanto intensa — é um fenômeno primário no autismo ou uma reação ou adaptação a um dilúvio opressivo e incontido de sensações. Um hiperfoco semelhante às vezes é visto na síndrome de Tourette.)

Aos três anos, Temple foi levada a um neurologista e o diagnóstico de autismo foi feito; deu-se a entender que uma internação vitalícia seria provavelmente necessária. A total ausência da fala nessa idade, sobretudo, parecia um mau sinal.

Eu me perguntara como ela tinha conseguido passar dessa infância praticamente ininteligível, com seu caos, suas fixações, sua inacessibilidade, sua violência — esse estado feroz e desesperado, que quase a levou a uma internação aos três anos —, à bióloga e engenheira bem-sucedida que eu estava indo visitar.

Liguei para Temple do aeroporto de Denver para confirmar nosso encontro — era concebível, eu pensei, que ela pudesse ser algo inflexível sobre combinações, de forma que a hora e o lugar deviam ser marcados com a maior precisão possível. Temple disse que levava uma hora e quinze de carro até Fort Collins e forneceu coordenadas minuciosas para que eu encontrasse sua sala na Colorado State University, onde ela é professora-assistente no Departamento de Ciências Animais. A certa altura, perdi um detalhe e pedi a Temple que o repetisse; fiquei surpreso quando ela repetiu a litania das indicações na íntegra — por vários minutos — praticamente com as mesmas palavras. Era como se as indicações tivessem de ser dadas da mesma forma como eram guardadas na cabeça de Temple, na íntegra — como se tivessem se fundido em um programa ou associação fixa e não pudessem mais ser separadas em seus componentes. Uma das indicações, porém, tinha de ser modificada. Tinha-me dito no início que eu devia entrar à direita na College Street num cruzamento determinado, marcado por um restaurante Taco Bell. Da segunda vez, Temple acrescentou um aparte nesse ponto, disse que o Taco Bell tinha passado por uma reforma recentemente, parecendo agora uma simulação de casa de fazenda, sem aquele aspecto "pavilhonesco" anterior. Fiquei impressionado com o interessante e estapafúrdio adjetivo "pavilhonesco" — os autistas são com freqüência chamados de sem graça, pouco imaginativos, e "pavilhonesco" era com certeza uma invenção original, uma imagem espontânea e encantadora.

Consegui chegar ao *campus* da universidade e localizar o prédio das Ciências Animais, onde Temple me aguardava. Ela é uma mulher alta, encorpada, com quarenta e poucos anos; usava jeans, uma camisa de malha, botas de caubói, sua maneira habitual de se vestir. Sua roupa, seu aspecto, suas maneiras eram simples, francas e diretas; tive a impressão de estar diante de uma fazendeira resoluta, sem frescuras, indiferente às convenções sociais, à aparência ou aos enfeites, com uma falta de afetação, uma absoluta franqueza de comportamento e pensamento. Ao estender o braço para me cumprimentar, levantou-o demais, pareceu tê-lo por um instante numa espécie de espasmo ou de postura fixa — um vestígio, um eco, dos estereótipos que tivera no passado. Depois, apertou minha mão vigorosamente e me guiou até sua sala. (Seu passo me pareceu ligeiramente desajeitado e tosco, como costuma acontecer com adultos autistas. Temple atribui isso a uma simples ataxia associada ao desenvolvimento debilitado do sistema vestibular e de parte do cerebelo. Posteriormente, fiz um breve exame neurológico, concentrando-me em sua função do cerebelo e em seu equilíbrio; encontrei de fato uma pequena ataxia, mas insuficiente, eu pensei, para explicar seu andar esquisito.)

Fez-me sentar com pouca cerimônia, sem introduções, ou delicadezas sociais, sem conversa mole sobre minha viagem ou sobre o que estava achando do Colorado. Sua sala, tomada de papéis, com trabalho já feito e por fazer, podia ser a de qualquer acadêmico, com fotografias de seus projetos na parede e bugigangas de animais que ela tinha recolhido em suas viagens. Mergulhou direto no assunto de seu trabalho, falando de seus primeiros interesses em psicologia e comportamento animal, como estavam ligados à auto-observação e a um sentido de suas próprias necessidades como autista, e como isso foi associado à parte de visualização e engenharia em seu cérebro, levando-a a um campo especial que ela transformou em sua própria área de trabalho: a concepção de fazendas, pastos de engorda, currais, matadouros — vários tipos de sistemas para a criação e corte de animais.

Ela me passou um livro com alguns dos projetos que desenvolveu ao longo dos anos — o título era *Beef cattle behaviors, handling, and facilities design* — e eu admirei os complexos e belos desenhos no interior e a apresentação lógica do livro, começando com diagramas sobre o comportamento de gado, carneiros e porcos, e passando através de desenhos de currais para instalações pecuárias mais complexas.

Falava bem e claramente, mas com certa fixidez e ímpeto ininterrupto. Uma sentença, um parágrafo, uma vez iniciados, tinham que ser terminados; nada era deixado implícito, solto no ar.

Comecei a ficar um tanto exausto, faminto e com sede — passara o dia viajando e tinha perdido o almoço —, esperando que Temple percebesse e me oferecesse um café. Ela não o fez; assim, após uma hora, quase desmaiando sob o peso de suas sentenças excessivamente explícitas e inexoráveis, e da necessidade de prestar atenção a diversas coisas de uma só vez (não apenas no que estava dizendo, que era com freqüência complexo e estranho para mim, mas também em seus processos mentais, o tipo de pessoa que ela era), finalmente pedi um café. Não houve nenhum "Desculpe, devia ter oferecido antes", nenhuma intermediação, nenhuma junção social. Em vez disso, levou-me imediatamente até uma cafeteira que ficava requentando o café na secretaria do andar de cima. Apresentou-me às secretárias de uma maneira um pouco brusca, dando-me a impressão, mais uma vez, de alguém que mal aprendera "como se comportar" nessas situações, faltando-lhe muito de uma percepção pessoal sobre como os outros sentem — as nuanças, as sutilezas sociais envolvidas.

"Está na hora de irmos jantar", Temple anunciou de repente, depois de termos passado mais uma hora em sua sala. "Comemos cedo no Oeste." Fomos a um restaurante de faroeste nas imediações, com portas de *saloon* e armas e chifres de bois pendurados nas paredes — já estava repleto, como Temple dissera que estaria, às cinco da tarde —, e pedimos uma refeição clássica de *westerns*: costelas e cerveja. Comemos com apetite e falamos durante a refeição sobre os aspectos técnicos do trabalho de Temple e as maneiras como dispunha cada projeto, cada problema, visualmente, em sua cabeça. Ao sairmos do restaurante, sugeri darmos uma volta e Temple me levou a um prado que acompanhava uma velha estrada de ferro. A temperatura estava caindo rapidamente — estávamos a 1500 metros de altitude — e durante o longo entardecer mosquitos empesteavam o ar e grilos estridulavam a nossa volta. Achei algumas cavalinhas (uma das minhas plantas prediletas) numa nesga de terra lamacenta embaixo dos trilhos e fiquei muito animado. Temple deu uma olhada, disse "*Equisetum*", mas não pareceu excitada como eu.

No avião para Denver, eu lera um texto notável de uma criança normal de nove anos altamente dotada — um conto de fadas que ela tinha criado, com um maravilhoso entendimento do mito, todo um mundo mágico, animista e cosmogônico. E as cosmogonias de Temple?, eu me perguntava enquanto caminhávamos entre as cavalinhas. Como reagia aos mitos, ou aos dramas? Quanto de sentido tinham para ela? Perguntei-lhe sobre os mitos gregos. Disse-me que lera vários quando criança, e que pensava em Ícaro em particular — como tinha voado demasiado próximo do Sol e suas asas derreteram, fazendo com que despencasse para a morte. "Entendo Nêmesis e Hibris", ela disse. Mas constatei que o amor dos deuses não a emocionava — e a confundia. O mesmo ocorria com as peças de Shakespeare. Ficava desconcertada, ela disse, com Romeu e Julieta ("Nunca entendi o que queriam"), e *Hamlet*, com suas idas e vindas, deixava-a perdida. Embora atribuísse esses problemas a "dificuldades seqüenciais", pareciam vir de sua incapacidade de estabelecer uma empatia com os personagens, de acompanhar o jogo intrincado de motivos e intenções. Disse-me que podia entender emoções "simples, fortes, universais", mas que ficava confusa com as mais complexas e os jogos em que as pessoas se envolviam. "A maior parte do tempo", ela disse, "eu me sinto como um antropólogo em Marte."

Tinha dificuldade em manter sua própria vida simples, ela disse, e de deixar tudo bastante claro e explícito. Construíra uma extensa biblioteca de experiências ao longo dos anos, ela prosseguia. Era como uma biblioteca de fitas de vídeo, que ela podia passar em sua cabeça e consultar a qualquer hora — "vídeos" de como as pessoas se comportavam em diferentes circunstâncias. Ela os passava sem parar e aprendia, gradualmente, a relacionar o que via, podendo em seguida prever como agiriam as pessoas em circunstâncias semelhantes. Completava sua experiência com uma leitura permanente, incluindo jornais de negócios e o *Wall Street Journal* — que alargavam seu conhecimento da espécie. "Trata-se de um processo estritamente lógico", ela explicou.

Numa das usinas que projetara, ela disse, houve repetidos enguiços das máquinas, mas somente quando determinado sujeito, John, estava na sala. Ela "relacionou" esses incidentes e inferiu por fim que John devia estar sabotando o equipamento. "Tive que aprender a suspeitar; tive que aprendê-lo cognitivamente. Podia somar um mais um, mas não via a expressão de inveja no rosto dele." Incidentes assim não tinham sido raros em sua vida: "É de transtornar algumas pessoas que essa aberração autista possa chegar e desenhar todo o equipamento. Querem o equipamento, mas ficam loucos por não poder fazê-lo por si mesmos, e que Tom" — um colega engenheiro — "e eu possamos, que tenhamos unidades de trabalho valendo centenas de milhares de dólares em nossas cabeças". Em sua franqueza e credulidade, Temple foi de início uma presa fácil para todo o tipo de trapaças e explorações; essa espécie de inocência ou credulidade, resultante não de uma virtude moral, mas da incapacidade de compreender a dissimulação e o fingimento ("os ardis sujos do mundo", na expressão de Traherne), é praticamente universal entre os autistas. Mas com o passar dos anos Temple aprendeu, à sua maneira indireta, consultando sua "biblioteca", algumas das maneiras do mundo. Com efeito, ela foi capaz de fundar sua própria firma e trabalhar como consultora *freelance* e projetista de instalações para animais em todo o mundo. Em termos profissionais, ela é extraordinariamente bem-sucedida, embora não possa "captar" outras interações humanas — social, sexual. "Meu trabalho é minha vida", ela me disse inúmeras vezes. "Não há muita coisa além disso."

Parecia-me haver dor, renúncia, deliberação e aceitação, todas misturadas em sua voz, e são estes os sentimentos que ressoam em seus escritos. Num artigo, ela escreve:

Não me encaixo na vida social da minha cidade ou da universidade. Quase todos os meus contatos sociais são com pecuaristas ou gente interessada em autismo. Passo a maioria das minhas noites de sexta e sábado escrevendo artigos e desenhando. Meus interesses são factuais e minha leitura de lazer consiste majoritariamente em publicações científicas ou sobre gado. Tenho pouco interesse por romances com complicadas relações interpessoais, porque sou incapaz de lembrar a seqüência de eventos. As descrições detalhadas de novas tecnologias em ficções científicas ou de lugares exóticos são muito mais interessantes. Minha vida seria horrível se eu não tivesse o desafio da minha carreira.

Cedo no dia seguinte, um sábado, Temple me pegou no seu jipe com tração nas quatro rodas, um veículo robusto que ela guia através do Oeste, visitando fazendas, ranchos, currais e fábricas de carne. Conforme nos dirigíamos para sua casa, sabatinei-a sobre seu trabalho de ph.D.; sua tese era sobre os efeitos de meio ambientes enriquecidos ou empobrecidos no desenvolvimento dos cérebros dos porcos. Ela me falou das grandes diferenças que se desenvolviam entre os dois grupos — como os porcos "enriquecidos" se tornavam sociáveis e encantadores, ao passo que os "empobrecidos" eram hiperexcitáveis e agressivos, e praticamente "autistas" (ela se perguntava se o empobrecimento da experiência não contribuiria como um fator no autismo humano). "Passei a amar meus porcos enriquecidos", ela disse. "Fiquei muito apegada. Tanto que não conseguia matá-los." Os animais tinham que ser sacrificados ao final da experiência para que seus cérebros fossem examinados. Ela descreveu como os porcos, no final, confiando nela, deixaram que os levasse em sua última caminhada, e como ela os acalmara, afagando-os e conversando com eles, enquanto eram mortos. Ficou muito abalada com suas mortes — "Eu chorava sem parar".

Tinha acabado de contar a história quando chegamos em sua casa — uma pequena construção de dois andares, a certa distância do *campus*. O andar de baixo era confortável, com as habituais comodidades — um sofá, poltronas, uma televisão, quadros na parede —, mas fiquei com a impressão de que era raramente usado. Havia uma enorme fotografia sépia da fazenda de seu avô em Grandin, na Dakota do Norte, em 1880; seu outro avô, ela me disse, inventou o piloto automático para aviões. Os dois eram progenitores, na cabeça dela, de seus talentos agrícolas e de engenharia. Seu escritório ficava no andar de cima, com sua máquina de escrever (mas nenhum computador), absolutamente entupido de manuscritos e livros — livros por toda parte, espalhando-se para fora do escritório por todos os quartos da casa (minha própria casa pequenina chegou a ser descrita como "uma máquina de trabalho" e tive um pouco a mesma impressão com a de Temple). Numa das paredes, havia um grande couro de vaca com uma enorme coleção de credenciais e bonés, das centenas de conferências de que participou. Achei engraçado ver, lado a lado, uma carteirinha do Instituto Americano da Carne e outra da Associação Americana de Psiquiatria. Temple tinha publicado mais de uma centena de artigos, divididos entre aqueles sobre comportamento animal e a administração dos recursos e aqueles sobre o autismo. A íntima combinação entre os dois era epitomada pela mistura das duas carteirinhas lado a lado.

Finalmente, sem acanhamento ou embaraço (emoções desconhecidas para ela), Temple me mostrou seu quarto, austero, com paredes brancas e nuas, uma cama de solteiro e ao lado dela um objeto muito grande com um aspecto estranho. "O que é isso?", perguntei.

"É a minha máquina de espremer", Temple respondeu. "Tem gente que a chama de minha máquina do abraço."

O mecanismo tinha dois lados de madeira pesados e inclinados, talvez com um metro e meio por um metro cada, prazerosamente estofados com um enchimento espesso e macio. Eram ligados por dobradiças a uma prancha de base longa e estreita, criando uma calha do tamanho de um corpo e em forma de V. Havia uma complexa caixa de controle numa das extremidades, com tubos muito resistentes levando a outro mecanismo, dentro do armário. Temple o mostrou também. "É um compressor industrial", disse, "do tipo que usam para encher pneus."

"E para que serve?"

"Proporciona uma pressão firme porém confortável sobre o corpo, dos ombros aos joelhos", disse Temple. "Tanto uma pressão regular como variável ou pulsante, como você desejar", acrescentou. "Você arrasta-se para dentro dele — vou mostrar-lhe —, liga o compressor, e fica com todos os controles na mão, aqui, bem na sua frente."

Quando lhe perguntei por que alguém deveria querer se submeter a tal pressão, ela me contou. Quando era uma menininha, disse, desejava muito ser abraçada, mas ao mesmo tempo ficava aterrorizada com qualquer contato. Quando era abraçada, especialmente por uma tia predileta (e gorda), sentia-se esmagada, subjugada pela sensação; tinha um sentimento de prazer e paz, mas também de terror e de ser afundada. Começou a devanear — tinha apenas cinco anos na época — sobre uma máquina mágica que pudesse espremê-la com força, porém gentilmente, numa espécie de abraço, e de uma maneira inteiramente controlada por ela. Anos mais tarde, quando adolescente, viu a foto de uma calha afunilada desenhada para impedir a passagem ou conter o gado e concluiu que era aquilo: uma pequena modificação para adaptá-la ao uso humano, e podia ser sua máquina mágica. Pensou em outros mecanismos — roupas infláveis, que pudessem exercer uma pressão uniforme em todo o corpo —, mas a calha afunilada, em sua simplicidade, era completamente irresistível.

Sendo de um feitio mental prático, Temple logo tornou sua fantasia realidade. Os primeiros modelos ainda eram grosseiros, com algumas pontas e pequenos defeitos, mas acabou chegando a um sistema totalmente confortável e previsível, capaz de dispensar um "abraço" com os parâmetros que ela bem desejasse. Sua máquina de espremer funcionou exatamente como esperava, produzindo aquela sensação de tranqüilidade e prazer com que sonhava desde a infância. Não teria sobrevivido aos seus dias mais tumultuados na universidade sem sua máquina, ela disse. Não podia se voltar para os seres humanos em busca de consolo e conforto, mas podia sempre recorrer à máquina. Esta, que ela nem exibia nem escondia, mantendo-a abertamente em seu quarto na universidade, provocou escárnio e suspeitas e era vista por psiquiatras como uma "regressão" ou "fixação" — algo que precisava ser psicanalisado e resolvido. Com sua teimosia característica, sua tenacidade, sua coerência consigo mesma e sua bravura — acompanhadas por uma completa falta de inibição ou hesitação —, Temple ignorou todos esses comentários e reações e decidiu encontrar uma "validação" científica para seus sentimentos.

Tanto antes como depois de escrever sua tese de doutorado, empreendeu uma investigação sistemática sobre os efeitos de uma pressão profunda em autistas, estudantes universitários e animais, e recentemente publicou um artigo sobre o assunto no *Journal of Child and Adolescent Psychopharmacology*. Hoje, sua máquina de espremer, com diversas modificações, está passando por extensivas análises clínicas. Ela também se tornou a principal projetista do mundo de calhas afuniladas para gado e publicou, em revistas de veterinária e da indústria de carnes, vários artigos sobre a teoria e a prática do comedimento humano e da contenção moderada.

Enquanto me falava disso, Temple ajoelhou-se, deitou de bruços no meio do V, ligou o compressor (que levou um minuto para encher o cilindro principal) e girou os controles. Os dois lados convergiram, apertando-a com firmeza, e depois, quando ela fez um pequeno ajuste, aliviaram ligeiramente a pressão. Foi a coisa mais estranha que já vi e contudo, com toda a esquisitice, era tocante e simples. Certamente não havia dúvidas sobre o seu efeito. A voz de Temple, em geral alta e dura, tornou-se mais suave e amena enquanto estava deitada em sua máquina. "Eu tento torná-la o mais suave possível", ela disse, falando em seguida sobre a necessidade de "se entregar totalmente... Agora estou ficando realmente relaxada", acrescentou tranqüilamente. "Imagino que as pessoas cheguem a isso por intermédio de relações com os outros."

Não é apenas prazer e relaxamento que Temple alcança em sua máquina mas, ela afirma, um sentimento pelos outros. Enquanto fica na máquina, ela diz, seus pensamentos dirigem-se com freqüência para sua mãe, sua tia predileta, seus professores. Sente o amor deles por ela, e o dela por eles. Para ela, a máquina abre uma porta para um mundo emocional que de outro modo continuaria fechado, e lhe permite, praticamente a ensina a entrar em comunhão com os outros.

Após mais ou menos vinte minutos, ela emergiu, visivelmente mais calma, emocionalmente menos rígida (diz que um gato pode perceber com facilidade a diferença nela nesses momentos), e me perguntou se eu gostaria de experimentar a máquina.

De fato, estava curioso e subi nela, sentindo-me um pouco bobo e embaraçado — mas menos do que eu teria ficado normalmente, já que a própria Temple não tinha o menor embaraço. Ela ligou mais uma vez o compressor e encheu o cilindro principal, e fiquei experimentando cautelosamente com os controles. Era de fato uma sensação suave, tranqüilizante, que me lembrou do tempo remoto quando eu mergulhava, do momento em que eu sentia a pressão da água envolvendo a minha roupa de borracha como um abraço de corpo inteiro.

Depois da minha própria tentativa na máquina de espremer, e com nós dois devidamente relaxados, fomos de carro até a fazenda-modelo da universidade, onde Temple realiza boa parte de seu trabalho básico de campo. Antes, eu havia pensado que houvesse uma separação, ou mesmo um abismo, entre a dimensão pessoal — e privada, por assim dizer — do seu autismo e a dimensão pública de sua especialidade profissional. Mas estava ficando progressivamente claro para mim que não havia separação alguma entre os dois; para ela, o pessoal e o profissional, o interno e o externo, estavam completamente fundidos.

"O gato fica perturbado com os mesmos tipos de sons que os autistas — sons agudos, assobios, ou barulhos altos e repentinos; não conseguem se acostumar com eles", Temple me disse. "Mas não se incomodam com barulhos graves ou surdos. Ficam perturbados com contrastes visuais muito fortes, sombras ou movimentos bruscos. Um leve toque faz com que se afastem, um toque firme os acalma. A maneira como eu me afastava ao ser tocada é igual a como a vaca se afasta — acostumar-me a ser tocada é muito parecido com domesticar uma vaca arisca." Foi precisamente sua compreensão da base comum (em termos de sensações e sentimentos fundamentais) entre animais e pessoas que lhe permitiu mostrar tal sensibilidade pelos primeiros, insistindo vigorosamente num tratamento humanizado.

Ela achava ter sido instruída nesse conhecimento em parte pela experiência de seu próprio autismo e em parte por vir de uma longa linhagem de fazendeiros e, quando criança, ter passado tanto tempo em fazendas. Seu próprio modo de pensamento não lhe deixava saídas dessas realidades. "Se você é um pensador visual, é fácil se identificar com animais", disse a caminho da fazenda. "Se todos os seus processos de pensamento estão na linguagem, como pode imaginar que o gado pensa? Mas se você pensa em imagens..."

Temple sempre foi uma poderosa visualizadora. Ficou estarrecida ao descobrir que sua própria capacidade quase alucinante de imaginação visual não era universal — que existiam outros que, aparentemente, pensavam de outras formas. Ela continua muito perplexa com isso. "*Como* você pensa?", ficava me perguntando. Mas ela não sabia que podia desenhar, fazer projetos, até completar 28 anos, quando conheceu um desenhista e o observou fazendo plantas. "Vi como fazia", ela me contou. "Fui e comprei exatamente os mesmos instrumentos e lapiseira que ele usava — uma Pentel HB com ponta de cinco milímetros — e comecei a fingir que era ele. O desenho saiu por si mesmo e quando acabei não pude acreditar que era eu que o tinha feito. Não precisei aprender a desenhar ou projetar, fingi que era David — apropriei-me dele, do desenho dele e tudo o mais."[6]

Temple passa com freqüência "simulações", como as chama, em sua cabeça: "Visualizo o animal entrando na calha, de diferentes ângulos, diferentes distâncias, aproximando-me ou abrindo o campo de visão, até o ponto de vista de um helicóptero — ou transformo-me em animal e sinto o que é entrar na calha".

Mas se a pessoa pensa apenas em imagens, não pude deixar de refletir, não pode entender como é o pensamento não visual, e perde a riqueza e a ambigüidade, as pressuposições culturais, a profundidade, da linguagem. Todos os autistas, Temple dissera, têm um forte pensamento visual, como ela. Se isso for verdade, pensei, será mais que uma coincidência? Seria a forte visualidade de Temple uma chave vital para o seu autismo?

Uma fazenda de gado, mesmo grande, costuma ser um lugar tranqüilo, mas ao chegarmos ouvimos uma grande berraria. "Devem ter separado os bezerros das vacas esta manhã", disse

Temple, e, de fato, era isso o que havia acontecido. Vimos uma vaca do lado de fora da tranqueira, vagando à procura de seu bezerro, e mugindo. "Aquela lá não está feliz", disse Temple. "Está triste, infeliz e perturbada. Quer seu bebê. Muge por ele, está à caça dele. Vai se esquecer por um instante, e depois vai recomeçar. É como penar, ficar de luto — não há muito escrito sobre isso. As pessoas não gostam de lhes atribuir pensamentos ou sentimentos. Skinner não lhes permitiria."

Quando estava na graduação em New Hampshire, escreveu para B. F. Skinner, o célebre behaviorista, e acabou visitando-o. "Foi como uma audiência com Deus", disse. "Foi uma decepção. Ele era apenas um ser humano comum. Ele disse: 'Não precisamos saber como funciona o cérebro — trata-se apenas de uma questão de reflexos condicionados'. Não dava para *eu* acreditar que era apenas uma relação de estímulo e reação." A era de Skinner, Temple concluiu, negava os sentimentos aos animais e racionalizava vendo-os como autômatos; foi um período de uma crueldade excepcional, tanto na experimentação animal como no gerenciamento de fazendas e matadouros. Ela tinha lido em algum lugar que o behaviorismo era uma ciência desumana, e era exatamente o que ela própria achava. Sua aspiração era recuperar uma forte percepção do sentimento animal na agricultura.

Ver a vaca sofrendo e ouvir seus mugidos de luto irritaram Temple e fizeram com que sua mente se voltasse para as inumanidades do abate. Não tinha nada a ver com galinhas, ela disse, mas a matança delas era particularmente repugnante. "Quando chega a hora de as galinhas irem para a Terra dos McNuggets, eles pegam-nas, viram-nas de cabeça para baixo e cortam os pescoços." Um agrilhoamento parecido do gado, pendurado de cabeça para baixo para que o sangue possa vir todo para a cabeça antes que cortem seus pescoços, é uma imagem comum em antigos matadouros *kosher*, ela disse. "Às vezes, quebram as pernas, berram de dor e terror." Graças a Deus, essas práticas estão começando a mudar. Adequadamente executado, "o abate é mais humano que a natureza", ela prosseguiu. "Oito segundos após o pescoço ser cortado, o corpo libera endorfinas; o animal morre sem dor. O mesmo acontece na natureza, quando um carneiro é dilacerado por coiotes. A natureza criou isso para aliviar a dor de um animal à morte." O terrível, tanto mais por ser evitável, segundo ela, é o sofrimento e a crueldade, a introdução do medo e da tensão antes do corte letal; e é o que ela mais se preocupa em evitar. "Quero reformar a indústria da carne. Os militantes querem acabar com ela", disse, e acrescentou: "Não gosto de nada radical, à direita ou à esquerda. Tenho uma antipatia radical pelos radicais".

Longe dos mugidos das vacas e dos bezerros separados, cuja angústia Temple parecia sentir na própria carne, achamos uma área tranqüila e silenciosa da fazenda, onde o gado pastava placidamente. Temple se ajoelhou e estendeu a mão com um pouco de feno, e uma vaca se aproximou e o comeu, cutucando sua mão com o focinho macio. Uma expressão suave e feliz tomou o rosto de Temple. "Agora, sinto-me em casa", disse. "Quando estou com o gado, não tem nada a ver com cognição. Sei o que a vaca está sentindo."

O gado parecia sentir isso, a calma dela, sua confiança, e vinha até sua mão. Não vinham até mim, sentindo, talvez, o desconforto do habitante da cidade que, vivendo a maior parte do tempo num mundo de convenções e signos culturais, não sabe como se comportar com grandes animais não verbais.

"É diferente com gente", ela prosseguiu, repetindo seu comentário anterior sobre sentir-se como um antropólogo em Marte. "Estudando as pessoas de lá, tentando entender os nativos. Mas não sinto desse jeito com os animais."

Fiquei impressionado com a enorme diferença, o abismo, entre o reconhecimento imediato e intuitivo que Temple tinha dos signos e estados de espírito dos animais e sua extraordinária dificuldade em compreender os seres humanos, seus códigos e sinais, a maneira como se comportam. Não se pode dizer que ela seja desprovida de sentimento ou apresente uma falta fundamental de compaixão. Ao contrário, sua compreensão dos sentimentos e estados de espírito dos animais é tão forte que, por vezes, quase a dominam e subjugam. Ela acha que pode ter compaixão pelo que é físico ou fisiológico — pela dor ou o terror de um bicho —, mas lhe falta a comunhão com os estados de espírito e as perspectivas das pessoas.[7] Quando era mais jovem, mal conseguia interpretar até mesmo as expressões mais simples de sentimento; aprendeu a "decodificá-las" posteriormente, sem senti-las necessariamente. (Da mesma maneira, a dra. Hermelin, em Londres, contara-me a história de uma inteligente menina autista de doze anos que a procurou e disse, sobre outra estudante: "Janie está fazendo um barulho engraçado". Ao ir certificar-se, Hermelin encontrou Janie chorando amargamente. O sentido do choro escapou completamente à menina autista: registrou-o somente como algo físico, "um barulho engraçado". Lembrei-me também de Jessy Park e de como ela ficava fascinada com o fato de que cebolas pudessem fazer alguém chorar, mas era totalmente incapaz de compreender que alguém pudesse chorar de alegria.)[8]

"Posso dizer se um ser humano está zangado", ela me disse, "ou se está sorrindo." No nível do sensório-motor, do concreto, do imediato, do animal, Temple não tinha dificuldades. Mas e as crianças?, eu perguntei. Não seriam intermediárias entre animais e adultos? Pelo contrário, disse Temple, tinha grandes dificuldades com as crianças — tentando conversar com elas, entrar em seus jogos (não conseguia nem brincar de se esconder com um bebê, ela disse, porque errava completamente a sincronização) — assim como tivera quando ela própria era pequena. Segundo Temple, as crianças já estão bastante avançadas aos três ou quatro anos, numa via em que ela, como autista, nunca chegou muito longe. Para ela, as crianças pequenas já "entendem" outros seres humanos de uma maneira que ela nunca poderá.

O que é então, pressionei-a ainda mais, que se passa entre as pessoas normais e de que você própria se sente excluída? Tem a ver, ela concluiu, com um conhecimento implícito das convenções e dos códigos sociais, de pressuposições culturais de toda espécie. Esse conhecimento implícito, que qualquer pessoa normal acumula e produz ao longo da vida com base em experiências e encontros com outros, parecia inexistir em Temple. Na falta dele, ela tinha que "computar" as intenções e estados de espírito dos outros, tentando transformar em algorítmico e explícito o que para nós é automático. Ela própria, ela conclui, pode nunca ter tido as experiências sociais normais sobre as quais é construído um conhecimento social normal.

E podem vir daí também suas dificuldades com os gestos e a linguagem — dificuldades que foram devastadoras quando era uma criança praticamente sem fala, e ainda quando começou a falar, misturando todos os pronomes, incapaz de compreender os diferentes sentidos de "você" e "eu", dependendo do contexto.

É extraordinário ouvir Temple falar desse tempo, ou ler sobre ele em seu livro. Aos três anos, por mero acaso, embora sua família não acreditasse muito nessa promessa, foi enviada a um jardim de infância especial para crianças com problemas ou excepcionais, onde foi sugerida uma experiência com terapia da fala. De alguma forma, a escola e o terapeuta chegaram até Temple, salvaram-na (como posteriormente ela sentiria) do abismo e a iniciaram em sua lenta emersão. Ela permaneceu manifestamente autista, mas sua nova capacidade da linguagem e da comunicação agora lhe dava uma âncora, alguma habilidade para dominar o que antes fora um completo caos. Seu sistema sensório, com suas violentas oscilações de hipersensibilidade e baixa sensibilidade, começou a se estabilizar um pouco. Houve muitos períodos de recaídas e regressões, mas está claro que aos seis anos já tinha conquistado uma linguagem satisfatória e, com isso, atravessou a fronteira decisiva entre pessoas com um alto desempenho como ela e pessoas com um baixo desempenho, que nunca atingem uma linguagem adequada ou a autonomia. Com o acesso à linguagem, a terrível tríade de deficiências — social, comunicativa e imaginativa — começou a ceder um pouco. Temple passou a ter algum contato com os outros, sobretudo um ou dois professores que podiam reconhecer sua inteligência, seu caráter especial, e suportar sua patologia — seu questionamento e sua falação agora incessantes, suas estranhas fixações, suas raivas. Não menos importante foi o surgimento de uma jocosidade e criatividade genuínas — na pintura, no desenho, na escultura e em modelos feitos com papel cartão —, assim como "maneiras singulares e criativas de ser travessa". Aos oito anos, Temple estava começando a dominar o jogo de faz-de-conta que as crianças normais adquirem ainda engatinhando e que as autistas de baixo desempenho nunca desenvolvem.

Sua mãe, uma tia e vários professores foram cruciais, assim como, na longa jornada do crescimento, o lento desenvolvimento manifestado por muitos autistas; o autismo, sendo uma doença do desenvolvimento, costuma tornar-se menos extremo conforme a pessoa fica mais velha, sendo possível aprender a lidar melhor com ele.

Temple desejara muito ter amigos na escola e teria sido completa e ardentemente fiel a um amigo (por dois ou três anos teve um imaginário), mas havia algo na maneira como falava, na maneira como agia, que parecia afastar os outros, de forma que, mesmo admirando sua inteligência, nunca a aceitaram como parte de sua comunidade. "Eu não conseguia entender o que estava fazendo de errado. Curiosamente, faltava-me a consciência de que eu era diferente. Pensava que as outras crianças eram diferentes. Não podia entender por que não me encaixava." Algo se passava entre as outras crianças, algo rápido, sutil, em permanente modificação — uma troca de sentidos, uma negociação, uma rapidez de entendimento tão notável que por vezes Temple se perguntava se elas não seriam todas telepáticas. Hoje, já tem consciência da existência desses signos sociais. Pode inferi-los, diz, mas não percebê-los, ela própria não pode participar diretamente dessa comunicação mágica, ou conceber os estados de espírito, de vários níveis e caleidoscópicos, subjacentes. Sabendo disso intelectualmente, faz o melhor que pode para compensar, empregando um enorme esforço intelectual e computacional para ter acesso a questões que os outros entendem com uma facilidade impensada. Essa é a razão por sentir-se com freqüência excluída, alheia.

Um acontecimento crucial se deu quando tinha quinze anos. Ficou fascinada pelas calhas afuniladas utilizadas para segurar o gado. Um professor de ciência levou a fixação dela a sério, em vez de fazer chacota, e sugeriu que ela construísse sua própria calha afunilada. A partir daí, ele a guiou desde considerações particulares sobre fazendas de criação e sua maquinaria até um interesse geral pela biologia e pelas outras ciências. E aqui, Temple, ainda completamente anormal em seu entendimento da linguagem social do dia-a-dia — continuava sem entender alusões, pressuposições, ironia, metáforas e brincadeiras —, encontrou na linguagem da ciência e da tecnologia um enorme alívio. Era muito mais clara, muito mais explícita, muito menos dependente de assunções tácitas. A linguagem técnica era para ela tão fácil quanto lhe era difícil a linguagem social, e acabou fornecendo-lhe um acesso à ciência.

Mas se havia uma resolução nesse nível, com a concentração de muito de sua energia intelectual e emocional na ciência, outras tensões e ansiedades — até mesmo angústias — permaneciam. Com o advento da adolescência, Temple começou a confrontar a idéia de que poderia nunca vir a ter uma vida "normal", ou desfrutar dos prazeres "normais" — o amor e a amizade, o lazer e a sociabilidade — que a acompanhavam. Essa conclusão pode ser devastadora para jovens autistas dotados nessa idade e tem sido causa de depressões em alguns e até mesmo de casos de suicídios. Temple lidou com essa conclusão em parte pela resignação e dedicação: decidiu que ficaria solteira e faria da ciência toda a sua vida.

A adolescência também a ensinou que não apenas seu estado emocional, mas todo o seu ser mental e físico tinha uma sintonia fina e podia facilmente sair do ponto por certos estímulos sensoriais, por estresse, esgotamento ou conflito.[9] As turbulências hormonais da adolescência, em particular, sacudiram-na para cima e para baixo. Mas também havia uma paixão, uma intensidade, nesse período turbulento; e foi apenas quando terminou a universidade e deslanchou em sua carreira, ela disse, que pôde se tranqüilizar. De fato, sentiu que precisava se tranqüilizar; do contrário, seu corpo se destruiria. Nessa época, começou a tomar pequenas doses de imipramina, um medicamento classificado como antidepressivo. Em seu livro, Temple comenta os prós e os contras:

As buscas frenéticas pelo sentido básico da vida são coisa do passado. Não fico mais fixada em uma coisa, já que não me sinto mais impelida. Durante os últimos quatro anos escrevi pouco em meu diário porque o antidepressivo me tirou muito do fervor. Com a paixão atenuada, minha carreira e [...] meus negócios vão bem. Estando mais relaxada, entendo-me melhor com as pessoas, e os problemas de saúde causados por estresse, como a colite, desapareceram. E contudo, se a medicação tivesse sido prescrita para mim quando tinha vinte e poucos anos, poderia não ter alcançado tudo o que conquistei. Os "nervos" e as fixações foram grandes motivadores até esfacelarem meu corpo com problemas de saúde decorrentes do estresse.

Ao ler isso, lembrei-me do que Robert Lowell me disse certa vez sobre ter que tomar lítio por causa de seu distúrbio maníaco-depressivo: "De certa forma, sinto-me muito 'melhor', mais calmo, estável — mas minha poesia perdeu muito de sua força". Se por um lado Temple também tem consciência do preço de ser tranqüilizada, por outro acha que a essa altura de sua vida vale a pena pagá-lo. E, todavia, por vezes sente falta das emoções, dos frenesis, por que passava antes.

O outro lado de um desenvolvimento bastante retardado pode ser a contínua capacidade de gerar novas habilidades e percepções sociais ao longo da vida, e de fato os últimos vinte anos foram de um desenvolvimento contínuo para Temple. Disseram-me que há dez anos, quando começou a dar palestras, com freqüência parecia não estar se dirigindo ao auditório — não encarava as pessoas e podia na realidade estar olhando em outra direção — e não conseguia responder perguntas após a aula. Hoje passa quase 90% do seu tempo na estrada, em conferências por todo o mundo, por vezes sobre o autismo, por outras sobre o comportamento animal. Tornou-se muito mais fluente em seu estilo de palestrante, olha mais para a platéia, e pode até acrescentar apartes humorados e improvisações; responde — e, se preciso, evita — as perguntas com facilidade. Em sua vida social, também parece ter se desenvolvido, tanto que recentemente, Temple me disse, foi capaz de desfrutar da companhia de dois ou três amigos. Mas conquistar a amizade genuína, apreciar as outras pessoas por suas diferenças, por suas próprias mentes, pode ser a mais difícil de todas as conquistas para um autista. Uta Frith, em *Autism and Asperger syndrome*, escreve: "Os indivíduos com a síndrome de Asperger [...] não parecem possuir o jeito para iniciar e manter relacionamentos pessoais recíprocos, ao passo que as interações sociais de rotina estão ao seu alcance". Seu colega Peter Hobson escreve sobre um homem inteligente, porém autista, que não conseguia entender o sentido de "um amigo". E no entanto me parecia, ao ouvi-la, que Temple, agora aos quarenta e poucos anos, tinha captado pelo menos alguma coisa da natureza da amizade.

Terminamos assim nossa visita à fazenda da universidade — tínhamos caminhado e conversado por quase duas horas. Temple, ao que me parecia, estava contente por parar de falar, parar um pouco de pensar; houve uma intensidade quase que feroz no auto-exame pelo qual eu a forçara a passar (embora não fosse diferente do auto-exame que ela mesma se impõe diariamente, debatendo-se, como sempre, para entender e viver com o autismo num mundo não autista). Conforme conversávamos, a "normalidade" foi se revelando para ela cada vez mais como uma espécie de frente, ou fachada, ainda que vistosa e freqüentemente brilhante, atrás da qual ela permanecia de certa forma mais "marginal" e desconectada do que nunca. "Consigo realmente me identificar com Data", ela disse enquanto saíamos da fazenda no carro. Ela é uma fã de "Jornada nas estrelas", assim como eu, e sua personagem predileta é Data, um andróide que, com toda a sua falta de emoção, tem uma grande curiosidade, uma ânsia, por ser humano. Observa minuciosamente o comportamento humano, e por vezes o imita, mas deseja sobretudo *ser* humano. Uma surpreendente quantidade de autistas se identifica com Data, ou seu antecessor, o dr. Spock.

Era o caso dos B., a família autista que visitei na Califórnia — o filho mais velho, como os pais, com síndrome de Asperger, o caçula com autismo clássico. Quando pisei pela primeira vez na casa deles, tudo era tão "normal" que cheguei a me perguntar se não teria sido mal informado, ou se não tinha, talvez, batido na porta errada, já que não havia nada obviamente "autista" neles. Foi apenas depois de me acomodar que percebi a cama elástica, bastante usada, onde a família por vezes se apraz em pular e bater os braços; a imensa biblioteca de ficção científica;[10] os estranhos cartuns pregados na parede do banheiro; e as instruções ridiculamente explícitas espalhadas pela cozinha — sobre como cozinhar, pôr a mesa e lavar pratos —, sugerindo que essas tarefas deviam ser desempenhadas de uma maneira fixa, como uma fórmula (mais tarde aprendi que se trata de uma brincadeira comum entre autistas). A sra. B. falou de si, a certa altura, como estando "no limiar da normalidade", mas em seguida deixou claro o que significava "limiar": "Conhecemos as regras e as convenções dos 'normais', mas não há nenhum trânsito de fato. Você age como se fosse normal, aprende as regras e as obedece, mas...".

"Você aprende a macaquear o comportamento humano", interpelou o marido. "Continuo sem entender o que está por trás das convenções sociais. Você observa a fachada — mas..."

Os B. aprenderam, portanto, uma fachada de normalidade, que era necessária, dadas as suas vidas profissionais, o fato de morarem nos subúrbios e terem de dirigir um carro, terem um filho numa escola normal, e assim por diante. Mas não tinham ilusões sobre si mesmos. Reconheciam seu próprio autismo e haviam reconhecido um ao outro, na universidade, com um sentimento de tal afinidade e prazer que o casamento tornou-se inevitável. "Foi como se nos conhecêssemos havia milhões de anos", disse a sra. B. Ao mesmo tempo que tinham consciência dos vários problemas de seu autismo, respeitavam sua própria diferença, e chegavam a orgulhar-se dela. De fato, em alguns autistas esse sentimento de uma diferença radical e inerradicável é tão profundo a ponto de levá-los a ver-se, meio de brincadeira, quase como membros de outra espécie ("Eles nos teletransportaram juntos com um raio até aqui", como os B. gostavam de dizer), e a sentir que o autismo, embora possa ser visto como uma condição médica, e patologizado como uma síndrome, também deve ser encarado como um modo de ser completo, uma forma de identidade profundamente diferente, de que se deve ter consciência (e orgulho).

As atitudes de Temple eram parecidas: ela tem bastante consciência (ainda que apenas intelectual e dedutiva) tanto do que está perdendo na vida como (e diretamente) de seus poderes — sua concentração, sua intensidade de pensamento, sua coerência e tenacidade; sua incapacidade de dissimulação, sua franqueza e honestidade. Ela suspeita — e eu também tendia cada vez mais a isso — que esses poderes, os aspectos positivos de seu autismo, vêm com os negativos. E, no entanto, há momentos em que precisa esquecer que é autista para sentir-se bem com os outros, não exterior, não diferente.

Tendo passado a manhã entre vacas de corte, e pretendendo visitar um matadouro (ou "fábrica de empacotamento de carne", no eufemismo da indústria) à tarde, vimo-nos com certa aversão a carne e almoçamos um prato mexicano de feijão com arroz. Após o almoço, fomos até o aeroporto, tomamos um pequeno avião regional e em seguida pegamos um carro até a fábrica. Temple estava orgulhosa do projeto e queria me mostrar como era. Essas fábricas são fechadas ao público e mantêm um alto grau de segurança. Temple havia desenhado essas fábricas alguns anos antes e ainda tinha seu macacão e o crachá com a insígnia da fábrica. Mas eu era um problema: como ia fazer comigo? Temple pensara sobre isso pela manhã e separou um capacete amarelo berrante de engenheiro sanitário de sua coleção de chapéus. Estendeu-o para mim, dizendo: "Isto é suficiente. Você fica bem com ele. Cai bem com sua calça e camisa cáqui. Você está igualzinho a um engenheiro sanitário". (Fiquei vermelho; ninguém nunca me havia dito isso antes.) "Agora, tudo o que tem a fazer é se comportar como tal, pensar como tal." Fiquei espantado com isso, já que é sabido que os autistas não têm a capacidade de fingir, e aqui estava Temple, tranqüilamente e sem a menor hesitação, determinada a recorrer a um subterfúgio para me contrabandear para dentro da fábrica.

Nossa entrada, por todas as evidências, deu-se sem problemas. Temple passou pelo portão, ao volante, com um ar sublime de confiança e acenou com animação para o guarda, que nos liberou o caminho com igual simpatia. "Fique de capacete", ela me disse ao estacionarmos. "Fique com ele o tempo todo. Aqui você é um engenheiro sanitário."

Paramos para nos apoiarmos na cerca do curral onde o gado ficava, do lado de fora do grande prédio da fábrica, e depois seguimos o caminho que os animais faziam em seu último dia, subindo uma rampa em curva que dava no interior do edifício principal — Temple a chamava de "a escada para o Céu". Aqui, mais uma vez, fiquei confuso. Dizem que os autistas têm dificuldades com as metáforas e nunca usam da ironia. Mas, olhando para a expressão direta e séria de Temple, não tinha certeza se, para ela, isso era metáfora ou ironia. Ela ouvira a frase — talvez lhe parecesse literalmente verdadeira. Ela descreve em sua autobiografia a literalização semelhante de um símbolo quando, na adolescência, ouviu um padre citar João (10:9) — "Sou a porta: todo homem que por mim passar estará salvo" — e acrescentar: "Diante de cada um de vós há uma porta para o Reino dos Céus. Abri-las e estareis salvos". Temple escreve:

> Como várias crianças autistas, tudo era literal para mim. Meu pensamento ficou concentrado em uma coisa. Porta. Uma porta se abrindo para o Céu. [...] Tinha que achar aquela porta. [...] A porta do armário, a porta do banheiro, a porta da frente, a porta da estrebaria — todas foram inspecionadas e refutadas como a porta. Até que um dia. [...] percebi que um adendo ao nosso dormitório estava sendo construído. [...] Uma pequena plataforma se estendia para fora do prédio e eu subi nela. E lá estava a porta! Era pequena e de

madeira, abrindo-se para o telhado. [...] Fui tomada por um sentimento de alívio. [...] Um sentimento de amor e prazer [...] eu a tinha encontrado! A porta para o meu Céu.

Posteriormente, Temple me contou que acreditava em algum tipo de existência após a morte (ainda que fosse apenas como "uma impressão de energia" no universo). Com uma forte consciência das emoções animais, de sua "humanidade", tinha que lhes conceder algum tipo de imortalidade também.

Caminhamos devagar ao longo de uma rampa ligeiramente curva e com paredes altas, por onde o gado passava em fila indiana, alegre em sua inconsciência do que estava por vir, até o choque de um disparo letal. Temple foi uma das pioneiras no desenho dessas rampas, e seu nome está associado, no mercado, com a introdução das calhas em curva. Conforme subíamos a passarela, olhando por cima das paredes da calha, Temple me falou das virtudes especiais dessas rampas, como a curva impedia os animais de ver o que os esperava no final, até estarem bem próximos (evitando assim qualquer apreensão), e, ao mesmo tempo, aproveitando a tendência natural da vaca para andar em círculos. As paredes altas evitavam as distrações perturbadoras e serviam para que o gado se concentrasse em seu caminho.

No alto da rampa, dentro do edifício, os animais eram levados, quase imperceptivelmente, por uma correia rolante que passava sob suas barrigas (esse "retentor de trilho duplo" era outra inovação de Temple). Alguns segundos depois, o animal era morto instantaneamente por um tiro de ar comprimido no cérebro. Temple me disse que um sistema muito parecido podia ser usado também para porcos, embora estes em geral fossem mortos com um choque elétrico e não com um tiro. Ela acrescentou um aspecto interessante: "Uma máquina de eletrochoque" — tal como as usadas em algumas instituições psiquiátricas — "e o aparelho de matar porcos têm quase que exatamente os mesmos parâmetros: cerca de um ampere, a trezentos volts". Um pequeno erro na colocação dos condutores, ela acrescentou, e o paciente pode morrer, aturdido, como um porco. Ficara um pouco chocada, ela confessou, ao se dar conta disso.

Tive uma sensação de horror quando Temple me mostrou a máquina, mas ela me garantiu que o gado não tinha o menor indício, a menor apreensão, sobre o que lhe esperava; todo o esforço dela, de fato, ia no sentido de eliminar tudo o que pudesse causar terror ou desgaste aos animais, para que pudessem seguir pacífica, dócil e inconscientemente para a morte. Mas eu continuava a sentir náuseas em relação a tudo aquilo. Como será que ela se sentia, como será que os outros se sentiam, trabalhando naqueles lugares?

Temple explorou o assunto e escreveu um artigo clássico sobre o tema.[11] Alguns funcionários de matadouros, ela comenta, desenvolvem rapidamente uma dureza defensiva e passam a matar os animais de uma maneira puramente mecânica: "A pessoa encarregada de matar encara seu trabalho como se estivesse grampeando caixas numa esteira rolante. Não tem qualquer emoção em relação ao seu ato". Outros, ela mostra, "passam a gostar de matar e [...] atormentam os animais de propósito". Falar dessas atitudes levou o pensamento de Temple a fazer um paralelo: "Vejo uma correlação muito forte", ela disse, "entre a forma como os animais são tratados e os deficientes. [...] O estado da Geórgia é um ninho de cobras — tratam [os deficientes] pior que os animais. [...] Os estados com pena de morte são os que infligem o pior tratamento aos animais e aos deficientes".

Tudo isso deixa Temple apaixonadamente irritada e preocupada com a reforma da humanidade: quer mudar o tratamento dos deficientes, em especial dos autistas, assim como o tratamento dispensado ao gado pela indústria da carne. (A única maneira adequada de matar animais, a única que demonstra respeito pelo animal, segundo Temple, é a via do ritual, ou "sagrada".)

Foi um grande alívio sair do matadouro, para fora daquele cheiro pestilencial que parecia permear cada centímetro do lugar, embrulhando-me o estômago e me obrigando por vezes a segurar a respiração para não vomitar; um imenso alívio, uma vez do lado de fora, poder respirar o ar fresco e puro, não contaminado pelo cheiro de sangue e de vísceras; um imenso alívio, moralmente, afastar-se da idéia da matança. Questionei Temple sobre isso no carro. "Ninguém deve matar animais o tempo todo", ela disse, e me contou que tinha escrito bastante sobre a importância de uma rotatividade de funcionários, para que não ficassem empregados permanentemente no abate, lidando com sangria ou com violência. Ela própria precisa de outros ambientes e ocupações, que formam uma parte vital e de modo geral mais prazerosa de sua vida. Sua compreensão da psicologia e do comportamento dos animais de rebanho é requisitada não apenas por fazendas de corte e matadouros pelo mundo afora, mas por tosadores de ovelhas até da Nova Zelândia, e por parques de animais selvagens e jardins zoológicos. Fiquei com a impressão de que ela gostaria de passar um tempo nas estepes africanas, dando consultoria sobre manadas de elefantes e de animais visados como presas, como antílopes e gnus. Mas fiquei na dúvida se conseguiria entender os macacos (que têm certa "teoria da mente") assim como compreende as vacas. Ou os acharia desconcertantes, impenetráveis, da mesma forma que achava as crianças e outros seres humanos? ("Com os animais de fazenda, sinto o comportamento deles", disse posteriormente. "Com os primatas, compreendo suas interações intelectualmente.")

Os sentimentos mais profundos de Temple estão relacionados ao gado; sente uma ternura, uma compaixão por eles que é análoga ao amor. Discorreu longamente sobre isso enquanto nos dirigíamos a nossa próxima parada, uma fazenda de corte — como procurava estabelecer um clima leve ao colocar o gado na calha, transmitir tranqüilidade aos animais, trazer-lhes paz nos últimos momentos de suas vidas. Para ela, tratava-se de algo meio físico e meio sagrado acalmar o animal nos últimos minutos de sua vida, e era o que tentava ensinar incessantemente às pessoas que trabalham com as calhas nos matadouros. Contou-me a história de como um gerente, ao mesmo tempo que se mostrava bastante refratário a receber esse tipo de ensinamento dela, ficara fascinado pelo poder que ela tinha de acalmar os animais agitados e como, sem o conhecimento dela, a espionara por um buraco no teto enquanto ela trabalhava. O fato ocorrera quando dava consultoria a um matadouro no Sul, e toda a cena e seu contexto continuavam passando por sua cabeça: contou-me a história meia dúzia de vezes à tarde, na íntegra a cada vez, e praticamente com as mesmas palavras.

Fiquei impressionado tanto pela nitidez da reexperiência, pela memória, por ela — parecia passar por sua cabeça com uma minúcia extraordinária —, como pela sua qualidade resoluta.[12] Era como se a cena original, e sua percepção (com todos os sentimentos concomitantes), fosse reproduzida, repassada, praticamente sem modificações. Essa qualidade de memória (de certa forma tão semelhante à de Stephen Wiltshire) me parecia tanto prodigiosa como patológica — prodigiosa em sua minúcia e patológica em sua fixidez, mais próxima de um disco de computador que de qualquer outra coisa. De fato, tais analogias computacionais são freqüentemente levantadas pela própria Temple: "Minha cabeça é como um CD-ROM num computador — como uma fita de vídeo de acesso rápido. Mas uma vez acessada, tenho que repassá-la na íntegra". Não conseguia, por exemplo, concentrar-se apenas na tranqüilização de um animal em seus últimos momentos; tinha que passar, pela memória, a totalidade da cena, desde a entrada do animal na calha e sua progressão regular ("sem saltos para a frente, leva cerca de dois minutos") até sua morte e queda, após a garganta ter sido cortada. "Posso fazer tudo o que fazem os computadores em *Jurassic Park*", ela prosseguiu. "Posso fazer todos aqueles negócios na minha cabeça. [...] Na realidade, tenho aquela máquina na minha cabeça. Faço-a funcionar na minha mente. Coloco a fita — é um método lento de pensamento." Mas de um tipo ideal para boa parte de seu trabalho. Projeta as instalações mais elaboradas na sua cabeça, visualizando cada componente do sistema, justapondo-os de diferentes maneiras, olhando-os de diversos ângulos, de perto e de longe. Uma vez terminado o desenho, ela "passa uma simulação" em sua cabeça — ou seja, imagina toda a fábrica em funcionamento. Essa simulação pode mostrar um problema inesperado, e quando isso acontece ela assinala-o, modifica o projeto, faz outra simulação — muitas outras, se preciso —, até que o projeto fique perfeito. Só então, quando tudo está claro em sua cabeça, é que passa as coisas para o papel. Não precisa mais de atenção nesse momento; o resto é mecânico. "Na hora em que consigo acertar o básico, passo para o papel. Posso ficar prestando atenção na TV. Não há qualquer emoção. Basta ligar minha unidade de trabalho e pronto."

Mas esse tipo de simulação ou repertório de imagens concretas é bem menos apropriado quando ela precisa ter outros tipos de pensamento — simbólico, conceitual ou abstrato. Para entender o provérbio "Pedra que rola não cria limo", ela diz, "tenho que passar na minha cabeça o vídeo da pedra rolando e se livrando do limo antes de poder entender o que 'significa'". Ela precisa concretizar antes de poder generalizar. Na escola, não conseguia entender as rezas até "vê-las" em imagens concretas: "'O poder e a glória' eram fios de alta tensão e o sol resplandecente; a palavra 'transgressão' [...] uma placa de 'Entrada proibida' pregada numa árvore".[13]

Em sua autobiografia e, de forma mais concisa, num artigo de trinta páginas publicado pouco antes do livro — "My experiences as an autistic child" — no *Journal of Orthomolecular Psychiatry*, em 1984, Temple mostra como, quando menina, alcançava o desempenho máximo dentro das normas registradas em testes espaciais e visuais, mas saía-se mal em tarefas abstratas ou seqüenciais. (Esses "perfis" são característicos de autistas: costumam demonstrar uma "dispersão", ou extrema irregularidade, nos chamados testes de inteligência.) Em alguns casos, Temple escreve, os resultados eram enganosos, porque as tarefas que poderiam ter sido muito difíceis para ela se as tivesse feito da maneira "normal" ficavam fáceis ao serem realizadas de uma maneira idiossincrática e visual: assim, sentenças e poemas, e séries de números, imediatamente produziam imagens visuais, e era disso que ela se lembrava, não das palavras e dos números em si. Cálculos complexos, que lhe eram impraticáveis pelas vias normais, podiam tornar-se possíveis se os transformava em imagens visuais.[14]

O pensamento visual em si não é anormal, e Temple era a primeira a chamar a atenção para o fato de que conhecia vários não autistas — engenheiros, desenhistas industriais — que pareciam capazes de "ver" o que precisavam fazer, de fazer projetos em suas cabeças e testá-los em simulações, assim como ela.[15] De fato, em geral ela se dá muito bem com essas pessoas, especialmente com seu amigo Tom. Ele é um visualizador poderoso e criativo, como ela, e também, como ela, heterodoxo, tratante, dado às diabruras. "Entro na mesma freqüência que Tom", diz Temple, "embora seja uma freqüência infantil." Mas, acima de tudo, ela gosta de trabalhar com ele — o que também é "infantil", mas uma forma de infantilidade essencialmente criativa. "Tom e eu somos crianças pequenas", ela disse. "O concreto é a argila dos adultos, o aço é o papel cartão dos adultos, os prédios são a brincadeira dos adultos."

Fiquei emocionado com as palavras de Temple, com sua adorável analogia criativa e seu ludismo de criança, e pensei em como esse desenvolvimento havia sido saudável para ela. Também fiquei tocado quando falou de sua relação com Tom. Fiquei pensando se ela o amava de verdade e se já havia pensado em ter relações sexuais ou casar-se com ele. Perguntei a ela — perguntei-lhe se já tivera relações sexuais, ou se alguma vez tinha namorado ou se apaixonado.

Não, ela respondeu. Era solteira. Nunca tinha namorado. Achava essas interações completamente frustrantes e muito complexas na prática; nunca sabia o que estava sendo dito, ou insinuado, ou perguntado, ou esperado. Não sabia, nessas ocasiões, de onde vinham as pessoas, ou suas suposições, ou pressuposições, ou intenções. Isso era compartilhado por outros autistas, ela disse, e era uma das razões por raramente serem bem-sucedidos em namoros ou relações amorosas, embora tenham sentimentos sexuais.

Mas o problema não estava apenas no namoro ou relacionamento concreto. "Nunca me apaixonei", ela me disse. "Não sei o que é ficar perdidamente apaixonada."

"Como você imagina que é 'ficar apaixonada'?", perguntei.
"Talvez seja como ter uma síncope — se não, não sei."

Achei que a expressão "ficar apaixonada", com a sugestão de um sentimento avassalador ou arrebatador, podia não ser o termo ideal. Emendei minha pergunta para: "O que é 'amar'?".

"Preocupar-se com alguém... Acho que a amabilidade tem a ver com isso."

"Você já se preocupou com alguém?", perguntei-lhe.

Ela hesitou por um momento antes de responder. "Muitas vezes acho que estão faltando coisas na minha vida."

"Você sofre com isso?"

"É... Acho que sim." E depois acrescentou: "Quando comecei a segurar o gado, eu pensei: o que está acontecendo comigo? Fiquei na dúvida se aquilo era amor... não era mais intelectual".

Ela pensa muito no que é o amor, em certo sentido, mas não consegue imaginar como é sentir uma paixão por outra pessoa. "Não podia entender como minha colega de quarto tinha síncopes por causa do professor de ciência", ela lembra. "Ficava subjugada pela emoção. Eu pensava: ele é legal, posso ver por que ela gosta dele. Mas não ia além disso."

A capacidade de "ter síncopes", de experimentar uma reação emocional apaixonada, parece reduzida também em outras áreas — não apenas em relacionamentos humanos. Porque, após falar de sua colega de quarto, Temple disse imediatamente: "O mesmo acontece com a música — não tenho síncopes". Ela era completamente afinada, acrescentou (o que normalmente é muito raro, mas costuma ser comum entre os autistas), e tinha uma memória musical precisa e afiada, mas, no geral, não se emocionava com música. Achava "bonitinho", mas não lhe evocava nada profundo, somente associações literais: "Sempre que ouço a música de *Fantasia*, vejo aquelas estúpidas hipopótamas bailarinas". A música não parecia "falar-lhe". Não "sacava" a música, dizia — não via "significado". É de se supor que Temple simplesmente não seja "musical", a despeito de sua afinação e ouvido. Mas sua incapacidade de reagir profunda, emocional e subjetivamente não se restringe à música. Há uma pobreza semelhante de reação emocional ou estética em relação à maioria das cenas visuais: pode descrevê-las com grande exatidão mas elas não parecem corresponder ou evocar nenhum estado de espírito profundamente sentido.

A própria explicação de Temple para isso é meramente mecânica: "O circuito emocional não foi fisgado — é o que está errado". Pela mesma razão, ela não tem um inconsciente, ela diz; não recalca memórias e pensamentos, como as pessoas normais. "Não existem arquivos recalcados da minha memória", ela afirma. "Você tem arquivos que estão bloqueados. Não tenho nenhum que seja tão penoso a ponto de ser bloqueado. Não existem segredos ou portas fechadas — nada está escondido. Posso deduzir que existem áreas escondidas em outras pessoas, de forma que não suportam falar de certas coisas. A amígdala tranca o arquivo do hipocampo. No meu caso, a amígdala não produz emoção suficiente para fechar os arquivos do hipocampo."

Fiquei pasmo e disse: "Ou você está errada, ou existe uma diferença quase inimaginável de estrutura psíquica. O recalque é universal entre os seres humanos". Mas, após ter falado, tive menos certeza. Era capaz de imaginar condições orgânicas em que o recalque pudesse deixar de se desenvolver, ou ser destruído, ou subjugado. Parecia ter sido o caso do Mnemonista de Luria, que, embora não sendo autista, tinha lembranças tão nítidas a ponto de serem inesgotáveis — mesmo se algumas fossem tão penosas que teriam com certeza sido recalcadas se houvesse (fisiologicamente) a possibilidade. Eu próprio tive um paciente em quem uma lesão dos lobos frontais do cérebro "liberou" algumas das lembranças mais profundamente recalcadas — de um assassinato que cometera —, forçando-as sobre sua consciência aterrorizada.

Tive outro paciente, um engenheiro, com uma lesão maciça do lobo frontal em conseqüência de uma hemorragia, que eu via com freqüência lendo *Scientific American*. Continuava apto a entender a maioria dos artigos, mas dizia que eles não lhe provocavam mais nenhum espanto — o que antes fora fundamental para sua paixão pela ciência.

Outro homem, um juiz aposentado descrito na literatura neurológica, teve uma lesão do lobo frontal em conseqüência de fragmentos de uma granada no cérebro e, por conseguinte, viu-se totalmente desprovido de emoção. Poder-se-ia pensar que a falta de emoção, e as propensões que a acompanham, o tornariam mais imparcial — um juiz sem igual. Mas ele mesmo, com grande discernimento, renunciou ao cargo, alegando não poder mais entender com compaixão os motivos de alguém preocupado e que, já que a Justiça envolvia o sentimento e não apenas o pensamento, sua lesão o desqualificava totalmente para o cargo.[16]

Tais casos nos mostram como toda a base afetiva da vida pode ser podada por uma lesão neurológica. Mas há algo ainda mais seletivo sobre os problemas afetivos do autismo; não existe de jeito nenhum uma afabilidade e insipidez completas, a despeito dos comentários de Temple sobre o "circuito emocional" ou amígdala. Um autista pode ter paixões violentas, fixações e fascinações intensamente carregadas, ou, como Temple, uma ternura e uma preocupação quase avassaladoras em certas áreas. No autismo, não é o afeto em geral que é defeituoso, mas o afeto em relação a experiências humanas complexas, predominantemente as relações sociais, mas talvez outras associadas — estéticas, poéticas, simbólicas etc. De fato, ninguém demonstra isso melhor que a própria Temple.

Tanto como uma pessoa lutando para compreender a si mesma quanto como uma cientista pesquisando o comportamento animal, Temple está sendo constantemente exercitada por seu próprio autismo, procurando modelos ou similares para entendê-lo. Acha que há algo de mecânico em relação a sua mente, e a compara com freqüência a um computador, com vários elementos paralelos (um processador de distribuição paralela, para usar um termo técnico), vendo seu próprio pensamento como "computação" e sua memória como arquivos de computador. Supõe que falte à sua mente parte da "subjetividade", da introspecção, que os outros parecem possuir. Vê os elementos de seus pensamentos como imagens concretas e visuais, a serem permutadas ou associadas de diferentes maneiras.[17] Acredita que as partes visuais do seu cérebro e aquelas encarregadas do processamento de uma grande quantidade de informações sejam altamente desenvolvidas, que assim seja em geral com os autistas, que as partes verbais e aquelas feitas para o processamento seqüencial sejam comparativamente subdesenvolvidas e que isso também seja muito comum entre autistas.[18] Tem consciência do caráter "pegajoso" de sua atenção, havendo por um lado uma grande tenacidade, mas por outro uma falta de agilidade e de flexibilidade; atribui isso a uma deficiência em seu cerebelo, ao fato de (como mostrou a ressonância magnética) ser menor que o normal.

Ela acha que existem normalmente determinantes genéticos no autismo; suspeita que o próprio pai, que era distante, pedante e socialmente inepto, tivesse a síndrome de Asperger, ou ao menos traços autistas — e que estes ocorrem com uma freqüência significativa em pais e avós de crianças autistas.[19] Embora acredite que o meio (com os porcos ou com as pessoas) tenha no início um papel fundamental no desenvolvimento psíquico, não sustenta (como o fez Bruno Bettelheim) que o comportamento familiar seja responsável pelo autismo; é mais provável, ela pensa, que o próprio autismo apresente barreiras ao contato e à comunicação que os pais podem não ser capazes de vencer, de forma que toda a gama de experiências sensoriais e sociais (sobretudo ser pego e abraçado) fica muito empobrecida.

As próprias formulações e explicações de Temple em geral correspondem à série de explicações científicas existentes, à exceção de sua ênfase na necessidade de ser abraçada e apertada na mais tenra infância, que lhe é bastante particular — e, obviamente, um motivo central no direcionamento de seu pensamento e ações a partir dos cinco anos. Mas ela acha que houve demasiada ênfase nos aspectos negativos do autismo e pouca atenção, ou respeito, pelos positivos. Acredita que, se algumas partes do cérebro são imperfeitas ou deficientes, outras são altamente desenvolvidas — de uma forma até espetacular nos que têm síndromes *savants*, mas também de certa maneira, em diferentes graus, em todos os indivíduos com autismo. Acha que ela e outros autistas, embora tendo inquestionavelmente grandes problemas em algumas áreas, podem possuir habilidades extraordinárias e socialmente valiosas em outras — desde que lhes seja permitido ser o que são, autistas.

Levada por sua própria percepção do que possui em abundância e do que lhe falta de maneira tão conspícua, Temple tende a ter uma visão modular do cérebro, o sentimento de que ele é formado por uma multiplicidade de poderes ou "inteligências" computacionais separados e autônomos — em grande parte como propõe o psicólogo Howard Gardner em seu livro *Frames of mind*. Ele acha que, enquanto a inteligência visual, a musical e a lógica, por exemplo, podem ser altamente desenvolvidas no autismo, as "inteligências pessoais", como as denomina — a capacidade de perceber seus próprios estados de espírito e os dos outros —, ficam muito atrás.

Temple é movida por dois impulsos: uma parte teórica nela, que a faz procurar uma explicação geral para o autismo, uma chave que possa ser aplicada à totalidade do fenômeno e a cada caso; e uma parte prática, empírica, constantemente enfrentando a extensão e a complexidade e imprevisibilidade irredutíveis de seu próprio distúrbio, e também a enorme gama de fenômenos em outros autistas. É fascinada pelos aspectos cognitivos e existenciais do autismo e sua possível base biológica, mesmo tendo a total consciência de que são apenas parte da síndrome. Ela mesma enfrenta, quase todos os dias, variações extremas, de uma reação excessiva à mais completa falta de reações, em seu próprio sistema sensorial, que não pode ser explicado, segundo ela, em termos de "teoria da mente". Ela própria já era a-social aos seis meses, quando se enrijecia nos braços da mãe, e tais reações, comuns no autismo, também lhe parecem inexplicáveis em termos de teoria da mente (ninguém supõe que mesmo as crianças normais desenvolvam uma teoria da mente muito antes de três ou quatro anos). E ainda assim, colocadas essas reservas, ela se sente muito atraída por Frith e outros teóricos cognitivos; por Hobson e outros que vêem o autismo principalmente como um distúrbio do afeto, da empatia; e por Gardner e sua teoria das inteligências múltiplas. Talvez, na realidade, todas essas teorias, a despeito de suas diferentes ênfases, pairem sobre um mesmo ponto.

Temple mergulhou nas pesquisas químicas, fisiológicas e de visualização cerebral sobre o autismo e emergiu com a sensação de que ainda são, a esta altura, fragmentárias e inconcludentes. Mas ela sustenta sua idéia de "circuitos emocionais" deteriorados no cérebro, e imagina que sirvam para ligar as partes emocionais deste, filogeneticamente mais antigas — a amígdala e o sistema límbico —, às mais recentemente desenvolvidas, em específico as partes humanas do córtex pré-frontal. Ela admite que tais circuitos podem ser necessários para permitir uma forma de consciência nova e "superior", um conceito explícito de si mesmo, da sua própria mente e das dos outros — exatamente o que é deficiente no autismo.

Temple terminou uma palestra recente dizendo: "Se pudesse estalar os dedos e deixar de ser autista, não o faria — porque então não seria mais eu. O autismo é parte do que eu sou". E porque acredita que o autismo também possa ser associado a algo de valor, fica alarmada com a idéia de "erradicá-lo". Ela escreveu num artigo de 1990:

> Adultos conscientes de seu autismo e seus pais ficam freqüentemente irritados com esse distúrbio. Podem se perguntar por que a natureza ou Deus criou condições tão horríveis quanto o autismo, a psicose maníaco-depressiva e a esquizofrenia. No entanto, se os genes que causaram essas condições fossem eliminados, o preço a pagar poderia ser terrivelmente alto. É possível que pessoas com um pouco desses traços sejam mais criativas, ou mesmo gênios. [...] Se a ciência eliminasse esses genes, talvez todo o mundo fosse tomado por contadores.

Temple chegou para me pegar no hotel exatamente às oito, numa manhã de domingo, trazendo alguns outros artigos seus. Eu tinha o sentimento de que ela trabalhava incessantemente, que usava cada segundo disponível, "perdia" pouquíssimo tempo, que praticamente toda a sua vida acordada consistia em trabalho. Parecia não ter nenhum lazer, nenhuma distração. Até mesmo o fim de semana que havia "programado" para mim não era visto de jeito nenhum como uma atividade social, mas como 48 horas reservadas com um motivo especial, 48 horas colocadas de lado de forma a permitir uma investigação breve e intensiva da vida de um autista, ela mesma. Se por vezes se via como um antropólogo em Marte, podia me ver também como uma espécie de antropólogo, um antropólogo do autismo, dela. Via que eu precisava observá-la em todos os contextos e situações possíveis, recolher dados suficientes para fazer correlações, e chegar a certas conclusões gerais. Não lhe passou pela cabeça, no início, que o meu olhar pudesse ser ao mesmo tempo cúmplice ou amigo, além de antropológico. De forma que nosso encontro foi visto como trabalho, a ser empreendido com a mesma consciência e o mesmo escrúpulo com que se empenhava em todos os seus trabalhos. Embora no curso normal dos acontecimentos ela convide as pessoas a ir a sua casa, não costuma mostrar seu quarto a um visitante, muito menos demonstrar e ilustrar o uso da máquina de espremer ao lado da cama — mas, para ela, isso fazia parte do trabalho.

E embora normalmente, no curso de sua vida, nunca fosse às belas montanhas do Parque Nacional das Montanhas Rochosas, a duas horas de carro a sudoeste de Fort Collins, não tendo tempo para lazer ou distração, achou que eu pudesse gostar de ir lá, o que também me permitiria observá-la num contexto completamente diferente, onde talvez nos sentíssemos mais desprogramados e livres.

Colocamos nossas coisas no carro de Temple — com sua tração nas quatro rodas, era ideal para o terreno montanhoso, ainda mais se saíssemos da estrada — e por volta de nove horas zarpamos para o parque. Era uma estrada espetacular: subimos a altitudes cada vez maiores numa estradinha tortuosa, com curvas aterrorizantes, e vimos penhascos alterosos com camadas de rochas listadas, desfiladeiros espumantes lá embaixo, e uma maravilhosa diversidade de coníferas, musgos e filifolhas. Eu pegava o binóculo o tempo todo e me admirava com as maravilhas a cada curva.

Ao entrarmos no parque, a paisagem se abriu num imenso platô no alto da montanha, com vistas infinitas em todas as direções. Saímos da estrada e contemplamos as Rochosas — cobertas de neve, destacadas contra o horizonte, luminosamente claras mesmo estando a aproximadamente 150 quilômetros de distância. Perguntei a Temple se ela não tinha a sensação da sublimidade daquelas montanhas. "É, são bonitas. Mas sublimes, eu não sei." Quando a pressionei, disse-me que ficava confusa com essas palavras e havia perdido um bom tempo com um dicionário, tentando entendê-las. Tinha procurado "sublime", "misterioso", "numinoso", "temeroso", mas todas pareciam ser definidas umas pelas outras.

"As montanhas são bonitas", repetiu, "mas não me passam um sentimento especial, o mesmo de que você parece se regozijar." Após ter vivido por três anos e meio em Fort Collins, ela disse, esta era apenas a segunda vez que as visitava.

O que Temple disse ali me pareceu ter um elemento de tristeza ou melancolia, até mesmo certa pungência. Tinha dito coisas parecidas no caminho para o parque ("Você olha o regato, as flores, vejo quanto prazer você tira disso. A mim, isso não é dado") e também ao longo do fim de semana. Tínhamos presenciado um pôr-do-sol espetacular na tarde anterior (o pôr-do-sol tem sido particularmente belo desde a erupção do Pinatubo), o que ela também achou "bonito", mas nada além. "Você tira um tal prazer do pôr-do-sol", disse. "Queria conseguir o mesmo. Sei que é bonito, mas não o 'capto'." Acrescentou que seu pai exprimia com freqüência esses sentimentos.

Fiquei pensando no que Temple tinha dito na noite de sexta, enquanto caminhávamos sob as estrelas. "Quando olho para as estrelas à noite, sei que devo ter um sentimento 'numinoso', mas não tenho. Gostaria de ter. Posso entendê-las intelectualmente. Penso sobre o Big Bang e a origem do universo, e por que estamos aqui: será que ele é finito, ou que continua para sempre?"

"Mas você sente a grandiosidade dele?", perguntei.

"Eu o entendo intelectualmente", rebateu, e prosseguiu: "Quem somos nós? Será que a morte é o fim? Deve haver forças reordenadoras no universo. Será que é apenas um buraco negro?".

Eram palavras formidáveis, pensamentos formidáveis, e me vi olhando para Temple com uma maior compreensão de sua amplidão mental, de sua coragem. Ou seriam, para ela, apenas palavras, nada mais que conceitos? Seriam unicamente mentais, cognitivos ou intelectuais, ou corresponderiam a alguma experiência real, alguma paixão ou sentimento?

Prosseguimos agora, cada vez mais alto, com o ar ficando mais rarefeito, as árvores menores, conforme nos aproximávamos do cume. Havia um lago próximo ao parque, o Grand Lake, em que eu queria nadar especialmente (sempre fico excitado pela perspectiva de nadar em lagos exóticos e distantes: sonho com o lago Baikal e o Titicaca), mas, infelizmente, como eu precisava pegar um avião, não tínhamos tempo.

No caminho de volta, morro abaixo, paramos o carro para uma curta caminhada geológica à procura de plantas e pássaros — Temple conhecia todas as plantas, todos os pássaros, as formações geológicas, embora, segundo ela, não "sentisse nada especial" por eles — e em seguida demos início à longa descida. A certa altura, logo à saída do parque, vendo um enorme e convidativo espelho d'água, pedi a Temple que encostasse o carro, e avancei impetuosamente em sua direção: daria a minha nadada, mesmo não conseguindo chegar ao lago.

Foi somente quando Temple gritou "Pare!" e apontou que eu interrompi minha descida precipitada e levantei a cabeça, vendo que meu espelho d'água, meu "lago", tão imóvel à minha frente, acelerava-se a uma velocidade aterrorizante poucos metros à esquerda, antes de entrar por uma barragem hidrelétrica quatrocentos metros mais adiante. As chances teriam sido grandes de que eu fosse tragado, fora de controle, para dentro da barragem. Havia uma expressão de alívio no rosto de Temple quando parei e subi de volta. Mais tarde, ligou para uma amiga, Rosalie, e disse que tinha salvado minha vida.

Falamos de várias coisas no caminho de volta a Fort Collins. Temple mencionou um compositor autista que conhecia ("Pega pedaços e trechos de música que ouviu e os rearranja") e eu falei de Stephen Wiltshire, o artista autista. Ficamos pensando em romancistas autistas, poetas, cientistas, filósofos. Hermelin, que estudou autistas excepcionais (de baixo desempenho) por muitos anos, acha que, embora possam ter talentos enormes, falta-lhes tanto em subjetividade e introspecção que ficam aquém da principal criatividade artística. Christopher Gillberg, um dos melhores observadores clínicos do autismo, acha que os autistas do tipo de Asperger, em oposição, podem ser capazes de grande criatividade e das maiores maravilhas, ainda que Bartók e Wittgenstein possam não ter sido autistas. (Muitos autistas agora gostam de pensar em Einstein como um dos seus.)

Temple falara antes sobre ser nociva, ou má, alegando gostar disso às vezes, e sentiu o maior prazer em me contrabandear com sucesso para dentro do matadouro. Gosta de cometer pequenas infrações vez por outra — "Às vezes caminho alguns centímetros além da linha no aeroporto, um pequeno ato de desafio" —, mas tudo isso faz parte de uma categoria totalmente diferente da "maldade real", que pode ter conseqüências letais aterrorizantes e instantâneas. "Sinto que se fizer alguma coisa realmente má, Deus vai me punir, o eixo da direção vai se partir no caminho do aeroporto", disse enquanto voltávamos de carro. Fiquei surpreso com a associação da ação divina com um eixo de direção partido; nunca tinha pensado que um autista, com uma compreensão totalmente causal ou científica do universo e um sentido deficiente de ação ou intenção, pudesse formular questões como a vontade ou o julgamento divinos.

Temple é uma criatura intensamente moral. Tem um sentido apaixonado do que é certo e errado, por exemplo, a respeito do tratamento dos animais; e a lei, para ela, não é com certeza apenas a lei da Terra, mas, num sentido bem mais profundo, uma lei cósmica ou divina, cuja violação pode ter efeitos desastrosos — pretensos colapsos no curso da própria natureza. "Você leu sobre a ação à distância, ou a teoria quântica", ela disse. "Sempre tenho o sentimento de que devo ser muito cautelosa quando vou a uma fábrica de carnes, porque Deus está olhando. A teoria quântica vai me pegar."

Temple começou a ficar excitada. "Quero desabafar antes que você chegue ao aeroporto", disse, com uma certa urgência.

Foi educada dentro dos parâmetros da Igreja episcopal, contou-me, mas logo "abandonei a crença ortodoxa" — a crença em qualquer divindade ou intenção pessoal — a favor de uma noção mais "científica" de Deus. "Acredito que exista uma determinação final para o bem no universo — não uma coisa pessoal, nada de Buda ou Jesus, talvez algo como uma ordem a partir da desordem. Gosto de acreditar que mesmo se não houver vida pessoal após a morte, alguma impressão energética é deixada no universo... A maioria das pessoas pode se transmitir através dos genes — eu o faço pelos pensamentos ou coisas que escrevo."

"É por isso que fico muito chateada com..." Temple, que estava dirigindo, de repente titubeou e começou a chorar. "Li que é nas bibliotecas que reside a imortalidade... Não quero que meus pensamentos morram comigo... Quero ter realizado algo... Não me interesso pelo poder ou pilhas de dinheiro. Quero deixar algo. Quero dar uma contribuição positiva — saber que minha vida tem um sentido. Exatamente agora, estou falando de coisas que estão no âmago da minha existência."

Fiquei perplexo. Ao descer do carro para me despedir, eu disse: "Vou lhe dar um abraço. Espero que você não se importe". Abracei-a — e (acho) ela me abraçou também.

NOTAS

PREFÁCIO [pp. 12-7]

1. De fato, este é *o* problema, a questão definitiva, em neurociência — uma questão que não pode ser respondida, nem em princípio, sem uma teoria global da função cerebral, uma teoria capaz de mostrar as interações de todos os níveis, desde os micromodelos das respostas neuroniais individuais até os macromodelos de uma vida em seu dia-a-dia. Essa teoria, uma teoria neuronial da identidade pessoal, foi exposta nos últimos anos por Gerald M. Edelman em sua tese sobre a seleção dos grupos neuroniais, ou "darwinismo neuronial".

O CASO DO PINTOR DALTÔNICO [pp. 18-50]

1. Mais tarde, perguntei ao sr. I. se ele sabia grego ou hebraico; ele disse que não, tinha apenas o sentimento de uma língua estrangeira ininteligível; talvez, ele acrescentou, "cuneiforme" fosse mais exato. Via formas, sabia que tinham que ter um sentido, mas não podia imaginar que sentido seria esse.
2. Do mesmo modo, um paciente do dr. António Damásio, com acromatopsia em decorrência de um tumor, considerava tudo e todos "sujos", chegando a achar até a neve recém-caída desagradável e suja.
3. Em 1688, em *Some uncommon observations about vitiated sight*, Robert Boyle descreveu uma moça de vinte e poucos anos que tinha enxergado normalmente até completar dezoito anos, quando desenvolveu uma febre, ficou "coberta de bolhas" e, com isso, foi "privada de sua visão". Quando lhe mostravam alguma coisa vermelha, "olhava para o objeto com atenção, mas dizia que, para ela, não parecia vermelho, mas outra cor que, por sua descrição, diríamos ser uma cor escura ou suja". Quando lhe entregavam "tufos de seda sutilmente coloridos", a única coisa que dizia era: "Parecem de uma cor clara, mas não saberia dizer qual". Quando questionada se os prados "não lhe pareciam cobertos de verde", respondia que não, mais pareciam ser de "uma curiosa cor escura", acrescentando que, quando desejava colher violetas, "não era capaz de distingui-las, pela cor, da grama que as circundava, mas apenas pela forma, ou pelo tato". Boyle observou ainda uma mudança em seus hábitos: que ela agora gostava de sair e caminhar à noite, o que "lhe aprazia sobremaneira".

Certo número de relatos foram publicados no século XIX — muitos reunidos em *Colour-blindness*, de Mary Collins —, sendo um dos mais marcantes (ao lado do caso do pintor de paredes acromatóptico) o do médico que, derrubado de seu cavalo, sofreu uma lesão cerebral e uma concussão. "Quando já havia se recuperado o suficiente para notar os objetos ao seu redor", George Wilson deixou seu testemunho, em 1853:

> considerava que sua percepção das cores, que antes era normal e exata, tornara-se enfraquecida e fora pervertida. [...] Todos os objetos coloridos [...] agora lhe pareciam estranhos. [...] Enquanto estudante em Edimburgo, ficara conhecido como um excelente anatomista; agora não podia mais distinguir uma artéria de uma veia por sua cor. [...] As flores perderam grande parte de sua beleza, e ele se lembra do choque ao entrar em seu jardim pela primeira vez após a recuperação, ao descobrir que sua rosa-de-damasco predileta tinha se tornado por completo, pétalas, folhas e caule, de uma cor uniforme e embotada; e que flores sortidas tinham perdido seus matizes característicos.

4. Pode-se ver interessantes semelhanças, mas também diferenças, em relação à visão dos que sofrem de acromatopsia congênita. Assim, Knut Nordby, um pesquisador com daltonismo congênito, escreve:

> Vejo o mundo apenas em tons que os que têm a visão normal da cor descrevem como preto, branco e cinza. Minha sensibilidade espectral subjetiva não difere da do filme em preto-e-branco ortocromático. Vejo a cor chamada de vermelho como um cinza muito escuro, quase preto, mesmo sob luz forte. Numa escala de cinza, vejo as cores azul e verde como meio-cinza, um pouco mais escuras se são saturadas, um pouco mais claras se insaturadas. O amarelo me parece normalmente um cinza ainda mais claro, mas não costuma confundir-se com o branco. O marrom é geralmente um cinza-escuro, assim como o laranja saturado.

5. Apenas um sentido podia lhe dar um prazer real naquele tempo: o olfato. O sr. I. tinha um sentido olfativo muito preciso, eroticamente carregado — de fato, mantinha paralelamente um negócio de perfumes, compondo seus próprios aromas. Com a perda dos prazeres da visão, os do olfato foram intensificados (ou assim lhe parecia), nas primeiras semanas soturnas após o acidente.

6. A questão do "conhecimento" da cor é bastante complexa e tem aspectos paradoxais que são difíceis de dissecar. É certo que o sr. I. estava intensamente consciente de uma perda profunda com a mudança em sua visão, de uma forma tão clara que uma espécie de comparação com uma experiência passada lhe era possível. Essa comparação não é possível se houver uma destruição completa do córtex visual primário dos dois lados, no caso de um derrame, por exemplo, como na síndrome de Anton. Pacientes com essa síndrome tornam-se to-

talmente cegos, mas não se queixam ou fazem relatos de suas cegueiras. Não sabem que estão cegos; toda a estrutura da consciência é reorganizada por completo — instantaneamente — no momento em que é atingida.

De maneira semelhante, pacientes com derrames extensos no córtex direito parietal podem perder não apenas a sensação e o uso, mas o próprio conhecimento de seu lado esquerdo, de tudo o que estiver à esquerda, e na realidade do próprio conceito de esquerda. Mas são "anosognósicos" — desconhecem suas perdas; podemos dizer que o mundo deles está bissectado, mas para eles é um todo completo.

7. Uma das anomalias ficou clara no exame da separação dos fios; ele separou os azuis-claros saturados como "pálidos" (assim como havia se queixado de que o céu azul parecia quase branco). Mas seria essa uma anomalia? Podíamos ter certeza de que a lã azul não era, sob seu tingimento, mais propriamente desbotada ou pálida? Tínhamos que ter colorações que fossem por outro lado idênticas — idênticas em brilho, saturação, reflexibilidade —, logo obtivemos um conjunto de botões coloridos cuidadosamente fabricados, conhecidos como teste de Farnsworth-Munsell, a que submetemos o sr. I. Ele era incapaz de agrupar os botões em alguma ordem, mas separou os azuis como "mais pálidos" que o resto.

8. Novos testes com o anomaloscópio de Nagel e as cartas de acromatopsia de Sloan confirmaram o daltonismo total do sr. I. Com o dr. Ralph Siegel, fizemos testes de percepção de profundidade e movimento (utilizando os estereogramas e campos de pontos casuais de Julesz) — que estavam normais, assim como os testes para verificar a capacidade de desenvolver estrutura e profundidade a partir do movimento. Havia, porém, uma interessante anomalia: o sr. I. era incapaz de "captar" os estereogramas vermelho e verde (anáglifos bicolores), provavelmente porque é preciso a visão da cor para segregar as duas imagens. Também obtivemos eletrorretinogramas, e estes estavam perfeitamente normais, indicando que todos os três mecanismos cônicos na retina estavam intatos, e que o daltonismo era de fato de origem cerebral.

9. Em 1877, Gladstone, num artigo intitulado *On the color sense of Homer*, discorreu sobre o uso que Homero fazia de frases do tipo "o mar tinto como o vinho". Tratava-se apenas de uma convenção poética, ou Homero e os gregos na realidade viam o mar de uma maneira diferente? Existe de fato uma considerável variação entre diferentes culturas na maneira como vão categorizar e nomear as cores — os indivíduos só podem "ver" a cor (ou fazer uma categorização perceptiva) se houver uma categoria cultural ou um nome para ela. Mas não é claro se tal categorização pode realmente alterar a percepção elementar da cor.

10. "Sendo quase impossível conceber cada ponto sensível da retina como contendo um número infinito de partículas, cada uma capaz de vibrar em perfeito uníssono com cada ondulação possível", escreveu Young, "torna-se necessário supor um número limitado, por exemplo, para as três cores principais, vermelho, amarelo e azul."

O grande químico John Dalton, apenas cinco anos antes, forneceu a descrição clássica do daltonismo vermelho-verde em si mesmo. Pensava que ele se devesse a uma descoloração nos meios transparentes do olho — e, de fato, doou um dos olhos para que fosse examinado na posteridade. Young, entretanto, fez a interpretação correta — que faltava um dos três tipos de receptor das cores (o olho de Dalton permanece, em formol, sobre uma prateleira em Cambridge).

Lindsay T. Sharpe e Knut Nordby discorrem sobre este e outros aspectos da história da pesquisa do daltonismo em *Total colorblindness: an introduction*.

11. Em 1816, o jovem Schopenhauer propôs uma teoria diferente da visão da cor, que considerava não uma ressonância passiva e mecânica das partículas sintonizadas ou receptores, como Young havia postulado, mas seu estímulo, competição e inibição ativos — uma teoria oposta, explícita como a que seria criada por Ewald Hering setenta anos mais tarde, em aparente contradição com a de Young-Helmholtz. Essas teorias em contraposição foram ignoradas na época, e continuaram a ser até os anos 50 do século XX. Hoje, consideramos uma combinação da teoria de Young-Helmholtz e mecanismos opostos: receptores sintonizados, que dialogam entre si, estão continuamente ligados a uma balança interativa. Assim, integração e seleção, como pressentiu Schopenhauer, têm início na retina.

12. Não é mencionada na grande edição de 1911 da *Physiological optics*, de Helmholtz, embora haja uma extensa seção sobre acromatopsia retiniana.

13. Houve, entretanto, breves menções à acromatopsia nesse ínterim, que, em sua maioria, foram ignoradas ou rapidamente esquecidas. Mesmo Kurt Goldstein, embora filosoficamente contrário a noções de déficits neurológicos isolados, notou que houvera vários casos de acromatopsia cerebral pura sem perdas do campo visual ou outras deteriorações — uma observação lançada casualmente ao longo de seu livro de 1948, *Language and language disturbances*.

14. Um fenômeno talvez parecido é descrito por Knut Nordby. Durante seu primeiro ano escolar, seu professor apresentou um alfabeto impresso, onde as vogais eram vermelhas e as consoantes, pretas.

> Eu não podia ver nenhuma diferença entre elas e não podia entender o que o professor queria dizer, até que cedo numa manhã de fim de outono, quando as luzes tinham sido acesas, vi inesperadamente que algumas das letras, o AEIOUYÄÅÖ, tinham ficado subitamente de um cinza-escuro, enquanto as outras continuavam de um preto denso. Essa experiência ensinou-me que as cores podem parecer diferentes sob diferentes fontes de luz, e que a mesma cor pode ser comparada a diferentes tons de cinza em diferentes tipos de iluminação.

15. A demonstração de Maxwell da "decomposição" e "reconstituição" da cor dessa forma tornou possível a fotografia em cores. "Câmeras coloridas" enormes foram usadas de início, separando a luz incidente em três fachos para

passá-los por filtros das três cores primárias (essa câmera, invertida, serviu como um cromoscópio, ou projetor maxwelliano). Apesar de um processo integral de cor ter sido imaginado por Ducos du Hauron na década de 1860, foi apenas em 1907 que esse processo (Autocromo) chegou a ser realmente desenvolvido, pelos irmãos Lumière. Usaram pequeninos grãos de amido tingidos de vermelho, verde e violeta, em contato com a emulsão fotográfica — estes agiam como uma espécie de grade maxwelliana, através da qual as três imagens de cores separadas entravam em mosaico, podendo tanto ser tiradas quanto vistas (câmeras coloridas, Lumièrecolor, Dufaycolor, Finlaycolor e muitos outros processos de cor aditivos continuavam a ser usados nos anos 40, quando eu era criança, e estimularam o meu próprio interesse inicial pela natureza das cores).

16. Ele também era capaz de encontrar células, numa área adjacente, que pareciam responder unicamente ao movimento. Um relato e uma análise notáveis de uma paciente com pura "cegueira do movimento" foram feitos por Zihl, Von Cramon e Mai, em 1983. Os problemas da paciente são descritos da seguinte forma:

> O distúrbio visual de que se queixava a paciente consistia na perda da visão do movimento em todas as três dimensões. Tinha dificuldade, por exemplo, em verter chá ou café numa xícara, pois o líquido parecia-lhe congelado, como uma geleira. Além disso, não conseguia parar no momento certo, já que era incapaz de perceber o movimento do líquido subindo dentro da xícara (ou de uma panela). Ademais, a paciente se queixava de dificuldades de acompanhar um diálogo, pois não podia ver o movimento do rosto e, em especial, dos lábios do interlocutor. Num quarto onde mais de uma pessoa estivesse andando, ela sentia-se muito insegura e indisposta, e com freqüência saía imediatamente, porque "as pessoas estavam uma hora aqui, outra lá, mas eu não as vira movendo-se". A paciente passava pelo mesmo problema, mas num grau ainda mais agudo, em ruas ou lugares com multidões, que ela tentava portanto evitar ao máximo. Não podia atravessar a rua por causa de sua incapacidade de avaliar a velocidade dos carros, mas podia identificá-los sem dificuldade. "Quando primeiro olho para um carro, ele parece distante. Mas então, quando quero atravessar a rua, de repente ele está muito perto." Aos poucos, aprendeu a "estimar" a distância de veículos em movimento pelo som que ia se tornando mais forte.

17. Um relato preciso da influência negativa de Holmes foi feito por Damásio, ressaltando também que todos os seus casos envolviam lesões no aspecto dorsal do lobo occipital, ao passo que o centro para a acromatopsia reside no aspecto ventral.

18. O trabalho de António e Hanna Damásio e seus colegas da Universidade de Iowa foi particularmente importante aqui, tanto em virtude da exatidão do teste de percepção como pelo refinamento da imagem neuronial que usavam.

19. Esses cromatofenos podem ocorrer espontaneamente em enxaquecas visuais, e o próprio sr. I. chegou a experimentá-los, ocasionalmente, em enxaquecas anteriores ao acidente. Seria interessante saber o que teria sido experimentado se as áreas V_4 do sr. I. tivessem sido estimuladas — mas o estímulo magnético de uma área circunscrita do cérebro não era tecnicamente possível na época. Resta saber, agora que esse estímulo é possível, se ele deveria ser tentado em indivíduos com acromatopsia congênita, retiniana — muitas dessas pessoas expressaram sua curiosidade sobre tal experimento. É possível — não tenho conhecimento de nenhum estudo sobre isso — que a V_4 deixe de funcionar em tais pessoas, com a ausência de qualquer informação fornecida pelos cones. Mas se a V_4 *estiver* presente como uma unidade de funcionamento (embora nunca funcionando) a despeito da ausência de cones, seu estímulo pode produzir um espantoso fenômeno — uma eclosão sem precedentes, uma sensação totalmente nova, em um cérebro/mente que nunca tivera a chance de experimentá-lo ou categorizá-la. Hume se pergunta se um homem poderia imaginar, ou mesmo perceber, uma cor que nunca tivesse visto antes — talvez essa questão humiana (proposta em 1738) pudesse ter uma resposta hoje.

20. O poder da expectativa e da configuração mental na percepção da cor é claramente demonstrado em indivíduos com daltonismo parcial vermelho-verde. Tais pessoas podem não ser capazes, por exemplo, de detectar os frutos vermelhos do azevinho contra uma folhagem verde-escura, ou o sutil rosa-salmão do amanhecer — até alguém apontá-los para elas. "Nossas pobres células cônicas desfalcadas", diz um discromatópsico que conheço, "precisam da amplificação do intelecto, do conhecimento, da expectativa e da atenção para 'ver' as cores para as quais estamos normalmente 'cegos'."

21. O mau funcionamento na V_4 pode ser detectado com uma nova técnica, a tomografia de emissão de pósitrons (que mostra a atividade metabólica de diferentes áreas cerebrais), mesmo se não há lesão visível na tomografia ou ressonância magnética. Infelizmente, essa técnica não existia na época.

22. O próprio sr. I., que gostava de passar seu tempo em clubes esportivos e bares, pesquisou sobre o assunto e nos contou que havia conversado com alguns boxeadores que sofreram perdas temporárias, e por vezes duradouras, da visão da cor após serem golpeados na cabeça. A acromatopsia parcial ou total ("acinzentamento"), também temporária, é característica do desmaio ou choque onde há uma redução do suprimento de sangue nas partes posteriores, especialmente as visuais, do cérebro. O acinzentamento também ocorre em ataques temporários de isquemia, devido a insuficiência arterial — Zeki especula que isso afeta as células seletivas de comprimento de onda nas manchas do V_1 e as listas finas da V_2. Alterações temporárias da visão da cor — incluindo estranhas instabilidades ou transformações da cor (discromatopsia) — podem ocorrer também em enxaquecas visuais e epilepsias e são conhecidas dos consumidores de mescalina e outras drogas. Podem ser um inquietante efeito colateral do ibuprofeno.

23. Nunca ficou completamente claro, a partir das descrições que o sr. I. fazia do dia-a-dia, se ele teve ou não alguma pequena diminuição da visão da forma. Mas, curiosamente, durante o teste dos Mondrians, limites entre retângulos tinham a tendência a desaparecer quando ele os fitava prolongadamente, embora fossem rapidamente restaurados uma vez que o estímulo era deslocado. Existem dois outros sistemas além do sistema de manchas no processo visual primário: o sistema M, que trata particularmente da percepção do movimento e da profundidade, mas não da cor; e um sistema P-intermanchas, que provavelmente diz respeito à percepção em alta definição das formas. Zeki pensava que a dissolução dos limites com a fixação prolongada sugeria um defeito no sistema P, e sua rápida restauração com o deslocamento, "um sistema M saudável e ativo".

24. Essa sensação de perda não é, é claro, experimentada pelos que nasceram completamente daltônicos. A questão é abordada em outra carta que recebi recentemente de uma mulher interessante e inteligente, Frances Futterman, que nasceu totalmente daltônica. Ela compara sua própria situação com a de Jonathan I.:

> Fiquei impressionada com o quanto esse tipo de experiência deve ser diferente da minha própria, de nunca ter visto as cores antes, e por conseguinte nunca tê-las perdido — também nunca ter ficado deprimida por causa de meu mundo sem cor. [...] A maneira como vejo não é em si e por si só deprimente. Na realidade, fico freqüentemente deslumbrada com a beleza do mundo natural. [...] Dizem que devo ver em tons de cinza ou em "preto-e-branco", mas não acho que seja assim. A palavra cinza, para mim, significa tanto quanto a palavra rosa ou azul — na verdade, ela tem menos sentido ainda, porque desenvolvi conceitos internos para nomes como rosa ou azul; mas, por mais que tente, não consigo conceber o cinza.

Embora a experiência da sra. Futterman seja certamente diferente da do sr. I., ambos falam da falta de sentido do termo "cinza", uma palavra que pode ser tão expressiva para o acromatóptico quanto "escuridão" para o cego, ou "silêncio" para o surdo. A sra. Futterman menciona, assim como o sr. I. passou a fazer, a beleza do mundo. "Poderia apostar também", ela diz, "que, se fôssemos testados ao lado de pessoas normais em níveis baixos de luminosidade, seríamos capazes de detectar muito mais tons de cinza. Fotografias em preto-e-branco me parecem demasiado duras. O mundo que vejo tem muito mais variedade e riqueza que fotos em preto-e-branco ou programas de TV. [...] Minha visão é muito mais rica do que podem imaginar os normais."

25. Podemos experimentar algo semelhante, Zeki mostrou recentemente, usando um estímulo magnético inibidor na V_4, o que produz uma acromatopsia temporária.

26. Também conhecemos muito pouco sobre as interações dos três principais sistemas na visão primária — os sistemas M, intermanchas e o de manchas.

Mas Crick se pergunta se alguns dos desprazeres e a anormalidade, pelo menos — a visão "plúmbea" de que se queixava o sr. I. —, não viriam em parte da ação descomedida do sistema M preservado, que, ele enfatiza, "vê poucos tons de cinza, [de forma que] seu branco corresponderia ao que (em pessoas normais) é um branco sujo". Essa noção é corroborada pelo fato de pessoas com acromatopsia *congênita*, que não sofreram qualquer lesão em seus sistemas visuais superiores, não apresentarem tais anormalidades perceptivas. Assim, Knut Nordby escreve: "Nunca experimentei cores 'sujas', 'impuras', 'manchadas' ou 'desbotadas', como relata o artista Jonathan I.".

27. J. D. Mollon *et al.* descrevem o caso de um jovem cadete da polícia que, em conseqüência de uma grave doença febril (provavelmente herpes cerebral), ficou com acromatopsia, hemianopsia e um pouco de agnosia e amnésia. Examinando-o cinco anos após a doença, Mollon relata que "ele era capaz de nomear (presumivelmente por meio da memória verbal) as cores de, por exemplo, grama, semáforos, a bandeira nacional, mas cometia erros com outros objetos comuns (por exemplo, banana, caixa de correio)". Assim, aqui, depois de cinco anos de total daltonismo, as cores mesmas dos objetos mais familiares eram freqüentemente esquecidas. Tais efeitos também foram registrados na cegueira retiniana comum, em que após alguns anos pode haver uma perda generalizada das memórias visuais, incluindo a das cores.

28. "Uma pessoa cega muito inteligente", escreve Schopenhauer, "quase poderia [construir] uma teoria das cores a partir de declarações exatas que ouvisse sobre elas." Diderot, de maneira parecida, falando de Nicholas Saunderson, um célebre cego que dava conferências sobre óptica em Oxford no começo do século XVIII, acha que ele tinha um profundo conhecimento teórico e um *conceito* do espaço, embora nunca tivesse tido qualquer percepção visual direta dele (ver nota 13, página 314).

29. Com sua repulsa à cor e à claridade, seu gosto pelo lusco-fusco e pela noite, sua visão aparentemente acentuada no crepúsculo e à noite, o sr. I. lembra Kaspar Hauser, o garoto confinado num celeiro parcamente iluminado por quinze anos, como o descreveu Anselm von Feuerbach em 1832:

> Quanto a sua vista, aqui não existia, no que lhe diz respeito, nem noite nem escuridão. [...] À noite ele caminhava por toda parte com a maior segurança; e em lugares escuros sempre recusava a luz quando lhe era oferecida. Freqüentemente, olhava com espanto ou ria das pessoas que, em cantos sombrios, à entrada de uma casa ou descendo uma escada à noite, por exemplo, buscavam segurança tateando seu caminho ou se agarrando a objetos adjacentes. Assim, certa vez, após o pôr-do-sol, ele leu o número de uma casa a uma distância de 140 metros, que, à luz do dia, não poderia ter distinguido de tão longe. Certa vez, ao final do crepúsculo, ele chamou a atenção de seu instrutor para um mosquito pendurado numa teia de aranha muito distante. (pp. 83-4)

30. É possível que indivíduos com acromatopsia congênita desenvolvam uma função intensificada do sistema M, podendo tornar-se extraordinariamente aptos a detectar movimento. Isso está sendo pesquisado atualmente por Ralph Siegel e Martin Gizzi.

31. Recentemente, ouvi falar de um botânico acromatóptico na Inglaterra, considerado melhor que pessoas com a visão normal para as cores na tarefa de identificar rapidamente samambaias e outras plantas em florestas, cercas-vivas e outros meio ambientes quase monocromáticos. Da mesma forma, na Segunda Guerra Mundial, pessoas com grave daltonismo vermelho-verde eram recrutadas como bombardeadores, por sua capacidade de "ver através" da camuflagem colorida e não se distrair pelo que seria, para pessoas com a visão normal, uma configuração confusa e enganosa de cores. Um veterano do "teatro do Pacífico" relata que soldados daltônicos eram indispensáveis para detectar o movimento de tropas camufladas na selva (todas essas coisas também podem tornar-se mais claras para as pessoas com a visão normal da cor durante o crepúsculo).

32. Um aparecimento análogo de novas sensibilidades e imaginação é descrito no formidável conto de H. G. Wells *The country of the blind*: "Por catorze gerações essas pessoas estiveram cegas e separadas de todo o mundo visível; os nomes de todas as coisas da visão caíram em desuso e mudaram. [...] Muito da imaginação deles secou com seus olhos, eles criaram novas imaginações com seus ouvidos e dedos cada vez mais sensíveis".

O ÚLTIMO HIPPIE [pp. 51-83]

1. As idéias peculiares do *swami* são apresentadas, de forma sumária, em *Easy journey to other planets*, de Tridandi Goswani A. C. Bhaktivedanta Swami, publicado pela liga dos Devotos, Vrindaban (sem data, uma rúpia). Esse pequeno manual, com sua capa verde, era distribuído em grandes quantidades pelos discípulos em vestes alaranjadas do *swami*, e tornou-se a bíblia de Greg nesse estágio.

2. Outra paciente, Ruby G., era em alguns aspectos semelhante a Greg. Ela também tinha um enorme tumor frontal que, embora removido em 1973, deixou-a com amnésia, uma síndrome do lobo frontal e cega. Também não sabia que estava cega, e quando eu colocava minha mão diante dela e perguntava: "Quantos dedos?", ela respondia: "A mão tem cinco dedos, é claro".

Um desconhecimento mais localizado da cegueira pode surgir se houver destruição do córtex visual, como na síndrome de Anton. Tais pacientes podem não saber que estão cegos, mas de resto permanecem intatos. Já os desconhecimentos provocados por lesões do lobo frontal são de uma natureza muito mais global — assim, Greg e Ruby desconheciam não apenas estar cegos, mas (na maior parte das vezes) estar doentes, terem deficiências neurológicas e cognitivas devastadoras, e sua posição trágica e rebaixada na vida.

3. Que a memória implícita (sobretudo se emocionalmente carregada) pos-

sa existir em amnésicos foi demonstrado, um tanto cruelmente, em 1911, por Edouard Claparède, que, ao cumprimentar um paciente que apresentava a seus alunos, enfiou um alfinete em sua mão. Ainda que o paciente não tivesse qualquer lembrança explícita disso, recusou-se em seguida a apertar novamente a mão de Claparède.

4. A. R. Luria, em *The neuropsychology of memory*, nota que todos os seus pacientes amnésicos, se hospitalizados por qualquer duração de tempo, adquirem "um sentimento de familiaridade" com o que os cerca.

5. Luria fornece descrições imensamente detalhadas, por vezes quase romanescas, de síndromes do lobo frontal — em *Human brain and psychological processes* — e vê essa "equalização" como a alma dessas síndromes.

6. Uma reatividade indiscriminada semelhante é vista eventualmente em pessoas com a síndrome de Tourette — por vezes na forma automática de repetir o que dizem ou fazem os outros, por vezes nas formas mais complexas de mímica, paródia ou personificação do comportamento dos outros, ou em associações verbais incontinentes (rimas, trocadilhos, estrépitos).

7. Rodolfo Llinás e seus colegas da Universidade de Nova York, comparando as propriedades eletrofisiológicas do cérebro na vigília e no sonho, postularam um único mecanismo fundamental para ambos — uma incessante comunicação interior entre córtex cerebral e tálamo, uma incessante interação de imagem e sentimento, independentemente de haver ou não alguma informação sensória. Quando há esse dado, a interação o integra para produzir a consciência desperta, mas na falta de dados sensórios ela continua a produzir estados cerebrais, aqueles estados que chamamos de fantasia, alucinação ou sonhos. Assim, a consciência desperta é sonho — só que sob a coerção da realidade exterior.

8. Estados oníricos ou próximos do sonho foram descritos, por Luria e outros, quando de lesões do tálamo ou do diencéfalo. J.-J. Moreau, num célebre estudo antecipatório, *Hashish and mental illness* (1845), descreveu tanto a loucura como o transe do haxixe como "sonhos acordados". Uma forma particularmente impressionante de sonho acordado pode ser vista em casos mais graves da síndrome de Tourette, em que o exterior e o interior, o perceptivo e o instintivo irrompem numa espécie de fantasmagoria no sonho público.

9. Robert Louis Stevenson escreveu *O médico e o monstro* em 1886. Não se sabe se ele conhecia o caso de Gage, embora este tenha se tornado de conhecimento público desde o início da década de 1880 — mas foi certamente tocado pela doutrina jacksoniana dos níveis superiores e inferiores do cérebro, a noção de que eram apenas nossos centros intelectuais "superiores" (e talvez frágeis) que continham as propensões animais dos "inferiores".

10. O enorme escândalo da leucotomia e da lobotomia chegou ao fim no início dos anos 50, não por alguma reserva ou reviravolta médica, mas porque um novo instrumento — os tranqüilizantes — tornou-se disponível, sendo apresentado (como acontecera com a própria psicocirurgia) como totalmente terapêutico e sem efeitos colaterais. Se há ou não grande diferença, neurológica ou

eticamente, entre a psicocirurgia e os tranqüilizantes é uma questão incômoda que nunca foi encarada de verdade. Se administrados em doses maciças, os tranqüilizantes certamente podem, como a cirurgia, induzir à "tranqüilidade", acalmar as alucinações e ilusões do psicótico, mas a calma a que induzem pode ser como a serenidade da morte — e, por um paradoxo cruel, privar os pacientes de resoluções naturais que podem ocorrer com psicoses, enclausurando-os, em vez disso, numa doença vitalícia causada pelas drogas.

11. Embora a literatura médica sobre as síndromes do lobo frontal tenha início com o caso de Phineas Gage, existem descrições anteriores de estados mentais alterados e não identificáveis à época — que agora, em retrospecto, podemos ver como síndromes do lobo frontal. Um desses relatos é feito por Lytton Strachey em "The life, illness, and death of dr. North". O dr. North, um professor do Trinity College, em Cambridge, no século XVIII, era um homem com graves ansiedades e traços de angústia obsessiva, odiado e temido pelos colegas da universidade por sua meticulosidade, sua severidade impiedosa e moralizante. Até o dia em que sofreu um derrame na universidade:

> Sua recuperação não foi completa, seu corpo ficou paralisado do lado esquerdo; mas foi em sua mente que ocorreu a mudança mais notável. Suas apreensões o abandonaram. Sua escrupulosidade, sua desconfiança, sua seriedade, até mesmo sua moralidade — tudo desapareceu. Ficava na cama numa leviandade imprudente, derramando um fluxo de observações irreverentes, histórias marotas e piadas impróprias. Enquanto seus amigos mal sabiam para onde olhar, ele rolava de rir, com suas feições paralisadas levantadas numa careta curiosamente distorcida... Acometido por convulsões epilépticas, declarou que a única mitigação para seus sofrimentos encontrava-se no consumo contínuo de vinho. Ele, que havia sido conhecido por sua austeridade, agora virava, com desenfreado regozijo, um copo atrás do outro do mais forte sherry.

Strachey nos dá aqui um quadro preciso e primorosamente descrito de um derrame do lobo frontal alterando a personalidade de uma maneira importante e, por assim dizer, "terapêutica".

12. A natureza da "unidade orgânica", ao mesmo tempo dinâmica e semântica, que é central para a música, o canto, a recitação e todas as estruturas métricas, foi analisada em profundidade por Victor Zuckerkandl em seu admirável livro *Sound and symbol*. É típico dessas estruturas dinâmicas-semânticas que cada parte leve à outra, que cada uma das partes esteja referida ao resto. Essas estruturas não podem ser normalmente percebidas, ou relembradas, em partes — são percebidas e relembradas, se tanto, como totalidades.

13. Esse paciente foi tema de um notável filme da BBC realizado por Jonathan Miller, *Prisoner of consciousness* (novembro de 1988).

14. Outro paciente do Williamsbridge, Harry S. — um homem talentoso,

um ex-engenheiro —, sofreu uma enorme hemorragia cerebral em conseqüência da explosão de um aneurisma, com vasta destruição de ambos os lobos frontais. Ao sair do coma, começou a se restabelecer, terminando por recuperar a maior parte de sua antiga capacidade intelectual, mas permaneceu, como Greg, seriamente debilitado — apático, insensível, emocionalmente indiferente. Mas tudo isso se transforma repentinamente quando ele canta. Tem uma bela voz de tenor e adora canções irlandesas. Quando canta, o faz com uma plenitude de sentimentos, uma ternura, um lirismo surpreendentes — tanto mais por não se ver nada disso em outras ocasiões e ter-se a impressão de que sua capacidade emocional foi inteiramente destruída. Ele demonstra todas as emoções apropriadas ao que está cantando — a frivolidade, a jovialidade, o trágico, o sublime — e parece transformado enquanto canta.

15. Em contraposição, o sr. Thompson ("Uma Questão de Identidade"), que também tinha tanto amnésia como uma síndrome do lobo frontal, parecia freqüentemente "desalmado". Suas brincadeiras eram maníacas, ferozes, frenéticas e implacáveis; vinham como uma torrente, ignorando tato, decência, propriedade e tudo o mais, incluindo os sentimentos de todos a sua volta. Não está claro se a preservação (ao menos parcial) do ego e da identidade de Greg se devia à menor gravidade de sua síndrome ou a diferenças subjacentes de personalidade. A personalidade pré-mórbida do sr. Thompson era a de um motorista de táxi de Nova York, e de certa forma sua síndrome do lobo frontal apenas a intensificou. A personalidade de Greg era de saída mais dócil, mais infantil — o que, ao meu ver, chegou a alterar sua síndrome do lobo frontal.

16. Isso em contraposição ao sr. Thompson, que, com sua síndrome mais séria do lobo frontal, fora reduzido a uma espécie de máquina falante e galhofeira ininterrupta e, ao saber da morte do irmão, zombou: "Ele continua um brincalhão", passando rapidamente a outros assuntos irrelevantes.

17. O musicólogo amnésico do filme da BBC *Prisoner of consciousness* apresentava um quadro ao mesmo tempo parecido e diferente. A cada vez que sua mulher saía do quarto, era tomado pelo sentimento de uma perda calamitosa e permanente. Quando ela voltava, cinco minutos depois, ele soluçava aliviado, dizendo: "Pensei que você tivesse morrido".

18. Jean Cocteau disse, de fato, a mesma coisa sobre o ópio. Não sei se Greg estava fazendo uma citação consciente ou inconsciente. Os cheiros são por vezes ainda mais evocatórios que a música, e a percepção dos cheiros, produzida numa parte muito primitiva do cérebro — ou "cérebro olfativo", ou rinencéfalo —, pode não passar pelos sistemas de memória complexos e multiestagiários do lobo temporal medial. As memórias olfativas, neuronicamente, são quase indeléveis; assim, podem ser reativadas a despeito de uma amnésia. Seria fascinante trazer *pretzels* quentes, ou haxixe, para Greg para ver se os cheiros podiam evocar memórias do show. Ele próprio, no dia seguinte, mencionou espontaneamente o "maravilhoso" cheiro de *pretzels* — era algo muito nítido para ele —, e ainda assim não conseguia localizar o cheiro no espaço e no tempo.

19. Greg não tem aparentemente nenhuma lembrança do show — mas quando recebi uma fita da apresentação, ele imediatamente reconheceu algumas das "novas" canções, achou-as familiares, foi capaz de cantá-las. "Onde você ouviu isso?", perguntei-lhe enquanto escutávamos "Picasso moon".
Ele balançou os ombros, incerto. Mas não havia dúvida de que, contudo, a aprendera. Passei a visitá-lo agora regularmente, com fitas do nosso show e de outros mais recentes do Grateful Dead. Ele parece gostar das visitas e aprendeu muitas das novas canções. Agora, sempre que chego e ele ouve minha voz, Greg se ilumina e me saúda como um companheiro fã do Dead. (*Deadhead*, no original, tem o duplo sentido de infrator ou idiota, cabeça vazia, além de se referir ao grupo Grateful Dead, alguém fanático pelo Dead. N. T.)

UMA VIDA DE CIRURGIÃO [pp. 84-112]

1. Mais quatro apareceram (um deles um oftalmocirurgião) após a primeira publicação deste texto. Além desses cirurgiões, conheço agora três internistas touréticos, dois neurologistas, mas apenas um psiquiatra.

2. Os tiques podem ter um status ambíguo, a meio caminho entre convulsões ou sons sem sentido e atos com significado. Embora a tendência dos tiques seja inata na síndrome de Tourette, suas *formas* particulares têm com freqüência uma origem pessoal ou histórica. Assim, um nome, um som, uma imagem visual, um gesto, vistos talvez anos antes e esquecidos, podem inicialmente ecoar e serem imitados e, a partir daí, preservados na forma estereotipada de um tique. Esses tiques são como hieroglifos, resíduos petrificados do passado, e podem, de fato, com o decorrer do tempo, tornar-se tão hieroglíficos, tão abreviados, a ponto de perderem o sentido (assim como "*God be with you*" [Deus esteja convosco] foi condensado, esvaziado, após séculos, até o foneticamente semelhante porém inexpressivo "*goodbye*" [adeus]). Um desses pacientes, que atendi há muito, fazia um barulho trissilábico, explosivo e gutural, que se revelou, em análise, como uma forma acelerada, espremida, de dizer "*Verboten!*", numa paródia convulsiva da voz germânica e constantemente proibidora de seu pai.

Uma missivista recente, com síndrome de Tourette, me escreveu, após ler uma versão anterior deste texto, que "'preservar' [...] é a palavra perfeita para descrever os jogos recíprocos entre a vida e os tiques — o processo pelo qual aquela se incorpora a estes... É quase como se o corpo touréttico se tornasse um arquivo expressivo — ainda que embaralhado — da experiência de vida da pessoa".

3. Algumas pessoas com síndrome de Tourette têm tiques de arremesso — ímpetos e compulsões, súbitos e aparentemente sem motivo, de atirar objetos — totalmente diferentes de como Bennett atirava coisas num ataque de raiva. Em seu caso, podia haver uma premonição muito breve — suficiente, certa vez, para que desse um grito de advertência: "Abaixem-se!" — antes que um prato, uma garrafa de vinho ou qualquer outra coisa voasse convulsivamente pela sala. Ti-

ques de arremesso idênticos ocorreram em alguns dos meus pacientes pós-encefálicos quando superestimulados pela L-DOPA. (Constato comportamentos de certa forma parecidos — embora sem tiques — em meu filho de dois anos, atualmente num estágio de antinomianismo e anarquia primais.)

4. Isso foi comicamente demonstrado em uma ocasião em que jantei num restaurante com três amigos touréticos, em Los Angeles. Os três correram ao mesmo tempo para a cadeira do canto — creio que não por algum tipo de espírito competitivo, mas porque cada um a viu como uma necessidade neuroexistencial. O felizardo pôde sentar-se tranqüilamente em seu lugar, enquanto os outros dois arremetiam constantemente contra os clientes sentados atrás deles.

5. A síndrome de Tourette não deve ser vista como um distúrbio psiquiátrico, mas neurobiológico, de tipo hiperfisiológico, em que podem ocorrer excitações subcorticais e estimulações espontâneas de muitos centros filogeneticamente primitivos do cérebro. Uma estimulação semelhante ou liberação de comportamentos "primitivos" pode ser vista com as lesões excitativas da encefalite letárgica, como descrevi em *Tempo de despertar* (pp. 55-6). Apareciam com freqüência nos primórdios da doença e ganharam nova proeminência com a estimulação da L-DOPA.

6. Essas tendências, comuns na síndrome de Tourette, também são vistas em pacientes com síndromes pós-encefalíticas. Assim, minha paciente Miriam H. tinha compulsões de contar o número de *ee* em cada página que lia; dizer, escrever ou soletrar frases de trás para a frente; dividir os rostos das pessoas em justaposições de figuras geométricas; e equilibrar visualmente, colocar em simetria, tudo o que via.

7. O nome de um eminente pesquisador da síndrome de Tourette, dr. Abuzzahab, tem quase um poder de diagnóstico, provocando elaborações grotescas e perseverantes em touréticos (Abuzzahuzzahab etc.). O poder do incomum de excitar e impressionar não é, por certo, restrito aos touréticos. O autor anônimo de um antigo texto mnemotécnico, *Ad herennium*, descrevia isso, há 2 mil anos, como uma inclinação natural da mente, a ser explorada para melhor gravar imagens na cabeça:

> Quando vemos no dia-a-dia coisas pequenas, comuns e banais, geralmente não conseguimos lembrá-las, porque a mente não está sendo ativada por nada novo ou admirável. Mas se vemos ou ouvimos algo excepcionalmente baixo, infame, raro, grandioso, inacreditável ou ridículo, é provável que nos lembremos disso por muito tempo... As coisas comuns escapam facilmente da memória, enquanto o impressionante e novo é guardado por mais tempo pela mente... Deixemos, portanto, a arte imitar a natureza.

8. Esta era a condição, grotescamente grave, que afligia o célebre Homem Elefante, John Merrick.

9. O que a maioria de nós define como uma velocidade surpreendente ou

"anormal" de movimento parece perfeitamente normal aos touétticos que a apresentam. Isso ficou muito claro em recentes experiências de tiro ao alvo com Shane F., um artista com síndrome de Tourette. Shane mostrou tempos de reação marcadamente reduzidos, e graus de eficácia quase seis vezes maiores que o normal, combinados com grande facilidade e precisão de movimento e pontaria. Essa rapidez foi alcançada naturalmente e sem qualquer esforço; pessoas normais, em contraposição, se conseguem atingi-la, é somente por um esforço violento e um óbvio comprometimento da precisão e do controle.

Por outro lado, quando pediram a Shane que se mantivesse na (nossa) velocidade normal, seus movimentos tornaram-se contidos, desajeitados, imprecisos e repletos de tiques. Era claro que o normal dele e o nosso eram muito diferentes, que o sistema nervoso touréttico, nesse sentido, está sintonizado numa freqüência superior (embora seja, pela mesma moeda, dado a precipitações e reações).

Velocidades e precipitações semelhantes puderam ser vistas em muitos pacientes pós-encefalíticos, especialmente quando foram ativados pela L-DOPA. Assim, como notei em relação a Hester Y., em *Tempo de despertar*, "se a sra. Y., antes da L-DOPA, era a pessoa mais *estorvada* que eu já havia visto, tornou-se, com a L-DOPA, a mais *acelerada*. Conheci alguns atletas olímpicos, mas a sra. Y. poderia ter batido a todos em termos de rapidez de reflexo; em outras condições, teria sido o gatilho mais rápido do oeste".

10. O assunto é especialmente complexo, uma vez que alguns touétticos são dados a uma mímica, imitação e caracterização de tipo mais convulsivo (descrevo um exemplo disso em "Os possuídos"). Esse tipo de imitação não tem efeitos transformadores; ao contrário, afunda a pessoa ainda mais dentro da síndrome. O ator touréttico de renome era muito dado a caracterizações convulsivas e outros tourettismos fora do palco, mas que eram completamente diferentes dos papéis profundos e sãos que era capaz de interpretar em cena. O impulso de caracterização ou imitação superficial vem, e estimula, uma parte superficial da pessoa (e sua organização nêurica) — apenas uma identificação total e profunda, como no caso de Bennett, pode criar a transformação.

11. Atravessar o país de carro com um amigo touéttico também foi uma experiência memorável, já que jogava violentamente o volante de um lado para o outro, pisava no freio ou no acelerador de repente, ou tirava a chave da ignição em alta velocidade. Mas sempre se certificava de que esses tourettismos eram seguros e nunca sofreu um acidente em dez anos de motorista.

12. Isso era muito evidente com outro médico touéttico, um obstetra, que tinha não apenas tiques, mas pânicos e raivas que, com um grande esforço, conseguia conter. Quando começou a tomar Prozac, esse controle precário entrou em colapso e ele se envolveu numa briga violenta com a polícia, passando a noite na prisão.

13. Fazer canoagem com Shane F. durante um verão no lago Huron foi uma notável experiência humana e clínica, porque a canoa tornou-se uma extensão de seu corpo, balançando e mergulhando a cada um dos seus tourettismos,

e dando-me um sentido direto e inesquecível de como devia ser estar na pele dele. Balançávamos constantemente, como numa tempestade, prestes a virar, e tudo o que eu queria era que a canoa soçobrasse e afundasse de uma vez por todas, de forma que eu pudesse escapar e nadar de volta para a margem.

VER E NÃO VER [pp. 113-54]

1. Há um indício de algo mais estranho, mais complexo, na descrição que Marcos faz do milagre de Betsaida, já que nela o cego viu primeiro "homens como árvores marchando" e apenas posteriormente teve a visão completamente restaurada (Marcos 8:22-6).

2. A remoção (ou, como era feito no início, o deslocamento ou "rebaixamento" do cristalino com a catarata) deixa o olho com uma hipermetropia pronunciada, precisando de uma lente artificial; as lentes espessas usadas nos séculos XVIII e XIX, e na verdade até muito recentemente, reduziam significativamente a visão periférica. Assim, todos os pacientes operados de catarata antes do advento das lentes de contato e do implante de lentes tinham dificuldades ópticas significativas a enfrentar. Mas eram apenas os cegos de nascença ou de infância que tinham a dificuldade lockiana específica de não conseguir entender o que viam.

3. Não se vê, sente ou percebe em isolamento — a percepção está sempre ligada ao comportamento e ao movimento, à busca e à exploração do mundo. Ver não é suficiente; é preciso olhar também. Embora tenhamos falado, no caso de Virgil, sobre uma incapacidade perceptiva, ou agnosia, havia igualmente uma falta de capacidade ou de impulso para *olhar*, para *agir* com a visão — uma ausência de *comportamento* visual. Von Senden menciona o caso de duas crianças cujos olhos ficaram tampados desde a mais tenra idade e que, quando as vendas foram retiradas aos cinco anos, não tiveram nenhuma reação, não tinham nenhum olhar, pareciam cegas. Fica o sentimento de que essas crianças, que construíram seus mundos com outros sentidos e comportamentos, não sabiam como *usar* os olhos.

O ato de olhar — como uma orientação, um comportamento — pode até desaparecer naqueles que ficam cegos já em idade madura, a despeito do fato de terem sido "olhadores" durante toda a vida. Muitos exemplos espantosos disso são dados por John Hull em seu livro autobiográfico *Touching the rock*. Hull viveu como um homem normal, com visão, até seus quarenta e poucos anos, mas cinco anos após tornar-se completamente cego perdeu a própria idéia de "encarar" as pessoas, de "olhar" para seus interlocutores.

4. O paciente de Gregory também se surpreendeu com a Lua: esperava que o primeiro quarto de Lua tivesse a forma de uma fatia, como um pedaço de bolo, e ficou pasmo e entretido ao descobrir, em vez disso, um quarto crescente.

5. Robert Scott, sociólogo e antropólogo do Instituto de Estudos Avançados do Comportamento em Stanford, tem se interessado especialmente pela

reação social aos cegos, e o desprezo e a estigmatização tão freqüentemente conferidos a eles. Também fez palestras sobre "curas milagrosas", a extravagância da emoção que pode acompanhar a recuperação da visão. Foi o dr. Scott que, alguns anos atrás, enviou-me uma cópia do livro de Valvo.

6. A sensação em si não tem "marcadores" para tamanho e distância, que precisam ser aprendidos com base na experiência. Assim, tem sido relatado que pessoas que viveram a vida inteira em densas florestas tropicais, com um horizonte de não mais que alguns metros à frente, quando colocadas em paisagens amplas e vazias podem chegar a esticar os braços e tentar tocar as montanhas com as mãos; não fazem idéia da distância das montanhas.

Helmholtz (em *Thought in medicine*, um relato autobiográfico) descreve como, aos dois anos de idade, caminhando por um parque, viu o que achou ser uma pequena torre com uma balaustrada no alto e manequins ou bonecos pequeninos andando por trás do parapeito. Quando perguntou à mãe se ela podia alcançar um deles para ele brincar, ela exclamou que a torre ficava a um quilômetro de distância e a duzentos metros de altura, e que essas pequenas figuras não eram manequins, mas *pessoas* lá no alto. Bastou dizer isso, escreve Helmholtz, para que ele de repente se desse conta da escala de tudo, e nunca mais cometesse tal erro perceptivo — embora a percepção visual do espaço como tema nunca tenha deixado de exercitá-lo (ver Cahan, 1993).

Poe conta, em "A esfinge", uma história inversa: como o que parecia ser uma enorme criatura cheia de articulações num morro distante acaba se revelando um pequeno inseto na janela.

Uma experiência pessoal, a primeira vez que fumei maconha, me vem à cabeça agora. Olhava para minha mão contra o fundo de uma parede lisa. Ela parecia escapar de mim, ao mesmo tempo que mantinha o mesmo tamanho aparente, até começar a parecer enorme, uma mão cósmica, através de parsecs do espaço. Provavelmente, essa ilusão tornou-se possível, entre outras coisas, pela falta de marcos ou contextos para indicar o tamanho e a distância real, e talvez por algum distúrbio da imagem corporal e da central processadora de visão.

7. Houve problemas semelhantes com o paciente de Gregory, S. B., que nunca deixava de "se impressionar pela maneira como os objetos mudavam de forma conforme andava em volta deles. [...] Olhava para um poste de luz, contornava-o, analisava-o de um ângulo diferente e pensava por que parecia ao mesmo tempo diferente e igual". De fato, todas as pessoas que acabam de recobrar a visão têm dificuldades radicais com as aparências, sentindo-se subitamente imersas num mundo que, para elas, pode ser um caos de aparências instáveis, evanescentes, em permanente modificação. Podem sentir-se completamente perdidas, à deriva nesse fluxo de aparências, que para elas ainda não está firmemente ancorado no mundo dos objetos, no mundo do espaço. As pessoas que acabam de recuperar a visão, e que antes dependeram de outros sentidos, são derrotadas pelo próprio conceito de "aparência", que, por ser óptico, não tem analogia nos outros sentidos. Nós que nascemos no mundo das aparências (e de suas even-

tuais ilusões, miragens e enganos) aprendemos a dominá-lo, a nos sentir em casa nele, mas isso é extremamente difícil para alguém cuja visão é recente. O filósofo F. H. Bradley escreveu um livro célebre chamado *Appearance and reality* (1893) — mas para os que acabam de recuperar a visão, a princípio, aparência e realidade não têm qualquer conexão.

8. Quando Virgil disse isso, lembrei-me de uma descrição no conto de Borges "Funes, o memorioso", em que a dificuldade de Funes com conceitos gerais o coloca numa situação semelhante:

> Não lhe era apenas difícil compreender que o termo genérico *cão* abrangesse tantos indivíduos díspares e de diferentes formas e tamanhos; aborrecia-o também que o cão às três e catorze (visto de perfil) tivesse o mesmo nome que o cão às três e quinze (visto de frente).

9. Devido a seu esgotamento a essa altura, não podíamos testá-lo com as ilusões visuais que tínhamos trazido. Era uma pena, porque "ver" ou "não ver" ilusões visuais abre um caminho objetivo e comprobatório para o exame das capacidades visuais-construtivas do cérebro. Ninguém explorou essa abordagem com mais profundidade que Gregory, e seu relato detalhado das respostas de S. B. às ilusões visuais é portanto de grande interesse. Uma das ilusões visuais consiste em linhas paralelas que, aos olhos normais, parecem divergir por causa do efeito das linhas divergentes a elas superpostas; nada desse efeito "gestáltico" se deu com S. B., que viu as linhas absolutamente paralelas — uma falta de "influência" semelhante foi observada com outras ilusões. Particularmente interessante foi a resposta de S. B. a figuras reversíveis, como cubos e escadas desenhados em perspectiva, normalmente percebidos em profundidade e invertendo sua configuração aparente de tempos em tempos; as figuras não se invertiam para S. B., que também não via a profundidade. Também não havia flutuação do plano com figuras ambíguas. Aparentemente, não "via" mudanças de distância/tamanho nas ilusões visuais, como também não experimentou o chamado efeito em cascata, o habitual efeito de percepção do movimento *a posteriori*. Em todos esses casos, a ilusão é "vista" (mesmo se a mente sabe que a percepção é ilusória) por todos os adultos com visão normal. Muitos desses efeitos ilusórios também podem ser demonstrados em crianças pequenas, em macacos e mesmo na "criatura" artificial de Edelman, Darwin IV. Que S. B. não tenha conseguido "vê-las" ilustra o quão rudimentares eram suas capacidades cerebrais de construção visual, em consequência da falta efetiva de uma experiência visual primordial.

10. Anteriormente, Virgil tinha detectado o som distante do rugido dos leões em sua jaula; ficou com os ouvidos ligados e virou-se de repente na direção deles. "Ouçam!", ele disse. "São os leões — estão alimentando os leões." Nós não tínhamos ouvido nada e, mesmo quando Virgil chamou nossa atenção, achamos o som muito fraco e não soubemos dizer de onde vinha. Estávamos impressionados pela qualidade da audição de Virgil, sua atenção, agudeza e orien-

tação auditivas, o quanto era proficiente com a escuta. Tal agudeza e alta sensibilidade auditiva ocorrem em muitos cegos, mas sobretudo nos cegos de nascença ou de infância; parecem acompanhar a constante concentração da atenção, afetos e capacidades cognitivas nessas esferas e, com isso, um hiperdesenvolvimento dos sistemas auditivo-cognitivos do cérebro.

11. Pavlov, falando dessas reações nos cães, chamou-as "inibição transmarginal em conseqüência de estímulo supramaximizado", e viu tais desligamentos como defesas naturais.

12. Quando existe uma fraqueza orgânica específica, o estresse emocional pode facilmente assumir uma forma física; assim, asmáticos têm crises de asma sob estresse, parkinsonianos ficam mais parkinsonianos, e uma pessoa como Virgil, com uma visão limítrofe, pode ser empurrada para além desses limites e ficar (temporariamente) cega. Era, por conseguinte, extremamente difícil por vezes distinguir nele o que era uma vulnerabilidade fisiológica e o que era um "comportamento motivado".

13. Em seu ironicamente intitulado *Lettre sur les aveugles à l'usage de ceux qui voient* (1749), o jovem Diderot mantém uma posição de relativismo cultural e epistemológico — que os cegos podem, a sua maneira, construir um mundo completo e suficiente, ter uma "identidade cega" completa e nenhum sentimento de incapacidade ou inadequação, e que o "problema" de sua cegueira e o desejo de curá-la, por conseguinte, é nosso, não deles.

Ele também acha que a inteligência e a cultura podem fazer uma diferença fundamental quanto àquilo que os cegos podem entender; podem lhes dar, ao menos, um entendimento formal de muito do que não podem perceber diretamente. Ele é levado a essa conclusão especialmente ao ponderar sobre o caso de Nicholas Saunderson, o celebrado matemático e newtoniano cego, que morreu em 1740. Que Saunderson, que nunca viu a luz, pudesse concebê-la tão bem, pudesse ser (entre tantas coisas!) um professor de óptica, pudesse construir, a sua própria maneira, um quadro sublime do universo, é algo que excita imensamente Diderot.

14. O psicólogo canadense Donald Hebb tinha um interesse profundo pelo desenvolvimento da visão e apresentou muitas provas experimentais contra a idéia de que fosse, tanto em animais superiores como no homem, "inata", como se pensava freqüentemente. Ele era fascinado, compreensivelmente, pelo raro "experimento" (se me permitem tal termo) de restaurar a visão na vida adulta aos cegos congênitos, e faz longas considerações, em *The organization of behaviour*, sobre os casos coletados por Von Senden (o próprio Hebb não teve qualquer experiência pessoal com esse tipo de caso). Estes forneceram uma abundante confirmação para sua tese de que para ver é preciso experiência e aprendizado; com efeito, ele achava que eram necessários, no homem, quinze anos de aprendizado para alcançar o pleno desenvolvimento da visão.

Mas um porém deve ser feito (também é feito por Gregory) em relação à comparação que Hebb faz entre o adulto que começa a ver e um bebê. É possível que o adulto que acaba de recobrar a visão passe de fato por alguns estágios de aprendizado e desenvolvimento da infância; mas um adulto não é, neurológica e psicologicamente, como um bebê — já está comprometido com uma vida de experiências perceptivas — e tais casos não podem, por conseguinte (como supõe Hebb), informar-nos sobre como é o mundo de um bebê, servir como uma janela ao de outra forma inacessível desenvolvimento de sua percepção.

15. Se a cegueira tem uma positividade própria, é uma das ordens do ser humano, o mesmo (ou ainda mais) deve ser dito em relação à surdez, que não apenas compreende um aumento das capacidades visuais (e, em geral, espaciais), mas toda uma comunidade de surdos-mudos, com sua própria linguagem visual-gestual (signos) e cultura. Problemas parecidos com os de Virgil podem ser enfrentados por surdos de nascença, ou de tenra infância, submetidos a implantes da cóclea. O som para eles não produz, a princípio, qualquer associação ou significado — por isso, sentem-se, ao menos de início, num mundo de caos auditivo, ou agnosia. Mas além desses problemas cognitivos existem também problemas de identidade; em certo sentido, essas pessoas precisam morrer como surdos para renascer como quem ouve. Potencialmente, isso é muito mais grave e tem implicações de ramificação social e cultural, uma vez que a surdez pode não ser apenas uma identidade pessoal, mas compartilhada lingüística, comunitária e culturalmente. Essas questões bastante complexas são debatidas por Harlan Lane em *The mask of benevolence: disabling the deaf community*.

16. Gregory observa em relação a S. B.: "Também achou feias algumas coisas que amava (incluindo sua mulher e a si mesmo!) e ficava com freqüência chateado com os defeitos e as imperfeições do mundo visível".

17. Semir Zeki observou em alguns casos de anóxia cerebral que as áreas do córtex visual dedicadas à construção da cor podem ser relativamente preservadas, de forma que o paciente pode ver cores e *nada mais* — nenhuma forma, nenhum contorno, nenhum sentido de objetos, qualquer que seja.

A PAISAGEM DOS SEUS SONHOS [pp. 155-89]

1. O pintor Giorgio De Chirico sofria de clássicas enxaquecas e auras bastante graves — deixou relatos circunstanciais muito claros a propósito disso — e por vezes incorporava em seus quadros as formas geométricas, os ziguezagues, as claridades ofuscantes ou escuridões produzidos durante a crise (o que foi descrito com detalhes por G. N. Fuller e M. V. Gale no *British Medical Journal*). Mas De Chirico também relutava em atribuir suas visões a uma causa puramente médica ou física, já que sentia que sua qualidade espiritual era muito forte. Sua definição final para elas foi uma concessão — "febres espirituais".

2. Esta também era a atitude de Dostoievsky. "E se for uma doença", ele pergunta, por intermédio do príncipe Mishkin. "Qual o problema de ser uma intensidade anormal, se o resultado, se a exata sensação, recordada e analisada

posteriormente na saúde, revela-se o auge da harmonia e da beleza [...] da perfeição e da proporção?"

3. Embora a interpretação da vida, obra e personalidade de figuras eminentes em termos de suas supostas disposições neurológicas ou psiquiátricas não seja nova, tornou-se uma obsessão, quase uma indústria, nos dias de hoje. Em seu livro *Seized*, Eve LaPlante discorre sobre as "marcas" características da epilepsia do lobo temporal e da síndrome de Geschwind não somente em Van Gogh e Dostoievsky, mas em figuras tão diversas quanto Poe, Tennyson, Flaubert, Maupassant, Kierkegaard e Lewis Carroll (para não falar de contemporâneos como Walker Percy, Philip Dick e o Arthur Imman do diário de 155 volumes). William Gordon Lennox (autor de um vasto trabalho em dois volumes sobre epilepsia) acrescenta dados de outros à lista, de Sócrates, Paulo e Buda até Newton, Strindberg, Rasputim, Paganini e Proust. As célebres e súbitas recorrências da memória em *Em busca do tempo perdido* são todas elas vistas por Lennox como acessos hipermnésicos ou experienciais, causados por particulares estímulos evocativos do passado.

Outros livros e artigos atribuem a síndrome de Tourette a Samuel Johnson e Mozart, o autismo a Bartók e Einstein, e a psicose maníaco-depressiva a praticamente todo artista criativo: Kay Redfield Jamison, em *Touched with fire*, cita Balzac, Baudelaire, Beddoes, Berlioz, Blake, Boswell, Brook, Bruckner, Bunyan, Burns e *todos* os Byrons e Brontës como maníaco-depressivos, para ficar apenas na letra B. Pode ser que muitas dessas atribuições estejam corretas. O perigo é irmos ao extremo de transformar em casos médicos nossos predecessores (e contemporâneos), reduzindo suas complexidades a expressões de distúrbios neurológicos ou psiquiátricos, negligenciando ao mesmo tempo todos os outros fatores que determinam uma vida, para não falar da singularidade irredutível do indivíduo.

4. O exílio — do paraíso tropical onde passara seus primeiros anos — assombraria Gauguin por toda a sua vida de adulto até, finalmente, ir para o Taiti e tentar recobrar lá o paraíso de infância que havia conhecido.

5. Está claro agora que, embora existam elementos repetitivos e reiterativos nesses acessos, também há sempre elementos de tipo fantástico ou onírico (uma dessas pacientes, descrita na virada do século por Gowers, sempre tinha "uma repentina visão de Londres em ruínas, sendo ela a única espectadora nessa cena de desolação", antes de sofrer uma convulsão ou perder a consciência). As descobertas de Penfield são discutidas e submetidas a uma interpretação radicalmente diferente por Israel Rosenfield, em *The invention of memory*.

6. Em *Em busca do tempo perdido*, Proust escreve:

> É, sem dúvida, uma grande fraqueza para uma pessoa consistir integralmente em uma coleção de momentos, e uma grande força também; depende da memória, e nossa lembrança de um momento não está informada sobre tudo o que aconteceu desde então; esse momento que ela registrou perdura ainda, vive ainda, e com ele a pessoa cuja forma é nele delineada.

7. A memória pode tomar várias formas — todas, em seus diferentes modos, culturalmente inestimáveis — e só devemos falar de "patologia" se elas se tornam extremas. Certas pessoas têm, por exemplo, notáveis memórias perceptivas; parecem receber automaticamente e recordar sem a menor dificuldade toda a riqueza de detalhes das férias de verão, os traços das pessoas que encontraram, como se vestiam, suas conversas — os milhares de incidentes de um dia na praia. Outras não guardam nada (e talvez não estabeleçam qualquer recordação) de tais assuntos, mas têm enormes memórias conceituais, nas quais vastas quantidades de pensamento e informação são retidas, numa forma ordenada altamente abstrata e lógica. A mente do romancista, do pintor figurativo, talvez tenda para a primeira; a do cientista, do especialista, talvez para a segunda (e é claro que se pode ter ambos os tipos de memória, ou combinações variadas). A memória puramente perceptiva, com pouca ou nenhuma disposição ou capacidade conceitual, pode ser característica de alguns autistas *savants*.

8. Num artigo tardio, "Construções em análise", Freud comenta o fato de que memórias de pacientes sobre certos acontecimentos altamente significativos podem apresentar uma estranha conjunção de excessiva precisão e detalhes em determinados aspectos e total supressão em outros, faltando elementos cruciais (especialmente humanos). Assim, os pacientes podem recordar "com uma precisão anormal" as salas onde um fato de grande importância ocorreu, ou os móveis — mas não o próprio fato. Freud vê isso como resultado de um conflito e um acordo no inconsciente, pelo qual traços importantes da memória são trazidos à consciência, mas espalhados por objetos adjacentes de menor importância. Ele frisa que essas reminiscências emergem com freqüência em sonhos (e posteriormente em devaneios), assim que o assunto carregado é imposto à mente.

9. T. J. Murray cita uma observação semelhante feita pelo pintor Robert Pope, que salienta também o tempo que deve se passar entre a experiência original e sua recriação — um tempo que, para ele, dura em média cinco anos, mas que, para Franco, foi de um quarto de século ou mais:

> Durante esse período de gestação [escreve Pope], as faculdades criativas agem como um filtro onde informações pessoais opacas e caóticas se tornam públicas, transparentes e ordenadas. Trata-se de um processo de mitologização. O mito e o sonho são semelhantes: a diferença é que os sonhos têm um sentido pessoal e privado, enquanto os mitos têm sentidos públicos.

PRODÍGIOS [pp. 190-245]

1. Posteriormente, Bidder descreveu algumas das técnicas e algoritmos que ele se viu usando; embora sua descoberta no começo, assim como seu uso, parecesse inconsciente. Em nosso próprio tempo, A. C. Aitken, um grande matemático e calculador, observa:

Notei por vezes que a mente se antecipava à vontade; eu tinha uma resposta antes mesmo que pensasse em fazer o cálculo; sempre que verifiquei, surpreendi-me que os resultados estivessem corretos. Suponho (mas a terminologia pode não ser correta) que seja o subconsciente em ação; creio que ele pode entrar em ação em diferentes níveis e que cada um desses níveis tenha sua própria velocidade, diversa da velocidade da vigília habitual, quando nossos processos de pensamento são mais vagarosos (citado por Steven B. Smith em "Calculating prodigies").

2. Tredgold escreve sobre *savants* com vários poderes sensoriais e habilidades, sobre *savants* olfativos — e também sobre um *savant* tátil:

O dr. J. Langdon Down me falou de um menino de Normansfield cujo sentido do tato era tão sutil e seus dedos tão ágeis que podia pegar uma folha do Graphic e gradualmente dividi-la em duas folhas perfeitas, como se tirasse um selo de um envelope.

3. Embora as prodigiosas habilidades musicais costumem aparecer extremamente cedo — a exemplo de quase todos os grandes compositores —, "não há prodígios em arte", como disse Picasso (ele próprio era um exímio desenhista aos dez anos, mas não podia desenhar cavalos aos três anos, como Nadia, ou catedrais aos sete). Deve haver razões cognitivas e de neurodesenvolvimento para isso. Embora Yani, uma menina chinesa não autista, tenha manifestado seus poderes artísticos muito cedo — aos seis anos havia feito milhares de pinturas —, eram telas de uma criança muito dotada, sensível (e bastante preparada), resultantes de um desenvolvimento perceptivo normal, ainda que acelerado, inquestionavelmente incentivado pelo pai artista. Suas pinturas são totalmente diferentes dos desenhos repentinos, maduros, "não infantis", característicos de prodigiosos *savants* gráficos como Stephen Wiltshire. Pode haver, é óbvio, em algumas pessoas não autistas, uma mistura de "savantismo" e talentos normais (ver nota 9, a seguir).

4. Ao conhecer recentemente um jovem astrofísico, Ben Oppenheimer, mencionei as pinturas de Jessy, mostrando-lhe cópias de algumas delas. Ficou assombrado por sua precisão astronômica e se lembrou de um padre e astrônomo amador, Robert Evans, da Austrália. Sozinho e com um pequeno telescópio, Evans observou a incidência das supernovas numa amostra de 1017 galáxias luminosas (Shapley-Ames) por um período de cinco anos (examinando, segundo os cálculos de Oppenheimer, sessenta galáxias ou mais a cada noite); a partir daí, deduziu um novo número para a proporção de supernovas nessas galáxias (esse trabalho foi publicado por Van den Bergh, McClure e Evans em *The Astrophysical Journal*). Evans não tinha auxílio fotográfico ou eletrônico, e portanto parecia capaz de construir e guardar em sua mente uma imagem ou mapa absolutamente preciso e estável de mais de mil galáxias, vistas no céu do hemisfério sul.

É provável que sua memória seja eidética ou *savant*, embora não haja indícios de que ele seja autista.

5. Quando convidaram Stephen para assistir da cabine ao pouso em Nova York, Chris lembrou de um sonho presciente que ele relatara antes de deixarem Londres. "Sou o piloto do jumbo", Stephen disse. "Posso ver os arranha-céus e o contorno dos prédios de Manhattan."

6. Ao visitar a artista autista Jessy Park, fiquei impressionado pela grande afeição que seus pais demonstravam por ela. "Vejo como a amam", eu disse ao pai. "Ela os ama também?"

"Ela nos ama o quanto pode", respondeu.

7. Isso me foi apontado, com vários exemplos, por um correspondente muito perspicaz, John Williamson, de Brownsville, Texas, que pensa em escrever mais extensivamente sobre eles.

8. Numa condição congênita muito rara, a síndrome de Williams, há uma assombrosa precocidade verbal (e social), combinada com deficiências intelectuais (e visuais) — uma extrema dispersão entre diferentes inteligências. A combinação de talentos lingüísticos e deficiência intelectual é especialmente assustadora: crianças com a síndrome de Williams parecem com freqüência excepcionalmente autocontroladas, articuladas e espirituosas, e somente pouco a pouco é que a pessoa se dá conta da deficiência mental. Os precisos correlatos neuroanatômicos disso estão sendo estudados por Ursula Bellugi e outros.

9. É possível que talentos *savants* e normais coexistam, por vezes em esferas separadas (como com Nabokov); por vezes, confundindo-se na mesma esfera. Tive essa impressão de uma maneira muito forte com um rapaz extremamente dotado que eu conhecia desde a infância. Aos dois anos, Eric W. podia ler com fluência — mas não se tratava apenas de hiperlexia; ele lia com compreensão. Com a mesma idade, podia repetir qualquer melodia que ouvisse, harmonizá-la com o canto, e ter um entendimento da fuga e do contraponto. Aos três, fazia desenhos notáveis com perspectiva. Aos dez, escreveu seu primeiro quarteto de cordas. Manifestou grandes capacidades científicas no início da adolescência, e agora, com vinte e poucos, está realizando um trabalho fundamental em química (nunca tive o sentimento de que Eric W. fosse autista — era muito espontâneo e brincalhão quando criança, e tem sentimentos profundos como adulto). Se tivesse tido apenas talentos *savants*, estes não teriam sido capazes de um desenvolvimento ou integração significantes. Se tivesse tido apenas talentos normais (pelo menos na esfera gráfica), não teriam se manifestado de modo tão excepcional. Teve a sorte única de possuir ambos.

10. Freeman Dyson, que conheceu Jessy Park desde pequena, comenta:

> Sempre senti que ela era o mais próximo de uma inteligência alheia a que eu podia chegar. Crianças autistas são tão estranhas e tão diferentes de nós — e no entanto você pode se comunicar com elas; há muitas coisas sobre as quais você pode conversar com ela. [...] [Mas] ela não tem noção de sua

própria identidade, não entende a diferença entre "você" e "eu" — usa os pronomes quase que indiscriminadamente. E assim seu universo é radicalmente diferente do meu. Para ela, as relações sociais concretas são muito, muito difíceis de compreender. Por outro lado, não tem dificuldade com nada que seja abstrato. Daí matemática, é óbvio, não ser um empecilho para ela, e podermos conversar sem dificuldades sobre matemática [...] Acho que o autismo chega o mais perto possível do problema principal da exploração da base neurológica da personalidade. Porque são pessoas cuja inteligência está intata, mas sem algo no centro.

11. Jerome Bruner, que estudou tão detalhadamente o crescimento cognitivo nas crianças, fala de representação "encenadora" como sua primeira expressão. A representação encenadora, ele enfatiza, embora seja suplementada por formas desenvolvidas de cognição ou representação (que ele chama de "icônicas" e "simbólicas"), não é suplantada por elas, permanecendo um potente modo de expressão ao longo da vida, imediatamente disponível para o uso. O mesmo acontece com o estágio mimético de Donald — que não desapareceu com o *Homo erectus*, permanecendo uma parte perpétua e poderosa de nosso repertório "sapiente". Todos nós fazemos uso freqüente desses comportamentos e comunicações não verbais, e eles são desenvolvidos ao máximo em mímicos, em atores, em todos os artistas performáticos, e nos surdos.

UM ANTROPÓLOGO EM MARTE [pp. 246-95]

1. O programa de televisão "20/20" fez uma reportagem sobre uma cidade em Massachusetts com uma incidência muito alta de autismo, sobretudo no bairro de uma antiga fábrica de plásticos — mas a questão sobre se o autismo pode ser causado pela exposição a agentes tóxicos ainda precisa ser completamente estudada.

2. O mais recente e controvertido desses métodos é a comunicação facilitada. Originalmente utilizada com crianças com paralisia cerebral, ela é baseada na noção de que se a mão ou o braço de uma criança autista não verbal forem apoiados por um facilitador, a criança pode então ser capaz de comunicar-se através de teclas, ou de um comunicador eletrônico, ou de um quadro de letras. O pensamento subjacente é que essas crianças podem ter uma dificuldade de iniciar os movimentos (análoga à do mal de Parkinson) e que um leve contato com outra pessoa pode permitir-lhes superá-la, alcançando uma facilidade motora normal (como pode ocorrer com o tato, ou mesmo o contato visual, em alguns pacientes parkinsonianos — discuto isso em *Tempo de despertar*, nota 45). A esperança é que possa existir, em pelo menos alguns pacientes de outro modo inacessíveis, um mundo de idéias e sentimentos rico porém "aprisionado" que pode ser liberado por essa simples tática.

A gama de efeitos registrada é muito grande, de pequenas liberações de comunicações simples em alguns pacientes a autobiografias inteiras aparentemente emanando de crianças antes mudas. Esses relatos foram assunto para um entusiasmo quase evangélico entre vários pais e professores de crianças autistas por um lado, e para o repúdio por atacado da comunidade médica por outro. Foi difícil chegar a um juízo calmo no clima sobrecarregado de reivindicações e repúdios; enquanto se demonstrava que algumas instâncias da comunicação facilitada eram inteiramente factícias — o resultado da sugestão inconsciente pelo facilitador — e que se devia suspeitar de outras, restava um núcleo de fenômenos aparentemente genuínos que mereciam um exame atento e aberto.

3. Uma pioneira aqui foi Mira Rothenberg, que formou os Blueberry Treatment Centers em 1958, uma experiência inicial que ela descreve em seu livro *Children with emerald eyes*.

4. O que se vê nos textos de Temple (e nos de outros adultos autistas muito capazes, não excluindo alguns com notáveis talentos literários) são lacunas e descontinuidades narrativas peculiares, súbitas e desconcertantes mudanças de assunto, que surgem (como sugere Francesca Happé num ensaio recente sobre o tema) pelo fracasso de Temple em "perceber que o leitor não compartilha da importante base de informação que ela possui". Em termos mais gerais, os escritores autistas parecem "sair de sintonia" em relação a seus leitores, sem conseguir compreender os seus próprios estados de espírito ou os de seus leitores.

5. Lembranças autênticas do segundo (talvez mesmo do primeiro) ano de vida, embora não disponíveis para os "normais", podem ser recordadas, com detalhes verídicos, pelos autistas. Assim, Luci *et al.* escrevem sobre um menino: "Ele parece lembrar, nos mínimos detalhes, acontecimentos de quando tinha dois ou três anos". Memórias coenestésicas da primeira infância também são relatadas por Luria sobre S., o mnemonista que ele estudou.

6. De início, parecia, pelo que Temple me contou, que o David "apropriado" e sua habilidade tinham sido engolidos por inteiro, existiam somente como uma espécie de implante ou corpo estranho dentro dela e eram apenas lentamente integrados para se tornar parte dela. Outra autista dotada (e poeta) se comparou, a esse respeito, com uma jibóia, engolindo animais inteiros, mas conseguindo assimilá-los apenas lentamente. Por vezes, o papel ou a habilidade engolida parece não ser adequadamente assimilada ou integrada e pode se perder ou ser expelida tão repentinamente quanto foi adquirida — daí a tendência (especialmente marcante em jovens autistas *savants*) a introjetar habilidades complexas, ou personagens, ou massas de informação por atacado, trapaceando com eles por um tempo para de repente abandoná-los ou esquecê-los tão completamente que parecem ter passado sem deixar qualquer traço (esses comportamentos não incorporados e mimeses convulsivas às vezes são vistos em pessoas com graves síndromes de Tourette).

Bem mais complexas são as situações em que os comportamentos, e efetivamente personagens inteiras, são retidos como uma espécie de pseudopersonalidade. Condutas sexuais exageradas, estereotipadas e quase cartunescas (imitadas e caricaturadas a partir de quadrinhos e novelas de TV) são vistas por vezes em adolescentes com autismo. Dona Williams, em suas fascinantes narrativas pessoais (*Nobody nowhere* e *Somebody somewhere*) descreve como "adotou" duas personagens, Carol e Willie, e pensava e falava *por intermédio* delas, durante os vários anos em que ela própria tinha apenas uma identidade rudimentar.

7. Ela ficou profundamente afetada, e fisicamente chocada, quando, durante nossa conversa, imitei um rapaz com uma síndrome de Tourette gravíssima — como, com tiques violentos, tinha vazado os próprios olhos. Ela notava e reagia imediatamente às expressões de um impulso cru, de violência e dor. Lembrei-me de como, de uma maneira totalmente branda, Shane, com sua síndrome de Tourette, aproximava-se das crianças autistas em Camp Winston, com um nível de emoção e cumplicidade animal, um nível mais elementar, mais diretamente transmissível, que os de perspectivas e estados de espírito complexos.

8. Alguns autistas mantêm cachorros, assim como os cegos ou surdos, para ajudá-los em suas percepções — no caso, percepções sociais. Podem usar os cães para "ler" os pensamentos e intenções dos visitantes, o que talvez se sintam incapazes de fazer por si mesmos. Conheço dois autistas que vêem seus cachorros como possuidores de capacidades "telepáticas", mas é claro que não passam de habilidades caninas normais — e também humanas — que faltam aos donos.

9. O estímulo provocante pode ser diferente de uma pessoa para outra: um autista não suportará os barulhos agudos; outro, os barulhos graves; outro ainda, o barulho de um ventilador ou de uma máquina de lavar. Pode haver também várias idiossincrasias visuais, táteis e olfativas.

10. Muitos autistas com alto desempenho demonstram um grande gosto, quase um vício, por mundos alternativos, imaginários, tais como os de C. S. Lewis e Tolkien, ou mundos que eles próprios imaginam. Assim, os B. e seu filho mais velho passaram anos construindo um mundo imaginário com paisagens e geografia próprias (infinitamente mapeados e desenhados), línguas próprias, moedas, leis e costumes — um mundo onde a fantasia e a rigidez têm o mesmo peso. Podiam, portanto, passar os dias calculando a produção total de grãos ou as reservas de prata na Leutéria, ou desenhando uma nova bandeira, ou equacionando os complexos fatores para determinar o valor de um thog — o que ocupava horas do tempo de lazer dos B. reunidos em casa, com a sra. B. contribuindo com a ciência e a tecnologia; o sr. B., com a política, as línguas e os costumes sociais; e o filho com os aspectos naturais de países muitas vezes inimigos.

11. Seu artigo "Behavior of slaughter plant and auction employees toward the animals" foi publicado em *Anthrozoos: a multidisciplinary journal on the interactions of people, animals, and environment* na primavera de 1988.

12. O psicólogo Frederic Bartlett escreve sobre a lembrança como "reconstrução", mas para Temple (assim como para Stephen), aparentemente, se isso ocorria era num grau bem menor que o normal. Para ela, a memória também

não é inteiramente internalizada como parte do eu — daí suas alusões freqüentes a "fitas de vídeo" e "discos de computador", e outras formas externas de armazenamento da memória.

A descrição que Temple faz de si mesma nesse ponto vai curiosamente contra algumas das formulações atuais sobre a imaginação e a memória, tal como concebida por Damásio, Edelman e outros. Assim escreve Damásio em *O erro de Descartes*:

> As imagens não são guardadas como retratos idênticos das coisas, ou acontecimentos, ou palavras, ou frases. O cérebro não arquiva imagens Polaroid das pessoas, objetos, paisagens; assim como não guarda fitas de música ou de falas; ou filmes de cenas que vivemos. [...] Resumindo, não parece haver imagens conservadas de nada, nem mesmo miniaturizadas, nada de microfichas ou microfilmes, nada de discos rígidos.

E todavia, enfatiza Damásio, isso "deve estar em harmonia com a sensação [...] de que podemos invocar" tais imagens de reprodução ou fac-símiles. Fica a dúvida, caso isso seja verdade, se Temple — assim como Franco e Stephen (e o Mnemonista de Luria) — é apenas, como nós, suscetível a uma *ilusão* de reprodução, ou se na realidade (como sugere Jerome Bruner) pode haver neles alguma deficiência de integração entre os sistemas perceptivos, os sistemas integradores superiores e os conceitos do eu, de forma que persistam imagens *relativamente* não processadas, não interpretadas e não revisadas.

13. Quando Temple dá palestras, usa em geral *slides* muito esquisitos, misturados com os habituais diagramas e gráficos — *slides* que podem não ter nenhuma relação perceptível com o assunto e não passar nada para a platéia, já que na realidade não foram concebidos para eles mas para ela, deixas ou lembranças pessoais para o encadeamento do seu próprio pensamento. Por exemplo, o *slide* bem-humorado de um rolo de papel higiênico feito de lixa faz com que se lembre de falar da sensibilidade tátil no autismo.

14. Enquanto Temple me descrevia isso com exemplos, lembrei-me do Mnemonista descrito por A. R. Luria (em *The mind of a mnemonist*) e sua maneira estranha, puramente visual, de transformar palavras e números em imagens. Ele pensava de fato exclusivamente em imagens — e por vezes de uma forma avassaladora; centenas delas podiam ser produzidas enquanto ouvia um único parágrafo ou um poema curto. Pensar em imagens deu-lhe uma grande força — nas palavras de Luria, "uma base poderosa sobre a qual agir, permitindo-lhe levar a cabo em sua cabeça manipulações que os outros só conseguiam realizar com objetos". Mas tal pensamento também criava estranhas dificuldades, por vezes disparatadas, quando não podia ser substituído pelo pensamento lógico-verbal. O Mnemonista de Luria não tinha nada de autista, mas seus processos de pensamento visual — sua imaginação concreta, ao menos — eram incrivelmente próximos dos de Temple e talvez compartilhassem uma base fisiológica

semelhante. Ela ficou fascinada quando lhe falei do Mnemonista e achou que, de fato, sua forma de pensamento era muito parecida com a dele.

15. O grande inventor Nikola Tesla possuía um modo de pensamento idêntico: "Quando tenho uma idéia, começo por construí-la em minha imaginação. Modifico a construção, faço melhorias e coloco o mecanismo em funcionamento na minha cabeça. Para mim, é absolutamente indiferente se coloco a turbina para funcionar em minha cabeça ou a testo em minha loja. *Posso até perceber se está fora de equilíbrio*".

16. O fundamento da razão na emoção é o tema central do livro de António Damásio, *O erro de Descartes*.

17. A descrição que Temple fez de si nesse ponto me levou a pensar na definição que Coleridge faz da Fantasia: "[Ela] não tem nenhuma outra contraparte com que jogar, apenas fixidez e limitações. [...] [Ela] deve receber todo o seu material pronto da lei de associações". Creio que a tendência esmagadora de imagens fixas, concretas e perceptivas, e sua associação, permuta e atividade quase mecânicas — que se pode ver no autismo e por vezes na síndrome de Tourette, se por um lado pode predispor a uma Fantasia forte e ativa (no sentido de Coleridge), também pode predispor contra a Imaginação (como ele a chama, em oposição), que "dissolve, dispersa, dissipa, para recriar". A criação, ou recriação, da Imaginação acarreta o abandono da fixidez e das limitações com o objetivo de revisar e reconstruir — e é exatamente isso que parece tão difícil na mente excessivamente precisa e rígida de um autista.

18. Russell Hurlburt, da Universidade de Nevada, estudou as maneiras pelas quais os indivíduos relatam ou representam suas experiências interiores, seus fluxos de pensamento. Descobriu que, enquanto sujeitos normais (e neuróticos ou esquizofrênicos) parecem se utilizar de uma combinação de diferentes modos — o discurso e a escuta interior, os sentimentos, sensações corporais, assim como imagens visuais —, portadores da síndrome de Asperger parecem usar exclusiva ou predominantemente as imagens visuais.

19. Ed e Riva Ritvo, da UCLA, mostraram recentemente que essa premissa é de fato correta.

BIBLIOGRAFIA SELECIONADA

As escolhas são sempre pessoais e idiossincráticas, e o que se segue é uma seleção de fontes que achei prazerosas e intrigantes, assim como informativas, e que gostaria de encorajar o leitor a consultar. Uma lista completa de referências encontra-se após esta seção. Além disso, acrescentei às referências bibliográficas alguns livros importantes e de minha predileção, mesmo não havendo referência a eles no texto.

PREFÁCIO

Os primeiros textos de L. S. Vygotsky, perdidos por muitos anos, foram achados e traduzidos recentemente para o inglês com o título *The fundamentals of defectology*.

Em sua autobiografia, *The making of mind*, A. R. Luria traça seu próprio desenvolvimento intelectual em relação às mudanças da neurologia ao longo de sua vida; o capítulo "Romantic science" destaca particularmente seu sentimento da indispensabilidade dos relatos de casos clínicos, e como a narrativa é crucial para a medicina. Seus próprios dois casos "românticos" — *The mind of a mnemonist* e *The man with a shattered world* — são os melhores exemplos contemporâneos desse tipo de relato. Um belo ensaio crítico sobre as narrativas "internas" da doença é *Reconstructing illness: studies in pathography*, de Anne Hunksaker Hawkins.

A discussão geral de Kurt Goldstein sobre saúde, distúrbio e recuperação neurológicos pode ser encontrada em seu notável livro *The organism*, de 1939, sobretudo no capítulo 10.

Georges Canguilhem e Michel Foucault foram, em especial, os pensadores racionalistas do pós-guerra que tematizaram a saúde e a doença. "O normal e o patológico", de Canguilhem, e *Doença mental e Psicologia*, de Foucault, são livros fundamentais.

Gerald Edelman publicou cinco livros sobre sua teoria da seleção de grupo neuronial; *Bright air, brilliant fire* é o mais recente e acessível. *The invention of memory*, de Israel Rosenfield, traça uma clara história da neurologia clássica e localizacionista, mostrando o quanto ela talvez tenha que ser revisada à luz da teoria de Edelman. Acho as idéias de Edelman extremamente excitantes, fornecendo uma base neural, como é seu objetivo, para toda a gama de processos mentais da percepção à consciência, e para o que significa ser humano e ter uma identidade. Toda uma nova neurociência teórica parece brotar daí. Eu mesmo publiquei dois ensaios sobre o trabalho de Edelman no *The New York Review of Books*: "Neurology and the soul" e "Making up the mind".

De modo mais geral, gostei muito de *Infinite in all directions* (originalmente intitulado, ao ser proferido como as Palestras de Gifford, "In praise of diversity"), de Freeman Dyson. O sentido da riqueza, complexidade e criatividade da natureza também perpassa todos os livros de Ilya Prigogine — o meu predileto é *From being to becoming* — e um livro de extraordinário alcance: *The quark and the jaguar: adventures in the simple and the complex*, de Murray Gell-Mann.

O CASO DO PINTOR DALTÔNICO

Colour-blindness, de Mary Collins, publicado em 1925, é um livro encantador e primordial (contém o relato de um cirurgião acromatóptico que caiu do cavalo e outras pérolas). *Catching the light: the entwined history of light and mind*, de Arthur Zajonc, é um livro admiravelmente pesquisado e escrito, e especialmente interessante em sua consideração das idéias de Goethe sobre a cor e sua relação com as idéias de Land (Zajonc também fala do caso de Jonathan I.).

Embora Schopenhauer tenha escrito um ensaio de juventude "Sobre a visão e a cor", não existe tradução em inglês. Mas pensamentos sobre a visão da cor pontuam sua obra máxima, *O mundo como vontade e representação*, e foram sendo ampliados a cada nova edição durante a vida do autor.

O debate do século XIX entre diferentes teorias da visão da cor e seus defensores aparece em *In the eye's mind: vision and the Helmholtz-Hering controversy*, de Steven Turner, e num excelente ensaio-resenha sobre o livro, escrito por C. R. Cavonius.

Semir Zeki foi o pioneiro na investigação dos mecanismos da percepção da cor no macaco; uma síntese de seu trabalho e sua relação com a atual neurociência é encontrada no livro *A vision of the brain*. Uma síntese global num nível superior, da consciência visual, é feita por Francis Crick em *The astonishing hypothesis: the scientific search for the soul*. Ambos os livros são bastante acessíveis ao leitor médio (e ambos discutem extensivamente o caso de Jonathan I.).

António e Hanna Damásio e seus colegas publicaram vários estudos clínicos detalhados sobre acromatopsia cerebral. António Damásio faz um relato bastante completo, embora um tanto técnico, deste e de outros distúrbios visuais em seu capítulo "Principles of behavioral neurology" e um outro mais geral, completado por reflexões sobre a importância teórica e filosófica de tais observações, em seu livro recente: *O erro de Descartes*.

Os textos de Edwin Land foram recentemente editados em sua totalidade, mas um de seus relatos mais brilhantes, "The retinex theory of color vision", foi publicado pela *Scientific American*. "I am a camera", de Jeremy Bernstein, é um excelente ensaio sobre Land (e também faz referência ao caso de Jonathan I.). E *Colorful notions*, originalmente levado ao ar pela Horizon Series da BBC, em 1984, é um filme fascinante, mostrando o caos que seria se não tivéssemos a constância da cor.

The Oxford companion to the mind, editado por Richard Gregory, é uma referência indispensável sobre todo o tipo de tópicos neurológicos e psicológicos, que inclui ótimos artigos de Tom Troscianko ("Colour vision: brain mechanisms"), W. A. H. Rushton ("Colour vision: eye mechanisms") e de J. J. McCann ("Retinex theory and colour constancy").

Uma interessante consideração sobre os primórdios da fotografia colorida, "The first color photographs", de Grant B. Romer e Jeannette Delamoir, foi publicada pela *Scientific American*, em dezembro de 1989. Publiquei uma carta sobre o assunto, com reminiscências sobre a fotografia colorida nos anos 40, na edição de março de 1990 da revista. Um artigo de centenário, "Maxwell's color photograph", saiu na *Scientific American* de novembro de 1961.

As experiências pessoais de um acromatóptico congênito (que é também um cientista da visão) são admiravelmente descritas em "Vision in a complete achromat: a personal account".

Por fim, Frances Futterman, a acromatóptica cujas cartas citei aqui, começou a publicar o *Achromatopsia Network Newsletter* e espera criar uma rede com pessoas com acromatopsia em todo o mundo. Ela pode ser contatada no endereço: Box 214, Berkeley, CA 94701-0214, Estados Unidos.

O ÚLTIMO HIPPIE

A. R. Luria é quem melhor descreve tanto o lobo frontal como as síndromes amnésicas em (respectivamente) *Human brain and psychological processes* e *The neuropsychology of memory*. Ambos os livros são um tanto acadêmicos; o último desejo de Luria era incrementá-los com relatos "românticos" de casos. Os dois longos artigos de François Lhermitte intitulados "Human autonomy and the frontal lobes" dão uma imagem nítida da abordagem compassiva e naturalista desses pacientes.

Em oposição, a crueldade característica da era da lobotomia é descrita num livro assustador: *Great and desperate cures*, de Elliot Valenstein. Um ensaio-resenha maravilhoso desse livro foi escrito para o *The New York Review of Books* por MacDonald Critchley.

O caso de Phineas Cage despertou um interesse neurológico incessante por quase 150 anos e continua sendo explorado até hoje através das técnicas mais sofisticadas de reconstrução da neuroimagem (ver o artigo de Damásio *et al.* na *Science*). A análise mais profunda do caso, e de sua relevância para toda a teoria do século XIX sobre o sistema nervoso de Gall a Freud, foi feita por Malcolm Macmillan em "Phineas Cage: a case for all reasons" e por Damásio em *O erro de Descartes*.

Dois de meus ensaios anteriores sobre a memória, citados neste capítulo — "O marinheiro perdido" e "Uma questão de identidade" — foram republicados em *O homem que confundiu sua mulher com um chapéu*.

O campo da pesquisa sobre a memória é hoje extremamente ativo, e seria quase injusto destacar alguns nomes. Mas Larry Squire e Nelson Butters são sem dúvida líderes no assunto e escreveram, individual e conjuntamente, inúmeros artigos ao longo dos anos, assim como editaram o volume *The neuropsychology of memory*. Outras leituras recomendadas sobre o tema da memória estão incluídas na seleção de leituras de "A paisagem dos seus sonhos".

Há também uma explosão do interesse pela neurologia da música e seus poderes terapêuticos em pacientes com distúrbios neurológicos. O psiquiatra Anthony Storr escreveu um belo livro, *Music and the mind*, que toca em cada aspecto da reação humana à música. Num capítulo intitulado "Music and the brain", no livro a ser publicado *Music and neurologic rehabilitation*, concentrei-me mais especificamente nas possíveis maneiras de a música afetar o cérebro.

Mickey Hart escreveu sobre a percussão e o ritmo em várias culturas, em *Drumming at the edge of magic*.

UMA VIDA DE CIRURGIÃO

O texto em duas partes "Étude sur une affection nerveuse", de Gilles de la Tourette, foi publicado em 1885 e uma tradução parcial em inglês foi incluída, com um comentário, em "Gilles de la Tourette on Tourette syndrome", de C. G. Goetz e H. L. Klawans. O grande livro de Meige e Feindel, *Les tics et leur traitement*, foi publicado em 1902 e traduzido para o inglês por Kinnier Wilson em 1907. Esse livro é notável não apenas por sua abrangência, mas por seu tom — o respeito dos autores pelos pacientes e as conversas reais entre eles e seus médicos. O livro inclui uma narrativa autobiográfica sem precedentes: "Les confidences d'un ticqueur".

Somente nos últimos anos surgiram mais relatos pessoais sobre o que significa viver com a síndrome de Tourette. Uma série dessas narrativas, editadas por Adam Seligman e John Hilkevich, foi publicada com o título de *Don't think about monkeys*.

Escrevi certo número de artigos sobre a síndrome de Tourette: "Ray e seus tiques espirituosos", originalmente publicado em 1981, e em seguida em *O homem que confundiu sua mulher com um chapéu*, junto com "Os possuídos". Uma vista geral do assunto é dada em "Neuropsychiatry and Tourette's", publicado em 1989, e de forma mais resumida no mais recente "Tourette's syndrome: a human condition". Um aspecto particular da síndrome que sempre me fascinou é apresentado em "Tourette's and creativity"; e uma pesquisa sobre a velocidade e a precisão dos movimentos touretticos, "Movement perturbations due to tics", saiu nos anais de 1993 da Sociedade de Neurociência (Society for Neuroscience Abstracts).

A Tourette Syndrome Association (42-40 Bell Boulevard, Bayside, NY 11 361, Estados Unidos), fundada em 1971, dissemina informação, indicações de médicos e patrocina a pesquisa. Pode ser contatada no (00 1) (718) 224-2999 ou (800) 237-0717 para informações sobre as filiais mais próximas.

VER E NÃO VER

A recuperação da visão para aqueles que ficaram cegos na infância, embora rara, tem sido cuidadosamente documentada desde o relato de Cheselden em 1728. Todos os casos conhecidos até 1930 estão listados no livro enciclopédico de Von Senden, *Space and sight*. Muitos deles são analisados por Hebb em seu *Organization of behaviour* e constituem, junto com outros dados experimentais e de observação fornecidos por ele, uma prova fundamental de que "ver" — a percepção visual — deve ser aprendido.

O estudo de caso clínico mais rico e detalhado é o de Richard Gregory e Jean Wallace, que foi republicado posteriormente, com acréscimos, incluindo uma correspondência com Von Senden, em *Concepts and mechanisms of perception*, de Gregory. O pano de fundo filosófico para a questão de Molyneux e o impacto do caso Cheselden também são habilmente descritos por Gregory em seu artigo "Recovery from blindness", no *The Oxford companion to the mind*.

Os casos de pacientes submetidos a um novo procedimento cirúrgico para a reconstrução da córnea são descritos, com uma profunda reflexão de Alberto Valvo, em seu *Sight restoration after long-term blindness*.

Os efeitos da cegueira tardia — em especial seus efeitos na imaginação e memória visual, nas orientações e nas atitudes — foram magistralmente descritos por John Hull em seu livro autobiográfico *Touching the Rock*. E a recuperação da visão após a cegueira tardia é muito bem descrita em *Second sight*, de Robert Hine.

Um das mais profundas e abrangentes investigações sobre o que pode significar ser cego em termos de identidade, tanto para o indivíduo como para os que o cercam, foi feita por Diderot em seu formidável *Carta sobre os cegos: para o uso dos que enxergam* (ele escreveu igualmente uma *Carta sobre os surdos-mudos: para o uso dos que ouvem e falam*).

O relato que Von Feuerbach faz de Kaspar Hauser contém uma notável descrição de sua profunda agnosia visual ao entrar pela primeira vez em contato com a luz do dia, após ter sido mantido numa masmorra escura desde a infância (pp. 64-5).

Esses temas não foram apenas assunto para discussões filosóficas e relatos clínicos, mas de ficções e reconstruções dramáticas, desde que Diderot imaginou o leito de morte de Nicholas Saunderson. Em 1909, o romancista Wilkie Collins baseou um romance, *Poor miss Finch*, num desses casos, e o tema também está no centro do romance *La symphonie pastorale*, do jovem Gide. Um tratamento mais recente é dado pela brilhante reconstrução de Brian O'Doherty, *The strange case of mademoiselle P.*, baseado e muito próximo do relato original de Mesmer, de 1779.

Na peça de 1994 de Brian Friel, *Molly Sweeney*, a personagem principal é, como Virgil, cega desde a infância, com lesões da retina e cataratas, e, após removê-las já adulta, mergulha num estado de confusão e ambivalência agnósicas, que só se resolve com um retorno final à cegueira.

A PAISAGEM DOS SEUS SONHOS

O relato original escrito por Michael Pearce sobre Franco Magnani, e ilustrado com reproduções de seus quadros e das fotos de Susan Schwartzenberg em pares, foi publicado no *Exploratorium Quarterly*, no verão de 1988.

A collection of moments, de Esther Salaman, faz um belo estudo literário e psicológico das "memórias involuntárias" tal como ocorreram em Proust, Dostoievsky e outros escritores. Um extrato desse texto, a maior parte do artigo de Schachtel sobre a memória e a amnésia infantil, o clássico relato que Stromeyer fez de um eidético, um segmento de *Mind of a mnemonist*, de Luria, e muito mais, podem ser encontrados num livro de consulta inestimável: *Memory observed*, de Ulrich Neisser.

Remembering, o clássico de Frederic Bartlett, reúne suas experiências, mostrando o caráter construtivo e imaginativo da memória.

A erupção de memórias "experienciais" durante as convulsões (e sua excitação pelo estímulo direto do cérebro durante a cirurgia) é descrita em detalhes praticamente romanescos por Wilder Penfield (e seu colega Perot) num longuíssimo artigo, "The brain's record of visual and auditory experience", na revista *Brain*. O mesmo número contém ainda um impressionante relato da epilepsia de Dostoievsky, por Alajouanine. Uma descrição acessível e legível das síndromes de Dostoievsky e da epilepsia do lobo temporal, ambas em relação a pessoas comuns e a artistas e pensadores célebres, é feita em *Seized: temporal lobe epilepsy as a medical, historical, and artistic phenomenon*, de Eve LaPlante.

Uma boa discussão histórica e uma aguçada consideração psicanalítica da nostalgia são feitas por David Werman em "Normal and pathological nostalgia".

PRODÍGIOS

Extraordinary people, de Darold Treffert, é uma excelente introdução ao tema dos *idiot savants*, utilizando igualmente relatos históricos (de Séguin, Down, Tredgold e outros) e a própria experiência clínica do autor.

Numa veia mais acadêmica, *The exceptional brain*, organizado por Loraine

Obler e Deborah Fein, reúne uma vasta gama de pesquisas sobre talentos humanos em geral, e os talentos *savants* em particular.

O livro de Steven Smith, *The great mental calculators*, é a fonte mais completa de observações sobre os talentos calculadores tanto entre pessoas normais como entre retardados e autistas.

Uma das minhas predileções particulares, nunca mencionada pelos autores de hoje, é *Human personality*, de F. W. H. Myers. Ele próprio era um gênio, o que fica patente em cada frase dos formidáveis (embora freqüentemente absurdos) dois volumes dessa obra. O capítulo sobre o "gênio" é um relato perspicaz e antecipador dos talentos computacionais em relação ao inconsciente cognitivo.

Embora o livro de Lorna Selfe, *Nadia: a case of extraordinary drawing ability in an autistic child*, esteja infelizmente esgotado, *An, mind and brain*, de Howard Gardner, contém um importante ensaio sobre Nadia, que foi até certo ponto a origem de seus estudos subseqüentes e amplamente ramificados sobre a inteligência e a criatividade. Uma resenha particularmente perspicaz sobre *Nadia* foi feita por Clara Claiborne Park, comparando o trabalho de Nadia com o de sua filha, Jessy, e outros artistas autistas.

A investigação cognitiva mais detalhada sobre um *savant* musical, Eddie, é feita por Leon K. Miller em seu livro *Musical savants*.

As extensivas pesquisas de Beate Hermelin e seus colegas (incluindo Neil O'Connor e Linda Pring) estão em grande parte disponíveis como artigos avulsos, contendo estudos detalhados sobre Stephen Wiltshire e outros *savants*. Um dos primeiros textos de O'Connor e Hermelin, "Visual and graphic abilities of the idiot savant artist", reproduz e discute alguns dos primeiros trabalhos de Stephen.

A monografia de 1945 "A case of 'idiot savant': an experimental study of personality organization", de Martin Scheerer, Eva Rothmann e Kurt Goldstein, sobre um *savant*, L., levanta questões fundamentais e que continuam sem resposta (e freqüentemente ignoradas) hoje. Trata-se, na minha opinião, da análise mais profunda e penetrante já feita sobre a mente *savant* (e autista). L. é manifestamente autista, embora o termo não seja usado, porque a versão original do texto foi publicada em 1941, antes de Kanner fazer a descrição do autismo. No texto posterior e mais completo, de 1945, Goldstein *et al.* comparam suas formulações com as de Kanner.

O livro de Merlin Donald, *Origins of the modern mind*, onde o autor especula sobre os poderes miméticos do homem primitivo, abre amplas perspectivas históricas e é uma das reconstruções mais vigorosamente persuasivas e imaginativas que conheço sobre nossa evolução mental passada (e talvez futura). Jerome Bruner pesquisou por muitos anos o desenvolvimento do pensamento na criança; uma explicação muito clara do estágio de "representação" [*enactive*] é dada em *Studies in cognitive growth*.

Dwight Macintosh: the boy whom time forgot, de John MacGregor, é um estudo fascinante e copiosamente ilustrado sobre um artista octogenário, dotado e retardado.

Escrevi outros três relatos de casos clínicos de síndrome *savant*, todos publicados em *O homem que confundiu sua mulher com um chapéu*: "O artista autista", "Os gêmeos" e "Uma enciclopédia ambulante".

Por fim, e o mais importante, existem os livros do próprio Stephen: *Drawings*, *Cities*, *Floating cities* e *Stephen Wiltshire's American dream* — infelizmente, apenas *Floating cities* pode ser encontrado hoje nos Estados Unidos.

Para outros livros sobre autismo e sobre associações de autismo, veja a lista de leituras de "Um antropólogo em Marte".

UM ANTROPÓLOGO EM MARTE

A definição do autismo como uma condição médica remonta aos textos pioneiros de Kanner, Asperger e Goldstein nos anos 40; enquanto era definido psiquiatricamente (com sugestões enganosas de etiologia familiar) por Bruno Bettelheim nos anos 50 (e mais tarde em *The empty fortress*), e finalmente estabelecido como uma condição biológica nos anos 60 (quando *Infantile autism*, de Bernard Rimland, foi publicado), o autismo só foi realmente retratado como uma condição humana quando as narrativas biográficas e por fim autobiográficas começaram a aparecer.

Uma das primeiras (e ainda hoje a melhor) foi *The siege: the first eight years of an autistic child*, de Clara Claiborne Park. *Children with emerald eyes*, de Mira Rothenberg, é uma coletânea de perfis — ao mesmo tempo clínicos, analíticos, compassivos e poéticos — de uma dúzia de crianças entre as centenas em seus pioneiros Blueberry Treatment Centers. Em *Without reason*, Charles Hart faz um notável relato de sua experiência de ter, primeiro, um irmão mais velho e, em seguida, um filho com autismo. *News from the border*, admiravelmente escrito por Jane Taylor McDonnell, traz um posfácio de seu filho autista, Paul.

Houve de fato uma explosão de livros escritos por e sobre autistas desde 1990 (muitos centrados nas complexas questões da comunicação facilitada), e é difícil citar qualquer um deles sem parecer estar ignorando os outros. Mas, em termos de sua franqueza, seu vigor, sua riqueza e discernimento (para não falar de sua prioridade — já que foi este texto que permitiu pela primeira vez o acesso direto e pessoal a um mundo autista), nada se compara ao próprio livro de Temple Grandin: *Emergence: labeled autistic*.

Autism: explaining the enigma, de Uta Frith, é um relato muito claro e equilibrado, embora direcionado talvez muito exclusivamente por uma "teoria da mente". *Autism and Asperger syndrome*, organizado por Frith, contém certo número de artigos importantes, incluindo relatos clínicos de Christopher Gillberg, Digby Tantam e Margaret Dewey. Traz ainda um ensaio de Francesca Happé sobre os escritos autobiográficos de adultos com síndrome de Asperger, incluindo Temple, e a primeira tradução em inglês do texto original de Asperger, de 1994, como apêndice de um ensaio investigativo de Frith sobre suas contribuições. Asperger foi, certo sentido, "descoberto" por Lorna Wing, e o ensaio em que ela compara sua abordagem e idéias com as de Kanner também está nesse volume.

A Autism Society of America possui filiais em todos os Estados Unidos e em Porto Rico. A matriz nacional pode ser contatada no endereço: 7910 Woodmont Avenue, Suite 650, Bethesda, MD 20 814, Estados Unidos, telefone (00-1) (301) 565-0433 ou (800) 328-8476. Na Inglaterra, a National Autistic Society fica no 276 Willesden Lane, Londres NW2 5RB, telefone (00-44) (081) 451-1114. A More Able Autistic People (MAAP), Box 524, Crown Point, IN 46 307, Estados Unidos, publica um jornalzinho sobre pessoas autistas com alto desempenho. A The Autism Society of Canada fica no 129 Yorkville Avenue, Suite 202, Toronto, Ontario, M5R 1C4, Canadá, telefone (00-1) (416) 922-0302.

REFERÊNCIAS BIBLIOGRÁFICAS

ALAJOUANINE, T. "Doestoevski's epilepsy". *Brain* 86:209-21 (1963).
ALKON, Daniel L. *Memory's voice: deciphering the brain-mind code*. Nova York: HarperCollins, 1992.
ASPERGER, Hans. "'Autistic psychopathy' in childhood". In FRITH, Uta, ed., *Autism an asperger syndrome*. Nova York: Cambridge University Press, 1991.
BARTLETT, Frederic C. *Remembering: a study of experimental and social psychology*. Cambridge: Cambridge University Press, 1932.
BEAR, David. "The neurology of art: artistic creativity in patients with temporal lobe epilepsy". Trabalho apresentado no simpósio "The Neurology of Art", Art Institute of Chicago e Michael Reese Hospital, Chicago, 1988.
_____ "Temporal lobe epilepsy: a syndrome of sensory-limbic hyperconnection". *Cortex* 15:357-84 (1979).
BERKELEY, George. *A new theory of vision*. 1709. Everyman ed. Nova York: Dutton, 1910.
BERNSTEIN, Jeremy. "I am a camera". In *Cranks, quarks, and the cosmos*. Nova York: Basic Books, 1993.
BETTELHEIM, Bruno. *The empty fortress: infantile autism and the birth of the self*. Nova York: Free Press, 1967.
BORGES, Jorge Luis. "Funes the memorious". In *A personal anthology*. Nova York: Grove Press, 1967.
BOYD, Brian. *Vladimir Nabokov: the Russian years*. Princeton, N. J.: Princeton University Press, 1990, esp. pp. 70-1.
BRANN, Eva T. H. *The world of the imagination; sum and substance*. Savage, Md.: Rowman and Littlefield, 1991.
BRUNER, Jerome. *Acts of meaning*. Cambridge: Harvard University Press, 1990.
_____ e FELDMAN, Carol. "Theories of mind and the problem of autism". In BARON-COHEN, S.; TAGER-FLUSBERG, H.; e COHEN, D. J., eds. *Understanding other minds*, 267-91. Nova York: Oxford Medical, 1993.
_____; OLVER, Rose R.; GREENFIELD, Patricia M.; *et al. Studies in cognitive growth*. Nova York: Wiley, 1966.
CAHAN, David, ed. *Hermann von Helmholtz and the foundation of nineteenth-century science*. Berkeley: University of California Press, 1993.
CALVIN, William H. *The cerebral symphony: seashore reflection on the structure of consciousness*. Nova York: Bantam Books, 1990.

CALVIN, William H. e OJEMANN, George A. *Conversation with Neil's brain: the neural nature of thought and language*. Nova York: Addison-Wesley, 1994.

CANGUILHEM, Georges. *The normal and the pathological*. trad. Carolyn Fawcett. Nova York: Zone Books, 1989.

CAVONIUS, C. R. "Not seeing eye to eye" (resenha de *In the eye's mind* por R. S. Turner), *Nature* 370:259-60, 28 de julho de 1994.

CHESTERTON, G. K. *The secret to father Brown*. Londres: Cassell & Co., 1927.

CHURCHLAND, Patricia S. *Neurophilosophy: toward a unified science of the mind-brain*. Cambridge, Mass.: Bradford Books, MIT Press, 1986.

COLERIDGE, Samuel Taylor. *Biographia literaria*. 1817. Reimpressão, Oxford: Oxford University Press, 1907.

COLLINS, Mary. *Colour-blindness*. Nova York: Harcourt, Brace & Co., 1925.

COLLINS, Wilkie. *Poor miss Finch*. Nova York: Scribner's, 1909.

CRICK, Francis, *The astonishing hypothesis: the scientific search for the soul*. Nova York: Scribner's, 1994.

CRITCHLEY, E. M. R., ed. *The neurological boundaries of reality*. Londres: Farrand Press, 1994.

CRITCHLEY, Macdonald. "Unkind cuts". *The New York Review of Books*, 24 de abril de 1986.

DAMÁSIO, A.; YAMADA, T.; DAMÁSIO, H.; CORBETT, J. e MCKEE, J. "Central achromatopsia: behavioral, anatomic, and physiologic aspects". *Neurology* 30, nº 10:1964-71 (outubro de 1980).

DAMÁSIO, António R. "Disorders of complex visual processing". In MESULAM, M. Marsel, ed., 259-88. *Principles of behavioral neurology*, Philadelphia: F. A. David Co., 1985.

_____. *O erro de Descartes*. São Paulo: Companhia das Letras, 1996.

DAMÁSIO, Hanna; GRABOWSKI, Thomas; FRANK, Randall; GALABURDA, Albert M. e DAMÁSIO, António. "The return of Phineas Gage: clues about the brain from the skull of a famous patient." *Science* 264:1102-5, 20 de maio de 1994.

DENNETT, Daniel C. *Consciousness explained*. Boston: Little, Brown and Co., 1991.

DIDEROT, Denis. *Lettre sur les aveugles*. Paris: Durand, 1749.

_____. *Lettre sur les sourds et muets*. Paris, 1751.

DONALD, Merlin. *Origins of the modem mind: three stages in the evolution of culture and cognition*. Cambridge: Harvard University Press, 1991.

DONALDSON, Margaret. *Human minds: an exploration*. Londres: Allen Lane, 1992.

DOWN, J. Langdon. *Mental affections of childhood and youth*. 1887. Ed. Fac-similar, Oxford: MacKeith Press, Blackwell Scientific Publications, 1990.

DYSON, Freeman J. *Infinite in all directions*. Nova York: Harper & Row, 1988.

EDELMAN, Gerald M. *Bright air, brilliant fire: on the matter of the mind*. Nova York: Basic Books, 1992.

EDELMAN, Gerald M. *Neural darwinism: the theory of neuronal group selection.* Nova York: Basic Books, 1987.

_____. *The remembered present: a biological theory of consciousness.* Nova York: Basic Books, 1989.

_____. *Topobiology: an introduction to molecular embryology.* Nova York: Basic Books, 1988.

_____ e MOUNTCASTLE, Vernon B. *The mindful brain.* Cambridge: MIT Press, 1978.

EDRIDGE-GREEN, F. W. *The physiology of vision: with special reference to colour blindness.* Londres: G. Bell and Sons, 1920.

EVANS, Ralph M. "Maxwell's color photograph". *Scientific American*, novembro de 1961.

FELDMAN, David H., com GOLDSMITH, Lynn T. *Nature's gambit: child prodigies and the development of human potential.* Nova York: Basic Books, 1986.

FEUERBACH, Anselm von. *Caspar Hauser: an account of and individual kept in a dungeon, separated from all communication with the world, from early childhood to about the age of seventeen.* 1832. Trad. inglesa, Londres: Simp-kin & Marshall, 1834.

FOUCAULT, Michel. *Mental illness and psychology.* Berkeley: University of California Press, 1987.

FREUD, Sigmund. "Constructions in analysis". *International Journal of Psychoanalysis* 19:377 (1938). Reimpresso em RIEFF, Philip, ed., *Therapy and Technique*, Nova York: Collier, 1963.

FRIEL, Brian. *Molly sweeney.* Old Castle, Co. Meath, Ireland: The Gallery Press, 1994.

FRITH, Uta. *Autism: Explaining the enigma.* Nova York: Blackwell, 1989.

_____ ed. *Autism and asperger syndrome.* Nova York: Cambridge University Press, 1991.

FULLER, G. N., e GALE, M. V. "Migraine aura as artistic inspiration". *British Medical Journal* 297:1670-72 (24 de dezembro de 1988).

GARDNER, Howard. *Art, mind, and brain: a cognitive approach to creativity.* Nova York: Basic Books, 1982.

_____. *Frames of mind: the theory of multiple intelligences.* Nova York: Basic Books, 1983.

GASTAUT, Henri. "Memoires originaux: la maladie de Vincent van Gogh envisagée à la lumière des conceptions nouvelles sur l'epilepsie psychomotrice". *Annales Medico-Psychologiques* 114:196-238, 1956.

GAZZANIGA, Michael S. *Nature's mind: the biological roots of thinking, emotions, sexuality, language, and intelligence.* Nova York: Basic Books, 1992.

GELL-MANN, Murray. *The quark and the jaguar: adventures in the simple and the complex.* Nova York: Freeman, 1994.

GESCHWIND, Norman. "Epilepsy in the life and writings of Dostoievsky". Palestra, Boston Society of Psychiatry and Neurology, 16 de março de 1961.

GIDE, André. *La symphonie pastorale*. 1919. Reimpressão, Londres: Penguin Books, 1963.

GILLBERG, Christopher. "Clinical and neurobiological aspects of asperger syndrome in six family studies". In FRITH, Uta, ed., *Autism and asperger syndrome*. Nova York: Cambridge University Press, 1991.

GILLBERG, Christopher e COLEMAN, Mary. *The biology of the autistic syndromes* 2ª ed. Nova York: MacKeith Press, Cambridge University Press, 1992.

GOETHE, J. W. von. "Theory of Color". In MILLER, Douglas, ed. *Scientific Studies*, 164. Vol. 12, *Goethe: collected works in English*. Nova York: Suhrkamp, 1988.

GOLDBERG, Elkhonon e BARR, William B. "Three possible mechanisms of unawareness of deficit". In PRIGATANO, G. P.; e SCHACHTER, D. L., eds., *Awareness of deficit after brain injury: clinical and theoretical issues*. Nova York: Oxford University Press, 1991.

GOLDSTEIN, Kurt. *Language and language disturbances: aphasie symptom complexes and their significance for medicine and theory of language*. Nova York: Grune & Stratton, 1948.

_____. *The organism: a holistic approach to biology derived from pathological data in man*. 1939. Reimpressão, Nova York: Zone Books, MIT Press, 1995.

GOWERS, W. R. *Subjective sensations of sight and sound: abiotrophy, and other lectures*. Philadelphia: P. Blakiston's Son & Co., 1904.

GRANDIM, Temple. "Behavior of slaughter plant and auction employees toward the animals". *Anthrozoos* 1, nº 4:205-13 (primavera de 1988).

_____. "An inside view of autism". In SCHOPLER, Eric; e MESIBOV, Gary B., eds., *High-functioning individuals with autism*, 105-26. Nova York: Plenum Press, 1992.

_____. "My experiences as an autistic child and review of selected literature". *Journal of Orthomolecular Psychiatry* 13, nº 3:144-74 (3º quarto de 1984).

_____. "Needs of high functioning teenagers and adults with autism". *Focus on Autistic Behavior* 5, nº 1: 1-16 (abril de 1990).

_____ e SACARINO, Margaret. *Emergence: labeled autistic*. Novato, Calif.: Arena Press, 1986.

GREGORY, Richard L. "Blindness, recovery from". In GREGORY, Richard L., ed., *The Oxford companion to the mind*, 94-96. Oxford: Oxford University Press, 1987.

_____ e WALLACE, Jean G. "Recovery from early blindness: a case study". *Quarterly Journal of Psychology* (1963). Reimpresso in *Concepts and mechanisms of perception*, por R. L. Gregory. Londres: Duckworth, 1974.

HAPPÉ, Francesca G. E. *Autism: an introduction to psychological theory*. Londres: UCL Press, 1994.

_____. "The autobiographical writings of three asperger syndrome Adults". In FRITH, Uta, ed., *Autism and asperger syndrome*. Nova York: Cambridge University Press, 1991.

HART, Charles. *Without reason: a family copes with two generations of autism*. Nova York: Harper & Row, 1989.

HART, Mickey. *Drumming at the edge of magic: a journey into the spirit of percussion*. San Francisco: Harper Collins, 1990.

HAWKINS, Anne Hunsaker. *Reconstructing illness: studies in pathography*. W. Lafayette, Ind.: Purdue University Press, 1993.

HEBB, D. O. *The organization of behaviour*. Nova York: Wiley, 1949.

HELMHOLTZ, Hermann von. *On thought in medicine* (*Das Denken in der Medizin*), 1878. Reimpressão, Baltimore: John Hopkins Press, 1938.

_____. *Physiological optics*. 1909. Ed. J. P. C. Southall. Optical Society of America, 1924.

HERMELIN, Beate e O'CONNOR, Neil. "Art and accuracy: the drawing ability of idiot-savants". *Journal of Child Psychology and Psychiatry* 31, nº 2, 217-28 (1990).

HINE, Robert V. *Second sight*. Berkeley: University of California Press, 1993.

HUGHLINGS JACKSON, John. "On a particular variety of epilepsy ('intellectual aura')". *Brain* 3:179-207 (1880).

HULL, John M. *Touching the rock: an experience of blindness*. Nova York: Pantheon Books, 1990.

HURLBURT, R. T.; HAPPÉ, F. e FRITH, U. "Sampling the form of inner experience in three adults with asperger syndrome". *Psychological Medicine* 24:385-95 (1994).

JAMISON, Kay Redfield. *Touched with fire: manic-depressive illness and the artistic temperament*. Nova York: Free Press, 1993.

KANNER, L. "Autistic disturbances of affective contact". *Nervous Child* 2:217-50 (1943).

KIERKEGAARD, Søren. *Stages on life's way*. 1843. Trad. Walter Lowrie. Princeton, N. J.: Princeton University Press, 1940.

KOSSLYN, Stephen M. e KOENIG, Olivier. *Wet mind: the new cognitive neuroscience*. Nova York: The Free Press, 1992.

KREMER, Richard L. "Innovation through synthesis: Helmholtz and color research". In CAHAN, David, ed., *Hermann von Hetmoltz and the foundations of nineteenth-century science*. Berkeley: University of California Press, 1993.

LAND, Edwin H. "The retinex theory of color vision". *Scientific American*, dezembro de 1977, 108-28.

LANE, Harlan. *The mask of benevolence: disabling the deaf community*. Nova York: Alfred A. Knopf, 1992.

LAPLANT, Eve. *Seized: temporal lobe epilepsy as a medical, historical, and artistic phenomenon*. Nova York: Harper Collins, 1993.

LASHLEY, Karl. "In search of the engram". *Symp. Soc. Exp. Biol.* 4:454-82 (1950).

LHERMITTE, F. "Human autonomy and the frontal lobes". *Annals of Neurology* 19, nº 4:326-43 (abril de 1986).

LLINÁS, R. R. e PARÉ, D. "On dreaming and wakefulness". *Neuroscience* 44, nº 3:521-35, 1991.

LOCKE, John. *Essay concerning human understanding*. 1690. Ed. P. H. Nidditch. Oxford: Oxford University Press, 1975.

LUCCI, Dorothy; FEIN, Deborah; HOLEVAS, Adele; e KAPLAN, Edith. "Paul: a musically gifted austistic boy". In OBIER, Loraine; e FEIN, Deborah, eds., *Exceptional brain*, 310-24. Nova York: Guilford Press, 1988.

LURIA, A. R. *Human brain and psychological processes*. Nova York: Harper & Row, 1966.

_____. *The making of mind: a personal account of Soviet psychology*. Ed. Michael Cole e Sheila Cole. Cambridge: Harvard University Press, 1979.

_____. *The man with a shattered world*. 1972. Reimpressão, Cambridge: Harvard University Press, 1987.

_____. *The mind of a mnemonist*. 1968. Reimpressão, Cambridge: Harvard University Press, 1987.

_____. *The neuropsychology of memory*. Nova York: John Wiley & Sons, 1976.

MCCANN, J. J. "Retinex theory and colour constancy". In GREGORY, Richard L., ed., *The Oxford companion to the mind*, 684-85. Oxford: Oxford University of Press, 1987.

MCDONNELL, Jane Taylor. *New from the border: a mother's memoir of her autistic son*. Posfácio de Paul McDonnell. Nova York: Ticknor & Fields, 1993.

MACGREGOR, John. *Dwight Macintosh: the boy whom time forgot*. Oakland, Calif.: Creative Growth Art Center, 1992.

MCKENDRICK, John Gray. *Hermann Ludwig Ferdinand von Helmholtz*. Londres: T. Fisher Unwin. 1899.

MCKENZIE, Ivy. "Discussion on epidemic encephalitis". *British Medical Journal*, 24 de setembro, 1927, pp. 632-4.

MACMILLAN, Malcolm. "Inhibition and the control of behavior: from Gall to Freud via Phineas Gage and the frontal lobes". *Brain and Cognition* 19:72-104 (1992).

_____. "Phineas Gage: a case for all reasons". In CODE C.; WALLESCH, C. W.; LECOURS, A. R.; e JOANETTE, Y., eds., *Classic cases in neuropsychology*. Londres: Erlbaum, 1995.

MEIGE, H. e FEINDEL, E. *Les tics et leur traitment*. Paris: Masson, 1902. Trad. S. A. Kinnier Wilson como *Tics and their treatment*. Nova York: William Wood & Co., 1907.

MESULAM, M.-Marsel. *Principles of behavioral neurology*, Filadélfia: F. A. Davis Co., 1985.

MILLER, Leon K. *Musical savants: exceptional skill in the mentally retarded*. Hilldale, N. J.: Erlbaum, 1989.

MODELL, Arnold H. *Other times, other realities: toward a theory of psychoanalytic treatment*. Cambridge: Harvard University Press, 1990.

_____. *The private self*. Cambridge: Harvard University Press, 1993.

MOLLON, J. D.; NEWCOMBE, F.; POLDEN, P. G.; e RATCLIFF, G. "On the presence of three cone mechanisms in a case of total achromatopsia". In VERRIEST, G., ed., *Colour vision deficiencies*, 130-35. Bristol: Hilger, 1980.

MOREAU, J.-J. *Hashish and mental illness*. 1845. Reimpressão, Nova York: Raven Press, 1973.

MURRAY, T. J. "Illness and healing: the art of Robert Pope". *Humane medicine* 10, nº 3, julho de 1994, 199-208.

MYERS, Frederic W. H. *Human personality and its survival of bodily death*. 2 vols. Nova York: Longmans, Green & Co., 1903.

NEISSER, Ulrich. *Memory observed: remembering in natural contexts*. San Francisco: Freeman, 1982.

NEISSER, Ulrich e WINOGRAD, Eugene eds. *Remembering reconsidered: ecological and traditional approaches to the study of memory*. Cambridge: Cambridge University Press, 1988.

NORDBY, Knut. "Vision in a complete achromat: a personal account". In HESS, R. F.; SHARPE L. T.; e NORDBY, K., eds., *Night vision: basic, clinical and applied aspects*. Cambridge: Cambridge University Press, 1990.

NULAND, Sherwin. *Doctors: the biography of medicine*. Nova York: Alfred A. Knopf, 1988.

OBLER, Loraine K. e FEIN, Deborah eds. *The exceptional brain: neuropsychology of talent and special abilities*. Nova York: Guilford Press, 1988.

O'CONNOR, N. e HERMELIN, B. "Visual and graphic abilities of the idiot savant artist". *Psychological Medicine* 17:79-90 (1987).

O'DOHERTY, Brian. *The strange case of mademoiselle P*. Nova York: Pantheon Books, 1992.

PARK, Clara Claiborne. *The siege: the first eight years of an autistic child*. Rev. ed., Boston: Little, Brown, 1982.

_____. Resenha de *Nadia* por Lorna Selfe. *Journal of Autism and Childhood Schizophrenia* 8:457-72 (1978).

PAVLOV, Ivan P. *Lectures on conditioned reflexes: twenty-five years of objective study of the higher nervous activity (behaviour) of animals*. Trad. W. Horsley Gantt. Nova York: International Publishers, 1928.

PEARCE, Michael. "A memory artist". *Exploratorium Quarterly* 12, 2, "Memory": 12-17 (verão de 1988).

PENFIELD, W. e PEROT, P. "The brain's record of visual and auditory experience: a final summary and discussion." *Brain* 86:595-696 (1963).

POPPEL, Ernst. *Mindworks: time and conscious experience*. Nova York: Harcourt Brace Jovanovich, 1988.

POSNER, Michael L, e RAICHLE, Marcus E. *Images of mind*. Nova York: Scientific American Library, 1994.

PRIGOGINE, Ilya. *From being to becoming*. San Francisco: Freeman, 1980.

_____ e STENGERS, Isabelle. *Order out of chaos: man's new dialogue with nature*. Nova York: Bantam, 1984.

PRING, Linda e HERMELIN, Beate. "Bottle, tulip and wineglass: semantic and structural picture processing by savant artists", *Journal of Child Psychology and Psychiatry*, no prelo.

PROUST, Marcel. *Remembrance of things past*, vol. II, *The sweet cheat gone*. Londres: Chatto & Windus, 1949, esp. p. 185.

RAMACHANDRAN, V. S. "Behavioral and magnetoencephalographic correlates of plasticity in the adult human brain", *Proceedings of the National Academy of Science* 90:10 313-20 (1993).

RIMLAND, Bernard. *Infantile autism: the syndrome and its implications for a neural theory of behavior*. Nova York: Appleton-Century-Crofts, 1964.

_____ e FEIN, Deborah. "Special talents of autistic savants". In OBLER, Loraine; e FEIN, Deborah, eds., *The exceptional brain*, 474-92. Nova York: Guilford, 1988.

RITVO, Edward; BROTHERS, Anne M.; FREEMAN, B. J. e PINGREE, Carmen. "Eleven possibly autistic parents", *Journal of Austim and Developmental Disorders* 18, nº 1, 139 (1988).

_____; RITVO, Riva; FREEMAN, B. J.; e MASON-BROTHERS, Anne. "Clinical characteristics of mild autism in adults", *Comprehensive psychiatry* 35, nº 2, 149-56 (março/abril de 1994).

RIZZO, M.; NAWROT, M.; BLAKE, R. e DAMÁSIO, A. "A human visual disorder resembling area V_4 dysfunction in the monkey". *Neurology* 42: 1175-80 (junho de 1992).

ROMER, Grant B., e DELAMOIR, Jeannette. "The first color photographs". *Scientific American*, dezembro 1989, 88-96.

ROSE, Steven. *The conscious brain*. Nova York: Alfred A. Knopf, 1973; edição revista.

ROSENFIELD, Israel. *The invention of memory: a new view of the brain*. Nova York: Basic Books, 1988.

_____. *The strange, familiar, and forgotten: an anatomy of consciousness*. Nova York: Alfred A. Knopf, 1992.

ROTHENBERG, Mira. *Children with emerald eyes: histories of extraordinary boys and girls*. Nova York: Dial Press, 1977.

RUSHTON, W. A. H. "Colour vision: eye mechanisms". In GREGORY, Richard L., ed., *The Oxford companion to the mind*, 152-54. Oxford: Oxford University Press, 1987.

SACKS, Oliver. *Com uma perna só*. São Paulo: Companhia das Letras, 2003.

_____. *Tempo de despertar*. São Paulo: Companhia das Letras, 1997.

_____. "Color photography in the forties". Carta ao editor. *Scientific American*, março de 1990.

_____. "O marinheiro perdido", in *O homem que confundiu sua mulher com um chapéu*. São Paulo: Companhia das Letras, 1997.

_____. "Making up the mind". *New York Review of Books*, 8 de abril de 1993.

_____. *O homem que confundiu sua mulher com um chapéu*. São Paulo: Companhia das Letras, 1997.

SACKS, Oliver. "Uma questão de identidade", in *O homem que confundiu sua mulher com um chapéu*. São Paulo: Companhia das Letras, 1997.

_____. *Enxaqueca*. São Paulo: Companhia das Letras, 1996.

_____. "Music and the brain". In TOMAINO, Concetta, ed., *Music and neurologic rehabilitation*. St. Louis: MMB Music, no prelo.

_____ "Neurology and the soul". *New York Review of Books*, 22 de novembro, 1990.

_____. "Neuropsychiatry and tourette's". In MUELLER, J., ed., *Neurology and psychiatry: a meeting of minds*. Basel: S. Karger, 1989.

_____. "Tourette's and Creativity", *British Medical Journal* 305:1515-16 (19 de dezembro de 1992).

_____. "Tourette's syndrome: a human condition". In KURLAN, Roger, ed., *Handbook of tourette's syndrome and related tic and behavioral disorders*, 509-14. Nova York: Marcel Dekker, 1993.

_____. "Witty Ticcy Ray", in *O homem que confundiu sua mulher com um chapéu*. São Paulo: Companhia das Letras, 1997.

SACKS, Oliver e WASSERMAN, Robert. "The case of the colorblind painter". *New York Review of Books*, 19 de novembro de 1987.

_____; FOOKSON, O.; BERKENBLIT, M.; SMETANIN, B.; e SIEGEL, R. M. "Movement perturbations due to tics". *Society for Neuroscience Abstracts* 19:549 (1993).

_____; WASSERMAN, R. L.; ZEKI, S.; e SIEGEL, R. M. "Sudden colorblindness of cerebral origin". *Society for Neuroscience Abstracts* 14:1251 (1988).

SALAMAN, Esther. *A collection of moments: a study of involuntary memories*. Londres: Longman, 1970.

_____. *The great confession: from Aksakov and De Quincey to Tolstoy and Proust*. Londres: Allen Lane, 1973.

SCHACHTEL, Ernest G. "On memory and childhood amnesia". *Psychiatry* 10:1-26 (1947).

SCHEERER, Martin; ROTHMANN, Eva; e GOLDSTEIN, Kurt. "A case of 'idiot savant': an experimental study of personality organization". In DASHIELL, John F., ed., *Psychological Monographs* 58, nº 4; 1-63. Evanston: American Psychological Association, 1945.

SCHOPENHAUER, Arthur. *The world as will and representation* (1818-1819). 2 vols. Trad. E. F. J. Payne. Nova York: Dover, 1969.

SCHOPLER, Eric e MESIBOV, Gary B., eds. *High-functioning individuals with autism*. Nova York: Plenum Press, 1992.

SÉGUIN, Edouard. *Idiocy and its treatment by the physiological method*. 1866. Reimpressão, Nova York: Kelley, 1971.

SELFE, Lorna. *Nadia: a case of extraordinary drawing ability in an autistic child*. Londres: Academic Press, 1977.

SELIGMAN, Adam e HILKEVICH, John, eds. *Don't think about monkeys*. Duarte, Calif.: Hope Press, 1992.

SHARPE, Lindsay T. e NORDBY, Knut. "Total colorblindness: an introduction". In HESS, R. F., SHARPE, L. T.; e NORDBY, K., eds., *Night vision: basic, clinical and applied aspects*. Cambridge: Cambridge University Press, 1990.

SMITH, Steven B. "Calculating prodigies". In OBIER, Loraine; e FEIN, Deborah, eds., *The exceptional brain*, 19-47. Nova York: Guilford Press, 1988.

_____. *The great mental calculators: the psychology, methods, and lives of calculating prodigies, past and present*. Nova York: Columbia University Press, 1983.

SQUIRE, L. R. *Memory and brain*. Nova York: Oxford University Press, 1987.

_____ e BUTTERS, N., eds. *The neuropsychology of memory*. Nova York: Guilford Press, 1984.

STERN, Daniel N. *The interpersonal world of the infant: a view from psychoanalysis and development psychology*. Nova York: Basic Books, 1985.

STEVEN, Rose. *The conscious brain*. Nova York: Alfred A. Knopf, 1973; edição revista, 1989.

STORR, Anthony. *Music and the mind*. Nova York: Free Press, 1992.

STRACKEY, Lytton. "The life, illness, and death of dr. North". In *Portraits in miniature*, 29-39. Londres: Chatto & Windus, 1931.

THELEN, Esther e SMITH, Linda B. *A dynamics system approach to the development of cognition and action*. Cambridge, Mass.: MIT Press, 1994.

TOURETTE, Georges Gilles de la. "Étude sur une affection nerveuse caractérisée par de l'incoordination motrice accompagnée d'écholalie et de copralalie." *Arch. Neur* 9 Paris, 1885.

TREDGOLD, A. F. *A text-book of mental deficiency*. 1908. Reimpressão, Londres: Bailliere, Tindall & Cox, 1952.

TREFFERT, Darold A. *Extraordinary people: an exploration of the savant syndrome*. Nova York: Harper and Row, 1989; Londres: Bantam, 1989.

TROSCIANKO, Tom. "Colour vision: brain mechanisms". In GREGORY, Richard L., ed., *The Oxford companion to the mind*, 150-52. Oxford: Oxford University Press, 1987.

TURNER, R. Steven. "Consensus and controversy: Helmholtz on the visual perception of space". In CAHAN, David, ed., *Hermann von Helmholtz and the foundations of nineteenth-century science*. Berkeley: University of California Press, 1993.

_____. *In the eye's mind: vision and the Helmholtz-Hering controversy*. Princeton, N. J.: Princeton University Press, 1994.

VALENSTEIN, Elliot S. *Great and desperate cures: the rise and decline of psychosurgery and other radical treatments for mental illness*. Nova York: Basic Books, 1986.

VALVO, Alberto. *Sight restoration after long-term blindness: the problems and behavior patterns of visual rehabilitation*. Nova York: American Foundation for the Blind, 1971.

VAN DEN BERGH, Sidney, MCCLURE, Robert D. e EVANS, Robert. "The supernova rate in shapley-Ames galaxies", *The Astrophysical Journal* 323:44-53 (1º de dezembro de 1987).

VON SENDEN, M. *Space and Sight: the perception of space and shape in the congenitally blind before and after operation*. 1932. Reimpressão, Glencoe, Ill.: Free Press, 1960.

VYGOTSKY, L. S. *The fundamentals of defectology*. Trad. Jane E. Knox e Carol B. Stevens. In RIEBER, Robert W.; e CARTON, Aaron S., eds., *The collected works of L. S. Vygotsky*. Nova York: Plenum, 1993.

WAI-CHING Ho, ed. *Yani: the brush of innocence*. Nova York: Hudson Hills Press, 1989.

WATERHOUSE, Lynn. "Extraordinary visual memory and pattern perception in a autistic boy". In OBLER, Loraine; e FEIN, Deborah, eds., *The exceptional brain*, 325-38. Nova York: Guilford Press, 1988.

WAXMAN, Stephen G. e GESCHWIND, Norman. "Hypergraphia in temporal lobe epilepsy". *Neurology* 24:629-2536 (1974).

_____. "The interictal behavior syndrome associated with temporal lobe epilepsy." *Archives of General Psychiatry* 32:1580-86 (1975).

WELLS, H. G. "The country of the blind." Londres: Nelson, 1910.

WERMAN, David S. "Normal and pathological nostalgia". *Journal of the American Psychoanalytic Association* 25:387-95 (1977).

WILLIAMS, Donna. *Nobody nowhere*. Nova York: Times Books, 1992.

_____. *Somebody somewhere*. Nova York: Times Books, 1994.

WILTSHIRE, Stephen. *Cities*. Londres: J. M. Dent, 1989.

_____. *Drawings*. Londres: J. M. Dent, 1987.

_____. *Floating cities*. Londres: Michael Joseph, 1991; Nova York: Summit, 1991.

_____. *Stephen Wiltshire's American dream*. Londres: Michael Joseph, 1993.

WING, Lorna. "The relationship between Asperger's syndrome and Kanner's autism". In FRITH, Uta, ed., *Autism and Asperger syndrome*. Nova York: Cambridge University Press, 1991.

YATES, Frances. *The art of memory*. Londres: Penguin, 1969.

YOUNG, Thomas. "The Bakerian lecture: on the theory of lights and colours". *Philosophical Transactions of the Royal Society*. Londres 92:12-48.

ZAJONC, Arthur. *Catching the light: the entwined history of light and mind*. Nova York: Bantam, 1993.

ZEKI, Semir. *A vision of the brain*. Oxford: Blackwell Scientific Publications, 1993.

ZIHL, J.; VON CRAMON, D.; e MAI, N. "Selective disturbance of movement vision after bilateral brain damage". *Brain* 106:313-40, 1983.

ZUCKERKANDL, Victor. *Sound and symbol*. 2 vols. Princeton, N. J.: Princeton University Press, 1973.

ÍNDICE REMISSIVO

abate animal, 277-81, 322
Abuzzahab, dr. F. S., 309
acessos: de reminiscência, 166-8; hipermnésicos ou experenciais, 168, 173, 316; psíquico, 165; *v. tb.* lobo temporal, epilepsia do
acinetopsia, 300
acromatopsia, 19, 30-3, 39-41, 43-4, 48, 296-304, 326-7; *v. tb.* daltonismo cerebral; daltonismo retiniano
adaptação, 12-5, 33, 59, 114, 144, 153-4, 256
agnosia, 24, 303; auditiva, 315; visual, 24, 31, 39, 130, 311, 329
Aitken, A. C., 317
alexia, 18, 20-1, 39, 296
alienígena, 85, 95, 192
Allen, Doris, 247
alucinações: em convulsões, 165-6; na cegueira, 77
ambliopia, 31
amígdala, 49, 286-7, 290
amnésia, 15, 20, 49, 56-7, 63-4, 72, 74-7, 81, 303-4, 307, 330; *v. tb.* memória
anarquia, 309; na primeira infância, 309; na síndrome de Tourette, 84, 89, 96; no autismo, 294
aneurisma, 307
anosogosia, 298
anóxia, 42, 147-9, 301, 315
Anton, síndrome de, 140, 297, 304
apatia, 55, 59-60, 63, 69, 116-7, 209, 245, 286-7, 307
apomorfina, 105

Areteu da Capadócia, 84
arquivo, 156; de imagens, 323; de memórias, 172-3, 219, 286-7; de pinturas, 156, 189; de tiques, 308
artistas autistas,. *v.* José; Nadia; Park, Jessy; Wiltshire, Stephen
Asperger, Hans, 192, 246-9, 251, 254, 332-3
Asperger, síndrome de, 209, 249, 275-6, 288, 294, 324, 332
Associação da Síndrome de Tourette, 109
ataxia, 257
atenção, distúrbios de déficit de, 250
atualização, ausência de: na amnésia, 56, 76; na epilepsia, 173-6; na síndrome de Tourette, 88, 94-5, 308; na síndrome *savant*, 201-2, 219; no autismo, 282; no mnemonismo técnico, 309
Auden, W. H., 184
autismo, 316; afetividade no, 202-3, 208-9, 212, 222-3, 250; andar ou movimento, 257; anormalidades sensoriais no, 255-6, 266, 322; aspectos positivos, 276-7; capacidade de concentração, 256; causas do, 249-50, 288, 320; clássico, 218, 244, 248-9, 276; comportamentos auto-agressivos, 251; compulsão no, 192, 199-200, 250, 252, 255, 277, 290-1; computadores, analogia aos, 219, 257, 282, 287; concretude no, 219, 282-3; depressão no, 273-4; desapareci-

mento do, 241; desenvolvimento em adultos, 250; desenvolvimento tardio, 274; diagnóstico do, 251; e convulsões, 247, 251; e criatividade, 284, 293-4; e desempenho, 241; e drogas, 274; e emoção, 202-3, 209, 211-2, 220-221, 262, 264-5, 269, 284-6, 289, 322; e estímulos sensoriais, 273, 322; e inteligência, 247-8, 251-4, 271-2, 283; e linguagem, 198, 203, 247, 253, 271; e memória, 282, 287-8; e música, 293-4; e mutismo, 244; e olfato, 255; e relações interpessoais, 261-2, 269-76, 284; e retardo mental, 247, 249, 251-2; e suicídio, 273; efeitos de abraços e apertos no, 263-5, 288; empatia em, 260, 269-70, 289; escolas e acampamentos especiais para, 246, 252-3, 271, 321; estereótipos, 247-8, 257; estudo do caso de Temple Grandin, 246, 254, 295; estudo do caso de uma família, 246, 276-7; fingir e brincar no, 222, 271-2, 276-8; função do cerebelo, 258, 288; fúria e violência do, 255, 271; genético, 250, 288; habilidades no, 220, 248, 251-2; habilidades sociais no, 252-3, 260-1, 270-6, 289; humor no, 257; identidade e, 243, 276-7, 290; imaginação no, 213, 215-9, 221, 282; imitação, 222-32; incorporação de habilidades ou, 267; isolamento mental no, 192, 223, 319-20; lembranças primitivas, 321; mímica, 201, 222, 233; movimentos e ruídos repetitivos do, 192, 247; oscilações no, 218; pensamento visual, 282-4, 287-8, 324; rituais e rotinas, 192, 258, 271-3, 276; *savants* e prodígios, 190-245; senso estético no, 233-5, 292; senso moral no, 294-5; sexualidade no, 236-8, 284; sintomas (vasta gama de) no, 247, 251-2; talentos numéricos no, 252; talentos singulares, 193, 252, 288-9; traços do, 249, 288-9, 324; tratamento para, 250-251, 320-1; *v. tb.* Asperger, síndrome de; *savants*
auto-organização do cérebro, 14, 228-30

B., família autista, 276-7, 312-3, 315
Bartlett, Frederic, 174-5, 322, 330
Bartók, Bela, 226, 294, 316
Bear, David, 166
bebês aprendendo a ver, 114-5, 132, 143, 314-5
Beddoes, Thomas, 316
Bellugi, Ursula, 319
Bennett, Carl (cirurgião com síndrome de Tourette), 86-91, 93-112, 308, 310; como cirurgião, 92-4, 96-102, 104
Berkeley, George, 115
Betsaida, milagre de, 311
Bettelheim, Bruno, 288, 332
Bhaktivedanta, Swami, 51, 304
Bíblia, 171, 304
Bidder, George Parker, 194, 317
Blueberry Treatment Centers, 321, 332
Bobo Sagrado, 66
Borges, Jorge Luis, 171, 313
Boyle, Robert, 296
braile, 50, 74, 76, 116-7, 127, 143
Brann, Eva, 177
brincadeira: na síndrome do lobo frontal, 307; na síndrome de Tourette, 96, 108, 110; no autismo, 198-199, 218-9, 221, 252-3, 270, 273, 276
Bruner, Jerome, 320, 323, 331
Buxton, Jedediah, 193, 227

cachorro, dificuldade na percepção do, 23, 125, 128, 133, 180
Camp Winston, 246, 253, 322
capacidade abstrato-categórica, 228, 242
características obsessivas, 157, 306
carros, Stephen Wiltshire e, 199, 211, 215, 223, 232-3
Casson, sir Hugh, 205, 208
cataratas, 113, 115-6, 118, 120, 134, 151, 330; cirurgia de, 113, 115, 118-9, 138, 145, 153, 311
cavalinha, 259-60
cegueira, 297-8; alucinações visuais na, 77; aumento da sensibilidade auditiva, 313-4; causas da, 52-5, 58, 297-8, 304; e comportamento aparente, 57-8, 121-2, 311; efeitos cerebrais da, 119, 129-30, 138-40, 143-4; estigmatização da, 311-2; habilidades táteis e identificação na, 128, 135-7, 143, 151-2; identidade e, 136, 143-5, 313-4; inconsciência da, 58, 74-5, 77; memória visual na, 45-6, 303; orientação auditiva na, 57-8, 313-4; periódica, 138-42; senso tátil, 116, 135-7, 143; uma história de recuperação da visão, 113-54; *v. tb.* Anton, síndrome de; restauração da visão
cegueira do movimento, 300
cérebro: área de percepção de cores, 19, 36-9, 42, 300, 315; área de percepção de movimentos (sistema M), 47, 300, 302-4; áreas de percepção de formas, 302; auto-organização do, 14, 228-30; córtex visual, 32-3, 38-9, 42, 139, 143-4, 149, 153, 297, 304, 315; desenvolvimento cerebral pela experiência, 119, 131, 143, 261-2, 288, 312-3; desenvolvimento filogenético, traços "primitivos", 108; desinibição, 69, 72; diencéfalo, 53, 63-4, 305; e a visão da cor, 19, 32-3, 37-43, 49-50, 301; e autismo, 287-8, 290; e cerebelo, 257-8, 288; engramas nêuricos, 132; estagnação cerebral com amnésia, 57, 62-3, 76; inibição como proteção, 314; involução cerebral com perda, 49-50, 130; lesão nos lobos temporais, 61-3; lesão por dióxido de carbono, 148; lesão por monóxido de carbono, 42; lobos temporais, 53, 55, 62-3, 72, 165, 172, 307; maleabilidade do, 13-4, 27, 46-50, 143-4, 149, 153-4, 313-5; neurotransmissores, 85, 108; reação a sobrecarga neural, 139-40, 314; sistema límbico, 49, 62, 286, 290; sistemas de base mimética, 243; sistemas visuais primários, 302-3; tálamo, 305; talentos natos e neuromoduladores, 193, 197, 224-7, 252, 288; técnicas de visualização do, 39, 42, 53, 74, 143, 288; tumores, 53-6, 61-3, 70, 304; *v. tb.* lobo frontal; lobo temporal, epilepsia do
Cézanne, Paul, 132
Charcot, Jean Martin, 84
Chase, Liz, 239
cheiro, sensação de, 23, 79-80, 128, 152, 159, 164, 215, 218, 255, 280, 297, 307, 318
Cheselden, William, 115, 126, 134, 153, 329
Chesterton, G. K., 16, 184
Cities, desenhos de Stephen Wiltshire, 210, 332
Claparède, Edouard, 305
Cocteau, Jean, 307
coenestesia, 164, 321
Cole, Lorraine, 198-9, 203-4, 211, 238
Coleridge, Samuel, 228, 324

Collins, Mary, 297, 326
Collins, Wilkie, 329
Colorful notions, filme, 327
comportamento social, simulação do, 253-4, 258-9
comportamentos obsessivos-compulsivos: em Franco, 188-9; na síndrome de Tourette, 87, 89, 94-5, 98; neurótico, 306; no autismo, 192, 199-200, 252, 255-6, 271
comprimento de onda (da luz), 32, 34-44, 48, 153, 301
compulsões: em síndromes pós-encefalíticas, 309; na síndrome de Tourette, 89, 91, 106, 310; no autismo, 192, 199, 249, 252, 255, 277, 290-1
comunicação facilitada, 251, 320
consciência, duplicação da, 166-7
constância perceptiva, 35, 132-3, 312-3
construção: de cores, 37-40; do movimento, 300
contraste, percepção de, 23-5, 30, 43, 201, 266
coprolalia, 84
cor: agnosia, 30-1, 129; anomia, 30, 129, 303; categorias culturais, 298; constância, 35; construção, 37-40; e identidade, 45; expectativa e, 301; fotografia, 36-7, 299-300; mistura de, 35; percepção de, 129-30, 150, 315; primária, 35; teoria, 19, 33-9; visão e drogas, 301
crianças "roubadas", 192
crianças: crescimento cognitivo em, 14, 320; desenvolvimento perceptivo de, 143-4, 314-5
criatividade, 243-5, 254, 284, 294, 317
Crick, Francis, 42-3, 303, 326
Critchley, Macdonald, 71, 327
cromatofenos, 40, 301
curas milagrosas: na cegueira, 113-4, 312; no autismo, 251, 320-1

Dalton, John, 299
daltonismo cerebral (total): beleza da camuflagem e, 304; caso de, 18-50; casos históricos de, 32-40, 296; congênito, 297, 301-4; consciência do, 297-8; e anóxia, 42-3, 301; e arte, 27-8, 44, 48; e identidade, 45-50; e percepção de contraste, 23, 43, 47, 302, 304; e sinestesia, 25-26; e sonhos, 25-6; enxaquecas e, 25; histérico ou falso, 30-1; horror do, 21-2, 24-6, 45; indescritibilidade do, 21, 24-6, 45; lesões cerebrais e, 32-3, 42, 301; memória e imaginação visual, 21-2, 27, 30, 45-6, 49, 297, 303; mudanças cerebrais secundárias ao, 49-50; sensação de perda no, 25-7, 43-4; testes para, 29-31, 298; transitória, 301; vantagens do, 47-8; visão de movimento, 47, 304; visão noturna, 47, 303
daltonismo retiniano (vermelho-verde), 18-9, 22-3, 299, 301, 304
Damásio, António, 44, 296, 300, 323-4, 326-7
Damásio, Hanna, 300, 326
dança de são Guido, 107
Darwin IV, 313
"darwinismo neuronial", 296
De Chirico, Giorgio, 315
deficiente, o, 14, 194-5, 214, 230, 241, 280
dependência ambiente, síndrome da: na síndrome do lobo frontal, 66, 68-9, 305; na síndrome de Tourette, 94-5; no autismo, 234
depressão, 20, 25, 28, 44, 70, 142, 154, 273, 302
derrame, 14, 21, 26, 31-2, 43, 140, 297-8, 306
Diderot, Denis, 144, 303, 314, 329
discromatopsia, 301

dislexia, 250
distúrbio obsessivo-compulsivo, 250
doença e saúde, 14-6, 136, 315-6; e identidade, 66-7, 85-6, 107-8, 165-6, 168-9, 243, 290, 314, 316
Donald, Merlin, 242, 331
dopamina, 85
Dostoievsky, Fedor, 165-6, 315-6, 330
Dostoievsky, síndrome de, 166, 330
Down, J. Langdon, 194-5, 318, 330
du Hauron, Ducos, 300
Dyson, Freeman, 13, 319, 326

ecolalia, 84, 95, 218, 230, 235, 242
ecopraxia, 84
Edelman, Gerald, 59, 174-5, 177, 296, 313, 323, 325-6
ego, 161, 307
Einstein, Albert, 294, 316
eletrorretinogramas, 152, 298
encefalite: do lobo temporal, 72; e autismo, 250; letárgica, 309
enxaquecas visuais, 25, 301, 315
epilepsia: do lobo temporal, 165-6, 168-9, 172; visual, 301; *v. tb.* acessos; lobo temporal, epilepsia do
esemplasia, 228
espectro, 32, 41
esquizofrenia, 70, 249, 290, 324; infantil, 249
estados oníricos, 66, 161, 165, 305, 316
estilo autista, 197-8, 204, 207-208, 212-3; extração do, 213, 232-4, 240-1
Evans, Robert, 318-9
exílio: da realidade espacial, 152; da vida social normal, 238, 273; do paraíso da infância, 171, 316
Exploratorium de San Francisco, 155, 179

Farbenlehre, 35
Farnsworth-Munsell, teste de, 298
Feindel, E., 95, 328

fenilcetonúria, 250
Ferrier, David, 69
Feuerbach, Anselm von, 303, 329
ficção científica, 178, 261, 276
filifolhas, 291
Floating cities, desenhos de Stephen Wiltshire, 223, 332
Foolish wise ones, The, programa da BBC, 204-5, 209
fotografia, 24-5, 30, 36-37, 299, 302, 327
Foucault, Jean Bernard, 16
Foucault, Michel, 325
Franco Magnani (pintor de memória), 155-64, 166-73, 175-88, 317, 323, 330
Freeman, Walter, 70
frenologia, 68
Freud, Sigmund, 66, 84, 161, 173, 175, 317, 327
Frith, Uta, 212, 214, 254, 275, 289, 332
Fuller, G. N., 315
fumo e visão, 31
Futterman, Frances, 302, 327

gado, comportamento de, 258, 261, 265, 267, 269, 278-81
Gage, Phineas, caso de, 67-9, 72, 305-6
gagueira, 103
Gale, M. V., 315
Gardner, Howard, 225-6, 289, 331
Gastaut, Henri, 165
gato, percepção de Virgil do, 125-7
Gauguin, Paul, 316
Geahchan, D., 170
Geschwind, Norman, 165-6
Geschwind, síndrome de, 165, 316
Gillberg, Christopher, 209, 294, 332
Gizzi, Martin, 304
Gladstone, William, 298
Goethe, Johann Wolfgang von, 19, 34-5, 37, 326

Goldstein, Kurt, 217, 228, 230, 242, 299, 325, 331-2
Gowers, W. R., 70, 316
Grandin, Temple (bióloga e engenheira autista), 246, 254, 256-7, 259-73, 275, 277-95, 323-4; adolescência de, 264, 272-3; autobiografia e artigos de, 255, 261, 263, 265, 271, 273, 278, 280, 283, 290, 321-2, 332; infância de, 255-6, 260, 264, 267, 271-2, 278-9, 283, 288-9; máquina de apertar/abraçar, 263-5, 291; *v. tb.* autismo
Grateful Dead, 51, 56-7, 79, 83, 308
Greg F. (paciente com síndrome do lobo frontal), 51-69, 72-83, 304, 307-8
Gregory, Richard, 114, 119, 121, 126-7, 133, 137, 142, 144, 313-5, 327, 329; paciente de (S. B.), 119, 121-2, 126, 133, 135, 137, 142, 153, 311-3, 315

Halligan, Kevin, 153
haloperidol, 85, 108
Hamlin, Scott, 113, 121, 138
Happé, Francesca, 321, 332
Hare Krishna, 52, 54-5, 59
Harlow, John Martyn, 68
Harry S. (engenheiro com síndrome do lobo frontal), 306-7
Hart, Charles, 332
Hart, Mickey, 57, 79, 82, 328
Harvey, William, 114
Hauser, Kaspar, 303, 329
haxixe, 80, 305, 307
Hebb, Donald, 314-5, 329
hebetude, 70
Helmholtz, Hermann von, 19, 32, 35, 38, 40, 299, 312, 326
hemianopsia, 303
Hering, Ewald, 299, 326

Hermelin, Beate, 204, 225, 247, 270, 294, 331
Hester Y. (paciente pós-encefálico), 310
Hewson, Andrew, 210, 212-3, 237, 239
Hewson, Margaret, 209-13, 215-6, 218, 220-2, 230, 232, 234, 236-9, 244
hidrocefalia, 250
hipóxia, 149, 153
histeria, 31, 161, 175
Hobson, Peter, 275, 289
Holmes, Gordon, 39, 300
Holmes, Sherlock, 254
holografia, 163
Homero, 180, 298
Hughlings Jackson, John, 165-6
Hull, John, 48, 129, 145, 311, 329
Hume, David, 301
humor: na síndrome de Tourette, 84; na síndrome do lobo frontal, 65-6, 307; no autismo, 257, 276
Hurlburt, Rusell, 324

ibuprofeno, 301
identidade: apropriação de, 103-5, 235-6, 241-2, 267, 310, 321; em Franco, 161-2; em Virgil, 139-43, 147, 313-5; na síndrome de Tourette, 104-5, 107-8; na síndrome do lobo frontal, 47, 49; na surdez, 315; no autismo, 205, 235-6, 240-3, 250, 276-7, 290; no cego, 136, 144-5, 313-4; teoria neuronial, 296, 325-6; transformação da, 12, 64-9, 306-7; visual, 141-2, 144-5
idiots savants, 175, 194-7, 225, 229-30, 330; *v. tb. savants*
ilusões visuais, 34, 121, 132, 313
imagem corporal, 12, 50, 312
imaginário visual: em Franco, 161-4; em Jonathan I., 30-1; em Mnemonista, 323-4; em Nadia, 196; em Stephen, 201; em Temple, 283, 324; em Tesla, 324

imipramina, 273
inconsciência: da cegueira, 58, 74-5, 77, 304; da lembrança, 62, 78-9, 304-5; da visão, 148-9, 151; das regras sociais, 204-5, 275-7; de estar doente, 304; do lado esquerdo, 298
inibição, defesa, 139-140
inteligências múltiplas, teoria das, 225-6, 289
Ishihara, pranchas com pontos coloridos de, 30

James, William, 52, 244
Jamison, Kay Redfield, 316
Jimmie (paciente amnésico), 63, 72
Johnson, Samuel, 316
Jonathan I. (pintor daltônico), 18-50, 301-3, 326-7
Jonny (artista autista), 200
"Jornada nas estrelas", 275
José (artista autista), 198, 207-208, 244
Joyce, James, 171-2
Julesz, estereogramas e campos de pontos casuais de, 298

Kanner, Leo, 192, 246-9, 251, 331-3
Kierkegaard, Søren, 176, 316
Korsakov, síndrome de, 63

L-DOPA, 309-310
Land, Edwin, 36-41, 48-9, 326-7
Lane, Harlan, 315
LaPlante, Eve, 316, 330
Lemke, Leslie (*savant* musical), 225-6
Lennox, William Gordon, 316
Lepke (paciente lobotomizado), 71-2
leucotomia, 70, 305
Lhermitte, François, 16-7, 66, 327
Llinás, Rodolfo, 305
lobo frontal, síndromes do, 63, 74, 81, 304-7
lobo temporal, epilepsia do, 165-6, 168-9, 172, 316, 330; uso criativo da, 165, 316
lobos frontais: desenvolvimento dos, 67; e aprendizado, 61-2; lesão dos, 286; lobotomia, 70-2, 305-6; primeiros conhecimentos das funções dos, 67-72; síndromes e personalidade, 64-7, 75-6, 306-7; síndromes, 63-7, 72-4, 81-2, 304-7
lobotomia, 70-2, 305, 327
Locke, John, 33, 114-5
Lowell, Robert, 71, 274
LSD, 51-2
Lua, percepção errônea da, 123, 311
Luria, A. R., 13-4, 175, 286, 305, 321, 323, 325, 327, 330
luto: dificuldade do, 77-9; no gado, 267-8

macacos, teoria da mente nos, 281
macaquear o comportamento humano, 276
maconha, 80, 312
Magnani, Ruth, 167, 169-70, 179, 187
mal de chiste,. v. *Witzelsucht*
maníaco-depressivo, distúrbio, 274, 290, 316
máquina de apertar/abraçar, 263-5, 291
Marris, Chris, 200-9, 226, 245, 319
Marte, um antropólogo em, 260, 269, 291
Martin A. (*savant* musical), 195, 224-6
Matisse, Henri, 213-4, 221, 233, 242
Maxwell, Clerk, 19, 35-6, 38, 299-300, 327
McDonnell, Jane Taylor, 202, 332
Meige, H., 95, 328
memória, 55-8, 173, 175-7; autista, 282, 321; conceitual, 317; contextual, 61; criativa e imaginativa, 177-8, 317; de curta duração, 62; de infância, 176, 321; de longa duração, 62; e a singularidade, 95; e os sen-

351

tidos, 163; eidética, 155-6, 207, 330; experiencial ou autobiográfica, 159-60, 172-3; explícita e implícita, 62, 304-5; fotográfica, 159, 206-7; inconsciente, 317; instantânea, 164; lesão do lobo temporal, 55, 61-2, 72-3, 77-8; musical ou rítmica, 72-3, 306-8; neurótica ou histérica, 175; nova, 62; olfativa, 307; perceptiva, 317; processual, 61; reconstrutiva, 174, 322-3; *savant*, 175, 194, 201, 207, 317; sem apropriação, 219; semântica, 61; traumáticas, 175; *v. tb.* amnésia; *savant*

meningite, 116
meningoencefalite, 116
Merrick, John (Homem Elefante), 309
mescalina, 301
Miller, Bob, 163, 170
Miller, Jonathan, 306
Miller, Leon K., 331
mimese, 242, 321
mímica e personificação: na síndrome do lobo frontal, 65, 305; na síndrome de Tourette, 87-88, 94-6, 104, 305, 310; no autismo, 201, 222, 233-5
Mind, Gottfried, 193
Miriam H. (paciente pós-encefalítica), 309
mito, 112, 157, 170-1, 175, 177, 179, 234, 259, 317
mnemonismo, 175, 196, 286, 309, 321, 323-4
Mollon, J. D., 303
Molyneux, William, 114, 131, 329
Mondrian, testes de, 37, 41-3, 302
Monet, Claude, 208
Moniz, Egas, 70-2
Moreau, J.-J., 305
movimento, senso intensificado do, 135, 304

Mozart, Wolfgang Amadeus, 316
Murray, T. J., 317
música, 25-6; e autismo, 293; e síndrome de Tourette, 103; improvisação de, em *savant*, 191, 240; memória da, e lesões dos lobos temporais, 56-7, 64, 72-3, 81-83, 306-8; normalização com, 56, 81-2, 102-3, 239-41; *savants* e, 224-5, 238-43; terapia, 59, 74
Myers, F. W. H., 195-6, 331

Nabokov, Vladimir, 227, 319
Nadia (artista *savant*), 196-7, 203, 208, 226, 318, 331
Nagel, anomaloscópio de, 298
nervo óptico, 119
neurofibromatose, 94, 96, 99
Newton, Isaac, 19, 31-4, 37, 50, 314, 316
Nordby, Knut, 46, 297, 299, 303
North, dr., 306
nostalgia, 170-2

O'C., senhora (paciente reminiscente epiléptica), 168
O'Connor, Neil, 204, 247, 331
obsessão, *v.* características obsessivas; comportamento obsessivo-compulsivo; distúrbio obsessivo-compulsivo

P., dr. (músico agnósico), 122
paralisia cerebral, 60, 320
Park, Clara, 207, 246, 331-2
Park, Jessy (artista autista), 200, 246, 270, 318-9, 331
Parkinson, 90, 103, 105, 107-8, 247, 314, 320
paródia: na síndrome de Tourette, 305, 308; no autismo, 220-2, 241
passividade, 33, 35, 63, 65, 71, 116, 118, 215, 245

Pavlov, Ivan Petrovitch, 314
Pearce, Michael, 164, 330
Penfield, Wilder, 172-3, 316, 330
pensamentos concretos, 157, 219, 282-3, 313
performance: na síndrome de Tourette, 104, 310; no autismo, 241
personalidade intercrises, síndrome de, 165-6
Piaget, Jean, 219
Picasso, Pablo, 221, 318
Pickwick, síndrome de, 149
Poe, Edgar Allan, 73, 312, 316
Pope, Robert, 317
porcos, efeito do meio ambiente no cérebro dos, 262, 288
pós-encefalíticas, síndromes, 64, 309-10; e comportamentos olfativos, 218; e mimetismo, 235
possessão: em Franco, 168-169; na síndrome de Tourette, 85, 108, 235; no autismo, 235
Preston, Evie, 239-41
Prisoner of consciousness, 306-7
prodígios, crianças, 193; história do caso de Stephen Wiltshire, 197-224, 226, 230-45
profundidade, percepção de, 28, 40, 47, 125, 298, 302, 313
Proust, Marcel, 167, 170, 173, 177, 188, 244, 316, 330
Prozac, 108, 310
psicanálise, 85, 173
psicocirurgia, 70-1, 305-6
psicologia cognitiva, 247-8
psicoses, 161, 290, 306, 316
psicoterapia, 85
Pullen, J. H., 195

qualia, 50
Quinlan, Karen Ann, 75

Raehlmann, Eduard, 128

Rain Man (filme), 216, 231-2, 235, 242
Rapin, Isabelle, 249
religião: cultos, 52-5, 304; sentimentos, 51-2, 162, 177, 234-5, 278-80, 294-5, 304
reminiscências, 156-7, 161, 165-6, 170, 173, 179, 317; acessos de, 168, 173
repetição, compulsão de, 175
repressão, 102
respiração deficiente em Virgil, 116, 148-9, 153
restauração da visão: comparada a visão infantil, 114, 143-4, 314-5; comportamento aparente com, 121-3, 311; e cores, 122, 129-30, 150; e crise de motivação, 142-3; e feiúra, 145, 315 e ilusões visuais, 313; e leitura, 126-7; e perspectiva, 124, 131-2, 313; e reversão para a cegueira, 138-42, 148-54; e simultaneidade, 128-9; e síntese espacial, 125-6; efeitos emocionais, 129-30, 140-3, 314; efeitos imediatos, 118-20, 129; formas e objetos, 114-5, 124-7, 130-41; identidade visual, 140-1, 144-5; memórias visuais, 130; percepção da distância, 124-5, 312; percepção de profundidade, 124-5; percepção do movimento, 121, 123, 133-6; relação entre visão e tato, 125, 130, 132, 136-7, 143; representação pictórica, 133-4; *v. tb.* daltonismo
retardamento mental: e autismo, 193-4, 230, 247, 251, 331; e *savants*, 195-6, 207, 224-5, 227
retina, 19, 31, 33-4, 38, 46, 113, 116, 119-20, 139, 145, 151-3, 298-9, 330; eletrorretinogramas, 152, 298; macular, 120; paramacular, 120
Retinex, teoria, 38

retinite pigmentosa, 113, 152
Rimland, Bernard, 250, 332
Ritvo, Ed e Riva, 324
Rosenfield, Israel, 48, 316, 325
Rothenberg, Mira, 200, 236, 321, 332
Rothmann, Eva, 228, 331
Ruby G. (paciente lobo frontal cega), 304
Sacks, David, 198
Saunderson, Nicholas, 303, 314, 329
savants, 190-245; calculadores de calendário, 202, 225, 227; calculadores prodigiosos, 193-6, 225, 317-8; capacidades de memória, 175, 194-5, 201-2, 207, 317; capacidades verbais, 194, 319; mimetismo, 238-9, 242-3; musicais, 224, 229, 238-43, 318; olfativos, 215, 218, 318; retardados, 193, 195, 224; talentos comparados aos talentos normais, 226-7; tátil, 318; variedade de talentos e habilidades, 195-6, 224-8, 319; visual, 197-200, 203, 207, 225, 244-5; *v. tb.* autismo
Schachtel, Ernest, 167, 176-7, 330
Scheerer, Martin, 228, 331
Schopenhauer, Arthur, 19, 299, 303, 326
Schwartzenberg, Susan, 155, 170, 330
Scott, Robert, 311-2
Séguin, Edouard, 190-1, 330
Segunda Guerra Mundial, 115, 304
Selfe, Lorna, 196, 331
Shane F. (artista com síndrome de Tourette), 246, 310, 322
Sharpe, Lindsay T., 299
Siegel, Ralph, 41, 121, 298, 304
simpatia: na síndrome do lobo frontal, 75; no autismo, 234, 322
sinestesia, 25-6, 33-4
singularidade: autista, 197, 248-9; touréttica, 93-5, 309
Skinner, B. F., 268

Sloan, cartas de acromatopsia de, 298
sonho *versus* vigília, 66, 305
sonhos, 161, 163-4, 187, 317; prescientes, 319
Spinoza, Baruch, 19
squid, exame, 39
Squire, Larry, 62, 328
Stevenson, Robert Louis, 305
Strachey, Lytton, 306
substituto alienígena, 65
Sullivan, Harry Stack, 164
surdez: e identidade, 315; e orientação visual, 50, 143, 315

talento: normal, 162, 228, 318-9; *savant*, 193-7, 226-30, 243
tamanho/distância, julgamento do, 312-3
tato: na síndrome do lobo frontal, 307; na síndrome de Tourette, 100
Tempo de despertar, 60, 250, 309-10, 320
teoria da mente, 212, 248-9, 269, 271, 289-90, 332; e macacos, 281
Tesla, Nikola, 324
Thompson, sr. (paciente amnésico lobo frontal), 63, 307
tiques, 84, 86-9, 91-6, 100-3, 107-8, 110, 112, 206, 240-1, 246-7, 308-10, 322, 328
Tom, cego, 190-2, 245
Tomaino, Connie, 60-1
Tourette, George Gilles de la, 84, 328
Tourette, síndrome de, 84-6, 246, 305, 322; como doença química, 85; comportamento olfativo, 84, 218; compulsões de números, 95, 309; declaração involuntária, 90-1, 94, 101, 106; e atenção a detalhes, 87, 98-9; e atletismo, 103, 310; e autismo, 250, 324; e canoagem, 310-1; e dirigindo, 90, 103, 106-7, 310; e fluxo, 102; e singularidade, 94-5; e voando, 110-2; ecolalia, 94-

5; elaboração e imitação, 84, 95, 235; hiperfoco, 256; história do caso Carl Bennett, 86-112; leitura e, 92-4, 309; medicações, 108, 310; médicos com, 308; música e, 102-3; pânico e fúria, 89, 104-5, 108; performance e, 104, 310; personificação convulsiva da, 104; personificação da, 107-8; preocupação com a simetria, 87-8, 92, 106, 309; sentido do espaço pessoal, 89-90; sintomas, 84-6; tapinhas convulsivos, 88; tiques convulsivos, 84, 86-90, 94, 96-7, 101, 103, 110; tiques de arremessos, 84, 90, 308; tiques vocais, 84, 87-8, 90-1, 94, 101, 106; uso criativo da, 85, 106; velocidade de movimento, 90, 102-3, 309-10
tranqüilizantes, 305-6
Tredgold, A. F., 193, 195, 318, 330
Treffert, Darold, 191, 225, 330
trocadilho incontinenti, 65, 94-5, 305
tumores cerebrais, 14, 53, 55-6, 61, 63, 70, 296, 304

Valvo, Alberto, 114, 125, 128, 130, 142, 144, 147, 154, 312, 329
Van Gogh, Vincent, 22, 165, 316
Verrey, Louis, 32-33, 39
Virgil, 113, 115-41, 143-50, 152-4, 311, 313-5, 330; *v. tb.* restauração da visão
visão noturna, 47
visão: agnosia, 39; aprendendo a ver, 114, 314; desenvolvimento na infância, 143-4; e fumo, 31; e o tato, relação entre a, 115, 119, 125, 130-3, 136-137; forma de, 47-8, 114-5, 301-2, 304; implícita ou inconsciente, 149; movimento, 300; perda da, 52-5; testes, 302-4; *v. tb.* cegueira; daltonismo
Von Senden, Marius, 129, 141, 152, 311, 314, 329
Vygotsky, L. S., 14, 325

Wallace, Jean G., 114, 329
Wasserman, Robert, 20, 29, 41, 121, 138, 152
Waterhouse, Lynn, 213
Waxman, Stephen, 165
Waxman-Geschwind, síndrome de, 166
Wells, H. G., 304
Werman, David, 170, 330
Wilbrand, Hermann, 32, 39
Williams, Dona, 322
Williams, síndrome de, 319
Williamson, John, 221, 319
Wilson, George, 297
Wiltshire, Stephen (artista autista), 197-224, 226-7, 230-41, 243-6, 282, 294, 318-9, 322-3, 331-2
Wing, Lorna, 247, 333
Wittgenstein, Ludwig, 19, 294
Witzelsucht (mal de chiste), 65

Yamamura, Shyoichiro (artista autista), 200
Yani (não-autista prodígio), 318
Young, Thomas, 19, 32, 298-9
Young-Helmholtz, hipótese de, 32, 299

Zeki, Semir, 38-9, 41-3, 301-2, 315, 326
Zihl, J., 300
Zuckerkandl, Victor, 306

AGRADECIMENTOS E AUTORIZAÇÕES

Um grato reconhecimento deve ser prestado às seguintes pessoas e instituições por permitirem a reprodução de material já publicado anteriormente:

Cambridge University Press e *Knut Nordby*: trechos de artigo de Knut Nordby tirado de *Night vision: basic, clinical and applied aspects*, organizado por R. F. Hess, L. T. Sharpe e K. Nordby, copyright © 1990 by Cambridge University Press. Republicado com a permissão da Cambridge University Press e de Knut Nordby.

Farrar, Straus & Giroux, Inc.: trecho de "Memories of West Street and Lepke", tirado de *Life Studies*, de Robert Lowell, copyright © 1958, 1959, by Robert Lowell, copyright renovado 1981, 1986, 1987, by Harriet W. Lowell, Caroline Lowell e Sheridan Lowell. Republicado com a permissão da Farrar, Straus & Giroux, Inc.

Richard Gregory: trecho de relato de caso de recuperação da visão por Richard Gregory com Jean G. Wallace (*The Quarterly Journal of Psychology*, 1963, e republicado em *Concepts and mechanisms of perception*, de Richard Gregory). Republicado com a permissão do autor.

Grove/Atlantic Publishing: trecho de "Funes, o Memorioso", tirado de *A personal anthology*, de Jorge Luis Borges (Grove Press, 1967). Republicado com a permissão de Grove/Atlantic Publishing.

Ice Nine Publishing Co., Inc.: trecho de "Box of rain", letra de Robert Hunter, música de Phil Lesh, interpretada pelo Grateful Dead, copyright © 1980 by Ice Nine Publishing Co. Inc. (ASCAP). Republicado com a permissão de Ice Nine Publishing Co., Inc.

Oxford University Press: trecho de "Selective disturbance of movement vision after bilateral brain damage", de J. Zihl, D. von Cramon e N. Mai (*Brain*, 106: 313-40, 1983). Republicado com permissão da Oxford University Press, Oxford, Inglaterra.

PRO-ED Journals: trechos de "Needs of high functioning teenagers and adults with autism (tips from a recovering autistic)", de Temple Grandin (*Focus on Autistic Behavior*, vol. 5, número 1, abril de 1990, pp. 1-16), copyright © 1990 by PRO-ED, Inc. Republicado com permissão da PRO-ED Journals.

OLIVER SACKS nasceu em Londres, em 1933, e morou nos EUA, onde lecionou no Albert Einstein College of Medicine (Nova York). É autor de *Enxaqueca*, *Tempo de despertar* (que inspirou o filme homônimo com Robert de Niro e Robin Williams), *O homem que confundiu sua mulher com um chapéu*, *A ilha dos daltônicos*, *Vendo vozes*, *Tio Tungstênio*, *Com uma perna só*, *Alucinações musicais*, *O olhar da mente*, *Diário de Oaxaca*, *A mente assombrada*, *Sempre em movimento* e *Gratidão* — todos publicados pela Companhia das Letras. Morreu em 2015 aos 82 anos.

1ª edição Companhia das Letras [1995] 10 reimpressões
1ª edição Companhia de Bolso [2006] 10 reimpressões

Esta obra foi composta pela Verba Editorial em Janson Text
e impressa em ofsete pela Gráfica Bartira sobre papel Pólen Natural
da Suzano S.A. para a Editora Schwarcz em setembro de 2023

A marca FSC® é a garantia de que a madeira utilizada na fabricação do papel deste livro provém de florestas que foram gerenciadas de maneira ambientalmente correta, socialmente justa e economicamente viável, além de outras fontes de origem controlada.